생명의 태피스트리

나는 박물학자로서 나에게 가장 의미 있는
모든 것들이 위협받고 있음을 알게 되었다.
그런 내가 할 수 있는 일 중에
책을 쓰는 것보다 값진 건 없을 것이다.

레이철 카슨

생명의 태피스트리

2022년 9월 30일 1쇄 발행

지은이 안네 스베르드루프-튀게손
옮긴이 조은영
편집 이진규
디자인 김민정

발행인 김인정
펴낸곳 도서출판 단추

www.danchu-press.com
hello@danchu-press.com
출판등록 제2015-000076호

Original title: *PÅ NATURENS SKULDRE.*
English title: *TAPESTRIES OF LIFE*
Copyright © 2020 by Anne Sverdrup-Thygeson and Kagge Forlag
English Translation Copyright © 2020 by Lucy Moffatt
Korean edition is published by arrangement with Anne Sverdrup-Thygeson,
c/o Stilton Literary Agency, Oslo, through The Danny Hong Agency, Seoul.
Korean translation copyright © 2022 by Danchu Press

ISBN 979-11-89723-20-0 03490

생명의 태피스트리

생명을 구하는 자연계의 비밀

안네 스베르드루프-튀게손 지음

조은영 옮김

단추

1. 이 책은 루시 모팻Lucy Moffatt이 번역한 『Tapestries of Life』
    영문판을 우리말로 옮긴 것이다.
2. 단행본은 『 』, 시, 영화, 노래 제목, 논문, 신문은 ' '로 묶었다.
3. 본문의 아래에 붙인 각주는 모두 옮긴이 주다.
4. 인명 및 지명은 국립국어원의 외래어 표기법을 따랐다.
5. 국내에 출간된 책은 한국어판 제목을 그대로 실었고,
    한국어판이 없는 경우에는 원제를 나란히 두었다.

어려서 나는 뭐든지 물어보는 아이였다. 늘 그랬다. 끊임없이 꼬치꼬치 캐묻는 호기심쟁이에 가끔은 얄미울 정도로 조숙한 수다쟁이였다. 초등학생 때 갖고 다니던 사인북이 한 권 있었는데, 겉표지는 부드럽고 밝은 녹색 배경에 커다란 꽃무늬가 그려진 전형적인 1970년대 노트였다. '장미는 붉고, 제비꽃은 푸르네' '내가 1등으로 쓸 거야!' 등 학교 친구들이 펠트 펜으로 아기자기하게 쓴 글씨들 가운데 우리 오빠가 나에게 바치는 두 쪽짜리 시가 유난히 눈에 띈다. 시는 이렇게 시작한다. '너는 나에게 질문을 하지. 묻고 묻고, 또 묻고, 구골플렉스만큼이나…' 그다음 내가 오빠에게 물었던 질문들을 죄다 옮겨 적었다.

　구골플렉스는 보통 큰 수가 아니다. 10을 10의 100제곱으로 제곱한 수이니 말이다(아마 우주의 모든 원자를 합친 것보다 많을 것이다). 구골플렉스라는 말 자체도 내게는 마법의 단어 같았다. 어감이 꼭 주문을 외는 것 같다고나 할까. 나는 어려서 사랑스러운 단어들을 수집했다. '오노매토포익'* 처럼 발음할 때 입안에서 요상하게 구르고 맴도는 말이나, '트리고노메트릭 포인트'‡처럼 목젖을 치고 혀를 가로질러 그 끝에 안착하는 단어들 말이다. 할아버지는 나한테 근사한 단어들을 많이 알려주셨다. 국화과 관동화의 라틴명인 투실라고 파르파라*Tussilago farfara* 같은 식물의 학명도 그중 하나였다. 여름이면 할아버지는 노르웨이의 골스피엘레 고원에 나를 데리고 올라가 석영 결정과 보라색 범의귀를 보여주고, 검은가슴물떼새의 노래를 들려주셨다. 할아버지는 102살까지 사셨다. 매년 여름 수목한계선 위에서 검은가슴물떼새가 구슬피 우는 소리를 들을 때면 할아버지 생각이 난다. 할아버지는 오슬로 집에 돌아오면 거실 한구석의 안락의자에 앉아 두 권으로 된 동화책에서 「우드뢰스트의 가마우지」를 찾으신 다음 큰 소리로 읽어주시곤 했다. 내가 크면서 할아버지와 나누는 이야기도 다양해졌다. 할아버지는 내게 로키Loki†와 겨우살이, 이아손과 황금 양모‡, 1930년대에 대서양을 건너 미국으로 가는 배, 두 번의 세계대전에 대해서 말씀해주셨다.

숲속 호수에 둘러싸인 작은 섬에 우리 별장이 있었는데, 나는 휴일과 수없이 많은 주말을 그곳에서 보냈다. 전기도,

---

* onomatopoeic. 의성어라는 뜻.
‡ trigonometric point. 삼각점이라는 뜻.

† 북유럽 신화에 나오는 신. 사기와 장난의 신으로 불린다.
‡ 그리스 신화에서 이아손이 아이에테스 왕으로부터 황금 양모를 찾는 이야기.

수도도 없는 방 두 개짜리 통나무집이지만 대신 가까이에 자연이 있었다. 여름이면 햇볕에 달궈진 통나무 벽에서 타르 향이 풀풀 나고, 집 밖 변소는 버섯들이 온통 장식했다. 어망에는 농어가 잡혀 있고, 동물의 작은 뼈가 지천에 널렸으며 야생 딸기가 통나무집 지붕 위까지 뻗어 있었다. 한편 장작패기와 억지로 따라나선 월귤 따기는 영원히 끝나지 않을 것처럼 지루했다. 나는 그곳에서 남자아이들을 위한 모험 소설을 즐겨 읽었는데, 습기 찬 보트 창고에 보관했던 거라 표지에 곰팡이가 펴 있었다.

통나무집은 마을은 물론이고 옆집과도 아주 멀리 떨어져 있었기 때문에 특히 겨울에는 밤하늘에 별이 환상적으로 빛났다. 사춘기 시절, 친구 니나와 별을 보며 잠들겠다고 얼음 위에 가문비나무 가지를 깔고 헛간에서 전쟁 때 쓰던 침낭을 꺼내와 잠자리를 만들고 누웠던 적이 있다. 40년이 지난 지금도 생생한 그날 밤의 기억에 남은 것은 밤하늘을 가로지르는 은하수가 아니라 침낭 속에서 맨발에 닿은 마르고 달그락거리는 정체 모를 물체였다. 손전등을 켜고 살펴봤더니 미라가 된 새끼 쥐들이 나뒹구는 둥지가 아닌가.

가끔 사람들이 나더러 왜 그렇게 곤충이나 사람들이 싫어하는 하찮은 생물에 관해 열심히 글을 쓰냐고 묻는다. 왕년에 곤충채집 좀 했나 보다고. 그렇지는 않다. 운이 좋아 야외에서 시간을 많이 보냈고, 사람과 자연, 과거와 현재의 관계에 관심을 북돋워준 가정에서 자랐을 뿐이다. 우리 식구들은 내가 호기심을 가지고 세상이 돌아가는 방식에 대해 끝없이 물어도 그때마다 대답해주려고 애썼다.

호기심, 그리고 경이로움을 느낄 줄 아는 마음은 과학자인 나에게도 중요하다. 생물다양성을 위협하는 것과 그것들을 어떻게 처리할지에 대해 연구하는 보전생물학자로서 나는 어떻게 하면 사람들이 주위의 자연 세계에 감사하고, 돌보게 할 수 있을지 늘 고심한다. 내가 머리를 굴려 생각해낸 답 중에 하나가 이 책이다. 나는 이 책에서 자연의 놀라운 위업들을 보여줌으로써 오늘날 위험에 처한 존재가 과연 누구인지 사람들에게 알려주고 싶다. 또 인간이 자연과 맺어온 창의적 관계가 어떤 역설적인 결과를 불러왔는지 지적할 생각이다. 우리는 자연을 재주껏 이용해왔지만, 그 대단한 활용 능력이 마침내 우리 존재의 근간을 위험에 빠뜨렸다고 말이다.

차례

뿔 없는 코뿔소라니

몇 년 전 학회차 아일랜드 더블린에 간 적이 있다. 꽃가루받이
와 말라리아모기에 관한 강연 사이에 잠시 짬을 내서 아일랜
드 국립박물관에 다녀왔다. 워낙 박물관을 좋아하긴 하지만
이 자연사 박물관은 유독 눈길이 가는 게 많았다. 다윈이 직접
수집했다는 곤충 상자, 뿔만 해도 내 키보다 큰 거대한 말사슴
뼈대─멸종한 종이 남긴 서글픈 유물이었다─, 그리고 1800
년대에 독일 유리세공가인 블라슈카스Blaschkas가 해양 무척
추동물을 본떠서 만든 놀랄 정도로 섬세한 유리 모형 수백 점
등이 전시되어 있었다.

　　블라슈카스의 유리 모형은 교육용으로 제작된 것이다.

이 바다 생물들은 다른 식으로는 전시하기가 영 까다롭기 때문이다. 말미잘이나 연산호를 포르말린 병에 넣으면 형체도 색깔도 없는 덩어리로 바닥에 가라앉고 만다. 블라슈카스가 남긴 수천 점의 멋진 예술작품들은 상당수가 전 세계 박물관, 대학, 학교에 팔려나갔지만 남아 있는 것들도 꽤 볼 만했다.

보면서 등골이 오싹해진 것은 뿔이 제거된 채 박제된 코뿔소였다. 뿔 없는 코뿔소라니. 뿔이 있어야 할 자리에는 두 개의 어두운 구멍만 남았다. 그 속으로 거칠고 누르스름한 무명 캔버스 천이 보였다. 불구가 된 이 동물 옆에는 도난을 방지하기 위해 뿔을 떼어놓았으니 양해를 구한다는 안내판이 있었다. 이건 모두 코뿔소 뿔 가루에 대단한 약효가 있다는 얼토당토않은 믿음 때문이다. 코뿔소 뿔은 사람의 손톱과 똑같이 케라틴이라는 단백질로 만들어졌을 뿐이다. 그런데도 이 근거 없는 믿음은 신기하리만치 널리 퍼져 있다. 코뿔소 뿔은 세계 곳곳에서 불법으로 거래되고 밀렵, 박물관 전시품 절도, 대규모 밀수도 밥 먹듯이 일어난다. 암시장에서 이것을 사고파는 인간들은 양심이라고는 눈곱만큼도 없는 사람들이다. 구매자나 판매자나 그 뿔이 지구에서 영원히 사라져가는 종으로부터 뜯어낸 거라는 사실은 전혀 개의치 않는 것이다.

코뿔소 뿔은 자연과 종 다양성에 대해 사람들이 무의식적으로 공유하는 태도를 극단적으로 보여준다. 사람들은 자연을 어느 외지에 자리 잡은 난공불락의 자원 은행으로 보는 수준에까지 이르렀다. 자연은 인간의 편안한 일상과는 외떨어진 장소에서 무한정 자원을 공급하고 무제한 서비스를 제공하면서도 소비자인 인간의 관심은 받지 못하는 서비스 센터가 되었다.

이는 자연을 보는 올바르지 못한 관점이다. 독자나 나는 자연이 엮은 공예품 속에 생각보다 훨씬 촘촘히 얽혀 있다. 자연은 눈에 잘 보이지도 않는 수많은 생물과 함께 우리의 삶을 지탱하고 있다. 점차 도시화되어가는 현대인들에게도 마찬가지다.

지구에는 여전히 종이 풍부하다. 지금까지 우리는 미생물을 제외하고 약 150만 종에게 이름을 지어주었고, 1,000만 종에 가까운 생물이 아직 더 있다고 추정한다. 인간은 그중 하나일 뿐이다.

지구의 종 대부분은 코뿔소 근처에도 못 갈 정도로 작을 뿐 아니라 인간에게서 멀찌감치 떨어져 토양의 온기 아래, 썩어가는 나무의 섬유질 속, 바다의 짠물에 숨어 살기 때문에 인간의 눈에는 잘 띄지 않을 것이다. 그럼에도 이 익명의 유기체들이 창조한 다양성이야말로 우리가 살아 있음에 감사할 대상이다. 이들은 최초의 인간이 두 발로 서서 다니기 훨씬 전부터 임무를 수행해왔으나 배은망덕하게도 우리는 이들의 봉사를 한결같이 당연시해왔다.

자연의 어깨 위에 서서—생태계 서비스

최근 몇 년간 과학자들은 다양한 유기체 안에서 자연이 우리의 안녕에 기여하는 정도를 알기 쉽게 표현하기 위해 새로운 개념을 도입했다. 생태계 서비스, 자연의 재화와 서비스, 또는 NCP(Nature's Contribution to People, 인간에 대한 자연의 기여) 등 이를 일컫는 명칭은 다양하지만 살아 있는 자연이 인간의 존재와 행복에 직간접적으로 기여한다는 기본 개념은 같다. 즉 자연이 제공하는 모든 혜택을 아우르는 표현이다.

마찬가지로 자연이 제공하는 혜택을 분류하는 방법도 여러 가지가 있는데, 흔히 공급 서비스, 조절 서비스, 문화 서비스로 나눈다(사실 이런 식으로 자연을 유용성의 관점에서 보자면 자연의 폐해 역시 하나의 범주가 되어야 한다. 꽃가루도 알레르기가 있는 사람들에게는 문제를 일으키니까).

각 범주를 좀 더 이해하기 쉽게 설명하면 다음과 같다. 공급 서비스 개념은 자연을 옛날식 잡화점이나 약재상에 비유한다. 이 범주에서 자연은 깨끗한 물, 식량과 섬유, 연료, 산업용 재료, 신약 원료 등 우리에게 필요한 갖가지 제품을 골라서 살 수 있는 만물상으로 기능한다.

조절 서비스 개념은 자연을 청소와 재활용을 도맡아 처리하는 믿을 만한 관리자로 본다. 물과 눈, 토양을 있어야 할 자리에 머무르게 하고 기온이 일정 범위를 벗어나지 않게 조절한다. 특히 무한히 반복되는 물과 양분의 자연 순환은 지구에 생물이 존재하게 하는 가장 기본적인 조건이자 생명의 직물을 형성하는 중심 가닥으로 볼 수 있다.

문화 서비스 개념은 자연을 지식, 아름다움, 정체성, 경험의 원천으로 본다. 우리는 습지나 나이테 같은 천연 기록보관소를 연구해 과거를 배운다. 또한 자연에서 영감을 얻고 새로운 문제 해결 방식을 찾는다. 많은 이들에게 자연은 성당 같은 곳이기도 하다. 자연은 개인의 종교나 신앙과 상관없이 감화, 성찰, 경외의 출발점이 된다.

지구라는 사과의 껍질

지구의 생명과 종 다양성은 굳건하다고도 볼 수 있다. 어쨌거나 생명은 수십억 년이나 이곳에 존재했으니까. 그런데 지구에서 생명이 존재하는 생물권이라는 층은 생각보다 두껍지 않다. 사과 한 개에서 껍질이 차지하는 두께를 생각해보자. 이 사과 껍질은 지구에서 생명이 살아 있는 층보다 두껍다. 태평양 마리아나 해구 밑바닥에서 에베레스트산 정상까지는 끽해야 20킬로미터. 피라미드와 동굴 벽화에서 토스터기와 유엔총회에 이르기까지 인류의 문명이 모두 이 얇디얇은 층에 모여 있다. 생명체에게 주어진 공간이 여기뿐이다.

오늘날 우리는 마리아나 해구에서 비닐봉지를 발견한다.

에베레스트산 중턱에는 쓰레기가 몇 톤이나 버려져 있다. 인간은 말도 못 하게 수가 많고, 어마어마하게 써재끼며 염치도 없이 세를 늘린다. 지구 표면의 4분의 3이 인간의 활동으로 크게 변했고, 그 지역이 인간과 가축들로 채워졌다. 지구상에 있는 모든 포유류의 무게를 측정하면 소, 돼지, 가금류 등 가축이 전체 생물량의 3분의 2 정도 차지하고 나머지 3분의 1은 인간이다. 코끼리에서 뾰족뒤쥐까지 야생동물의 비율은 살아 있는 포유류의 전체 무게 중 4퍼센트에 불과하다.

나는 더블린 박물관에서 저 뿔 없는 코뿔소를 서서 한참 동안 바라보며 가슴속 깊이 분노와 슬픔을 느꼈다.

안내판에 적힌 마지막 문장은 다음과 같았다. "코뿔소의 뿔은 곧 플라스틱 복제품으로 대체할 예정입니다." 그러나 이 코뿔소는 차라리 지금 모습 그대로 두는 편이 나을 것 같다. 귀한 지적 능력을 타고나고도 멸종이 임박한 종조차 배려하지 못하는 우리의 무능력을 일깨우는 상징으로, 존재의 근간을 지키고 싶다면 이젠 정말 달리 살아야 한다는 경고장으로.

우리는 지구상의 1,000만 종 중 하나에 불과하다. 그러나 전 지구와 다른 종에 영향력을 행사하는 능력에 있어서만큼은 독보적이다. 자신의 행동을 폭넓은 시각에서 논리적이고 도덕적으로 평가하는 능력 또한 진화했다. 그 통찰의 결과가 우리에게 막중한 책임이 있다고 말한다. 이제 책임을 져야 할 때가 왔다. 자연은 우리가 가진 전부이자 우리 자신이니까.

1

생명의 물

물이 생명의 근원이라는 사실을 모르는 사람도 있을까. 물 없이도 살 수 있다고 알려진 생물은 아직 없다. 그건 물의 다재다능한 능력 때문이다. 물질을 쉽게 녹이고 이리저리 운반하는 물의 특성은 단백질이 생물체 안에서 적절하게 행동하는 데 대단히 중요하다. 또 물은 고체인 얼음, 액체인 물, 기체인 수증기, 이렇게 물질의 세 가지 상태로 모두 존재한다. 게다가 얼면 팽창하기 때문에 얼음은 호수 바닥이나 해저에 가라앉는 대신 수면 위로 떠오른다.[*]

사람의 몸은 3분의 2가 물로 되어 있으므로 몸이 제대로 기능하려면 매일 물 몇 리터를 채워 넣어야 한다. 게다가 씻는 것에서부터 시작해 온갖 일에 물을 쓴다. 영국에서는 1인당 하루 물 소비량이 141리터 정도로 욕조 하나를 가득 채운다.

[*] 덕분에 수생 동식물이 겨울에도
     얼어 죽지 않는다.

지구 표면의 71퍼센트가 물로 덮여 있다지만 마실 수 있는 물은 넉넉지 않다. 지구에 있는 물의 고작 3퍼센트가 담수이고, 그나마도 대부분이 남극 대륙에서 펭귄의 발밑에 묶여 있다. 다시 말해 식수로 사용할 수 있는 물은 1퍼센트밖에 안 된다는 뜻이다.

사람이 안전하게 마시려면 물을 정수해야 한다. 그러나 누구나 깨끗한 물을 마시고 사는 건 아니다. 세계에서 안전한 물을 이용하지 못하는 사람이 3명 중 1명꼴이다. 물은 영원히 진행되는 자연의 순환을 거치며 흐르고 내리고 스며든다. 그러면서 매 순간 걸러지고 정화된다. 우리가 수도꼭지를 틀거나 우물에서 퍼올려 깨끗한 물을 사용할 수 있게 된 것은 세균, 균류, 식물, 모기나 홍합 등 많은 종이 자연의 정수 시스템 안에서 제 몫을 하고, 오염, 침식, 기후 변화 등 여러 요인과도 보조를 맞춰온 결과다. 그러나 이런 자연 시스템이 망가진다면 문제가 심각해진다. 이 장에서는 인간의 정수 작업뿐 아니라 숨어서 조용히 깨끗한 물을 생산하는 종들에 관해 이야기하고자 한다.

뉴욕시의 수돗물 샴페인

뉴욕에 몇 번 가본 적이 있는데 그때마다 센트럴파크에 끌렸다. 철저히 인간의 손으로 재탄생한 풍경 한가운데 초록이 무성하게 자리 잡은 오아시스 같은 곳 아닌가. 유럽인으로서 이곳의 좋은 점은 새벽에 일어나 하루를 시작하기 전에 조깅할 수 있다는 것이다.

당연히 이곳은 야생이 아니다. 잔디밭에도 운영 시간이 따로 있다. 표지판에 적힌 대로 해가 질 때 문을 닫고 아침 9시나 되어야 개방한다. 그러나 잔디밭이 닫힌 이른 시간에도 주변의 포장된 트랙을 따라 달리는 사람들의 물결이 꾸준하다. 나는 사람이 많지 않고 발밑이 부드러운 길을 달리고 싶어서 공원 안에서도 인공미가 덜한 램블스 구역으로 가는 작은 길로 빠졌다. 교차로에서 머리를 땋아 내린 한 소녀가 분수식 식수대에 고개를 숙이고 물을 마신다. 달리기를 멈추고 아이가 물을 다 마실 때까지 기다렸다. 그 유명한 뉴욕시 물맛을 보고 싶어서다. 뉴욕시는 미국에서도 최고로 손꼽히는 환상적인 식수로 잘 알려졌다. 뉴욕시가 정수 공장을 거치지 않고 자연에서 바로 수돗물을 공급하기 때문이다. 미국에는 그런 도시가 5개쯤 있다.

이 도시의 상수도는 물을 여과하지 않고 급수하는 시스템으로는 세계 최대 규모이다. 매일 약 4조 리터의 물이 도시의 900만 주민에게 공급된다. 도시는 언제나 목이 마르다. 씻고 마실 물이 필요하다. 고층 건물과 아스팔트로 포장된 거리, 지하 송수관과 첨단 장비들이 갖춰진 이 도시는 인간이 엄청난 양의 물을 모으기 위해 만든 최종 집수장치 같다. 물줄기는 숲과 산, 그리고 농경지를 거치며 선풍기 날개 모양처럼 퍼져 나간다. 다 합치면 맨해튼 면적보다 1,000배는 크다. 빗물과 눈 녹은 물이 초목과 땅에 스며들어 작은 개울이 되고 강으로 흘러들어 마침내 호수와 저수지에 다다르면 거기에서부터 터널과 송수관으로 들어가—일부는 1800년대에 지어졌다—마침내 도시와 내가 있는 센트럴파크 식수대까지 온다.

1990년대에 하천 유역 개발과 집약적인 농업으로 인해 수질 문제가 악화되면서 미연방 정부는 음용수의 정수 과정에 더 엄격한 기준을 적용하는 새로운 법안을 통과시켰다. 이대로라면 상수도 시설 건설에 들어가는 비용 40억 달러에 매년 2억 달러의 운영 예산이 추가되어 뉴욕시 수도 요금을 두 배로 올려야 할 판이었다. 그러나 바람직한 대안이 있었다.

뉴욕시 환경보호국에 새로 영입된 국장과 뉴욕시 상하수도 시스템 국장의 추진으로 뉴욕시와 하천 유역의 자치 단체 및 토지 소유주들 사이에 특별한 협약이 성사되었다. 이 지역의 넓은 숲과 습지는 개발하지 않을 것이며, 현재 사용 중인 농경지도 친환경 방식으로 경작할 것이다. 몇 차례의 협상과 협약을 통해 뉴욕시가 이에 수반하는 추가 경비를 지원한다는 합의가 이루어졌다. 또한 뉴욕시는 하천 유역의 토지를 상당량 매입해 빗물이 숲과 식생을 거치며 깨끗하게 걸러진 상태로 부엌의 수도로 들어갈 수 있게 했다. 인공적인 정수 시설이 불필요한 이유는 한 가지 더 있다. 생태계의 세균, 균류, 무척추동물, 그 밖의 작은 생물 등 수많은 자원봉사자들이 무료로 그 일을 대신하기 때문이다. 시에서 매입한 땅은 다양한 생물들의 서식지가 되었고, 시민들의 레크리에이션과 야외 활동 자원이 되었다. 여기에 드는 모든 비용은 정수 시설을 짓고 운영하는 데 비하면 새 발의 피다.

엄밀히 말해 이 해결책은 절대 쉽지도 않고 무조건 좋다고만 할 수도 없다. 합의를 끌어내는 협상 과정은 힘겹고 지속적인 후속 조치가 필요하다. 게다가 비버와 사슴의 수가 늘면서 문제가 발생했다. 이 야생동물은 배탈과 설사를 일으키는 미생물의 숙주이기 때문이다. 인위적인 정수 과정을 공식적으로 면제받긴 했지만 최소한 염소 처리나 자외선 소독으로 문제가 되는 미생물을 차단해야 하는지는 논쟁의 여지가 있다. 도시의 음용수를 담당하는 기관은 비버나 사슴 등 야생동물을 제어하는 문제를 논의중이다. 결국 자연에 맡긴 일에도 인간의 개입이 필요하다. 자연의 방식을 인간에게 맞게 조정해야 하기 때문이다.

2017년에 이 시스템은 한 번 더 시험대에 올랐다. 연방 규정은 음용수를 정수해서 공급하라고 엄격하게 정해두었다. 뉴욕시는 이 규정에서 또 다시 면제권을 얻어야 했다. 시는 위기에 봉착했다. 처리 시설을 건설하는 비용은 100억 달러 이상으로 예상했고 여기에 관리 비용이 추가된다. 하지만 이번에도 자연에 맡기는 데 성공했다. 오수 정화 시설 개선에 10억 달러를 투입하고, 추가로 토지를 매입하고, 하천 유역에서 환경친화적 방식을 지원하겠다는 약속을 통해 도시는 자연이 지금껏 해오던 일을 계속할 수 있도록 허가를 받았다. 물을 청소하고 인간이 마실 수 있게 깨끗이 정수하는 작업 말이다.

센트럴파크 식수대에서 차례를 기다리는 동안 나는 제자리에서 뛰면서 뉴욕과 같은 메가시티의 심장부에서까지 자연이 보이지 않게 하는 일들을 생각해보았다. 머리를 땋은 내 앞의 소녀가 혹시라도 캣스킬마운틴에서 흘러와 지금 자신의 갈증을 채워주는 자연을 향해 친근한 인사를 보내진 않았을까? 솔직히 그랬을 것 같지는 않다. 목을 축인 소녀는 예의 미국인다운 쾌활한 인사를 건넨 다음 가던 길로 뛰어갔다. 드디어 내 차례다. 어디 한번 뉴욕인들이 '수돗물 샴페인'이라고 극찬하는 물을 음미해보자.

담수진주홍합의 수난

생명에 위협을 받는 누군가를 위해 정부가 나서서 평화를 되찾아주고 새로운 이름과 지위를 준다는 것은, 적어도 노르웨이에서는 흔한 일이 아니다. 하물며 생물종이라면 더 말할 것도 없다. 담수진주홍합—과거에는 노르웨이어로 하천진주홍합으로 불렸지만 오늘날에는 그냥 하천홍합으로 불린다—은 이런 이유로 새 이름을 갖게 된 유일한 종일 것이다. 과거에 진주홍합으로 불린 건 말 그대로 가끔 진주를 품은 것들이 나왔기 때문이다. 그러나 실상 진주 한 알을 찾으려면 홍합 1,000마리의 껍데기를 열어야 (즉 죽인다는 뜻) 한다. 게다가 그렇게 얻은 1,000개의 진주 중에 쓸 만한 건 딱 한 개다. 그럼에도 유럽과 북아메리카에서 수백 년 동안 이런 과도한 진주 낚시를 저지하는 노력은 없었다.

담수진주홍합은 바다에 사는 홍합의 민물 버전으로, 강바닥에 갈색 껍데기를 반쯤 묻은 채 한쪽 끝으로 서서 지낸다. 육지에서는 나무와 풀, 기타 유기체를 통과하는 거름 장치가 천연 정수 공장이라면, 이 홍합은 물에 기반한 여과 장치에 속한다. 홍합 한 마리가 24시간 동안 40~50리터의 물을 걸러낸다. 홍합 수만 마리가 온갖 입자와 폐기물을 포획하는 강에서는 물이 엄청나게 빠른 속도로 정화된다. 그런데 안타깝게도 이 종은 노르웨이를 비롯한 전 세계에서 위협을 받고 있다. 현재 남아 있는 담수진주홍합의 3분의 1이 노르웨이에 있다고 추정된다. 일부는 200여 년 전 미국이 독립을 선언할 때부터 살아 있었다.

중세시대에 교회와 유럽 왕실, 그리고 러시아 차르 가문은 진주로 된 자수와 장식을 무척이나 좋아했다. 유럽 수도원의 일부 사제복에는 진주가 1만 개도 넘게 달려 있었다. '아르마다 초상화'로 알려진 엘리자베스 1세의 초상화—1588년 스페인과의 전쟁에서 압도적으로 승리한 영국 함대가 배경을 장식한다—에서 여왕의 드레스, 머리 장식과 장신구에 달린 진주의 개수를 세어보길 바란다. 그것만 봐도 튜더 왕조가 진주로 얼마나 사치를 부렸는지 알 수 있다. 이 진주들은 영국 북부와 스코틀랜드의 강에서 나왔다고 추정된다. 보아하니 인조 진주(풀과 물고기 비늘에 담근 유리구슬)도 사용할 수밖에 없었던 것 같지만.

약 50년 뒤, 현재 노르웨이 남부 아그데르주의 한 토지관리인이 덴마크와 노르웨이 국왕 크리스티안 4세에게 소량의 진주를 보내면서 진주 구입에 대한 지침을 요청했다. 1637년 6월 27일에 왕은 당시 왕실의 우아한 공식 문체를 사용해 답장했다. "진주에 관한 회신. 영내의 소작농들이 진주를 수확한 후 이방인에게 판매한다고 들었소. 허나 짐의 뜻을 그토록 알고 싶다 하여 말하건대, 언제든 진주를 발견하거든 즉시 매수하여 외지인들의 손에 들어가지 못하게 할 것이며, 그런 다음 짐에게 곧바로 보내주면 감사하겠소." 간단히 말하면 닥치는 대로 진주를 사서 보내라는 뜻이다.

그러나 농부들이 다른 곳에서는 값을 더 받았기 때문에 이 명령은 잘 이행되지 않았다. 하지만 누구에게 팔았든 진주는 수명이 짧은 수입원이었다. 1700년대에 이미 강에서 홍합이 사라졌고, 한동안 홍합을 수확해서 얻는 수익도 없었다. 여담으로, 1846년에 제작되어 노르웨이 트론헤임의 대주교 궁전에 전시된 왕세자의 작은 관이 있다. 이 관의 뾰족한 뿔 8개

위에 각각 노르웨이 담수진주홍합 진주가 박혀 있다. 원래 이 관은 1847년에 니다로스 대성당에서 스웨덴-노르웨이 왕 오스카르 2세와 조제핀 왕비의 대관식에 왕세자가 쓰기로 되어 있었다. 그러나 조제핀이 가톨릭교도라는 이유로 주교가 그녀에게 왕관을 씌우기를 거부하면서 결국 기념식은 취소되었다. 그래서 이 8개의 홍합 진주는 왕세자의 위엄 있는 예복을 마무리할 기회를 얻지 못했다.

요즘에 진주 채취는 홍합의 수가 줄어드는 것보다도 연로한 홍합의 목숨을 위협한다는 게 더 큰 문제다. 담수진주홍합은 장수하는 편이라 최대 300년까지도 산다. 이에 따르면 노르웨이에서 가장 나이가 많은 홍합은 1700년대에 태어났다는 계산이 나온다. 앞서 우아한 서신의 주인공인 크리스티안 4세가 이 땅을 지배했던 때로부터 얼마 지나지 않은 시기다. 홍합들은 다 자랄 때까지 버티기만 하면 그때부터는 웬만한 거친 환경에서도 잘 살아남는다. 그러나 신입을 모집하기가 어렵다. 당장 '유치원'에 들어갈 때부터 난관이 시작되는 독특한 어린 시절을 보내기 때문이다. 홍합 유치원은 강을 지나다니는 연어의 턱에 있다. 홍합 유생의 생존 여부는 연어나 송어의 아가미에 들러붙어 무사히 한 해를 보낼 수 있는지에 달렸다. 이후에는 거기에서 벗어나 강바닥의 침전물을 파고들어가 수년을 머무른다.

오늘날 담수진주홍합은 생활사의 이 초기 단계조차 통

과하지 못한다. 농업으로 인한 오염과 토양 침식, 벌목과 기타 토지 사용 등으로 강에 토사와 영양분이 지나치게 유입되면서 산소가 줄어든 바람에 강바닥에 묻힌 어린 홍합들이 질식하기 때문이다. 또한 유생의 숙주가 되는 어류가 감소하여 홍합 유치원이 줄고 있다. 강을 따라 진행되는 벌목은 수온을 올리고 토사의 양을 증가시키고, 유역에 대한 규제와 기후 변화 역시 수위와 수온을 바꾸고 있다. 요약하면 이 수질 관리자의 삶이 힘겨워지면서 과거 담수진주홍합이 살았던 노르웨이 하천의 3분의 1에서 이제는 작은 홍합들이 모습을 감추었다. 다른 곳에서도 어린 세대 모집이 형편없기는 마찬가지다.

다행히 희망은 있다. 노르웨이 서부 호르달란에 '위탁 양육장'이 세워져 작은 홍합들이 스스로 돌볼 만큼 클 때까지 수온이 적절한 깨끗한 물에서 자란다. 지금까지 프로젝트는 성공적이다. 물길을 청소하는 관리자로서 담수진주홍합의 미래가 아직은 기대할 만하다.

독살범, 그리고 해독 이끼

인류 역사에서 비소는 독살범이 가장 좋아하는 무기였다. 사람들이 잘 모르는 게 있다면 식수에서도 비소가 발견된다는 사실이다. 그리고 작은 이끼 다발이 고작 한 시간이면 이 유독한 물을 깨끗이 정화해서 마실 수 있게 해준다는 사실도 있다.

비소로 오염된 물은 세계적으로, 특히 일부 동남아시아 지역에서 건강에 문제를 일으킨다. 지극히 선한 의도에서 시작된 일이었지만 1960년대와 1970년대에 유니세프가 주민들이 깨끗한 물을 마실 수 있도록 많은 돈을 들여 우물을 파면서 문제가 발생했다. 비소는 냄새도, 맛도, 색깔도 없기 때문에 비소가 바위에서 스며 나와 우물물에 독을 풀었다는 사실을 아무도 알아채지 못했다. 수백만 명이 비소 중독 증상을 보이고 암을 비롯한 질병 발병률이 평균 이상으로 나타난 후에야 연결 고리를 찾아냈다. 현재 1억 명 이상, 많게는 2억 명까지도 세계보건기구WHO가 정한 기준치를 넘는 비소에 노출되었다고 추정된다.

스웨덴 북부의 셸레프테오에서는 채굴 작업으로 인해 비소 함량이 높은 광물이 노출되어 비소가 지표와 식수로 스며들고 있다. 셸레프테오는 광물 자원이 가장 풍부한 지역 중 하나로 채굴 작업이 용이하기 때문에 스웨덴 사람들은 이 지역에서 100년 가까이 금, 구리, 은, 아연 등을 채굴해왔다. 최근에 한 식물학자가 비소 함량이 높은 물에서도 잘 자라는 연약한 녹색 이끼를 발견한 것도 이곳이었다. 바른스토르피아 플루이탄스*Warnstorfia fluitans*라는 이 종은 오염된 습지의 수면에서 긴 실 가닥이 까딱거릴 때면 꼭 동물의 초록색 창자처럼 보인다. 표본을 채취해 실험실에서 실험한 결과, 라플란드 지역*에서 온 이 이끼는 비소를 빨아들이는 능력이 실로 대단한 생물

---

* 스칸디나비아 북부를 일컫는다.

임이 밝혀졌다. 이 이끼는 다양한 형태의 비소를 흡수하고 체내에 축적해 물속의 비소 함량을 감소시키므로 마셔도 좋을 만큼 물이 깨끗해진다. 비소 농도가 낮을 때는 한 시간이면 물속의 비소 80퍼센트가 제거되어 마실 수 있는 상태가 된다. 비소 농도가 높을 때는 아무래도 시간이 더 오래 걸리지만 이끼의 능력은 변함없이 발휘된다.

돌아가신 내 고조할아버지의 고조할아버지의 동생인 닐스 앵커 스탕Niels Anker Stang이 이 사실을 알았다면 얼마나 좋았을까. 할렌에 살았던 스탕과 그의 아내는 소피 요하네스도터Sophie Johannesdotter라는 하녀가 커피와 보리 수프에 넣은 비소에 중독되어 살해당했다. 살해 동기는 확실히 밝혀지지 않았지만 안주인과 사이가 틀어지는 바람에 먼저 죽었고, 2년 뒤 내 먼 친척이 소피가 집 안에서 물건을 훔치는 것을 목격하자 재차 범죄를 시도했다는 이야기가 전해진다.

몇 달 뒤 스탕의 집에 불이 나고 소피가 방화범으로 붙잡히면서 덩달아 과거 살인 행각까지 밝혀졌다. 소피는 방화뿐 아니라 주인 부부를 독살한 사실도 자백했다. 부검 결과 비소가 발견되면서 사망 원인이 명확해졌고, 소피 요하네스도터는 사형을 언도받아 1876년 2월 18일 토요일 오전 9시 30분에 할렌에서 참수되었다. 소피는 노르웨이에서 마지막으로 처형된 여성이었다. 지역 신문에 실린 기사는 고딕체로 쓰여 읽으면서도 섬뜩했다. 처형 날짜는 비밀에 부쳤지만 사형 당

일에 구경꾼이 수천 명 몰려들어 처형 장면을 지켜보았다. 사형집행인은 사제가 "우리의 죄를 용서하시고"라고 기도문을 외우는 순간 도끼를 내리쳤다. "그런 다음 머리를 몸 옆에 내려놓았고 사제는 주기도문을 마쳤다." 소피는 할렌의 오스 공동묘지 한구석에 아무 표식도 없이 묻혔다.

대량의 비소를 견디고 흡수할 수 있다고 알려진 식물은 소수에 불과하다. 특히 바른스토르피아 플루이탄스는 물속에서 비소를 흡수하는 유일한 종이다. 비소에 오염된 물이 공공의 건강을 위협하기 때문에 이런 연구는 흥미롭고 마땅히 이루어져야 한다. 실제로 바른스토르피아 플루이탄스를 이용해 습지에서 물을 정화하는 일이 실현되기까지는 많은 연구가 선행되어야 한다. 또한 이 이끼는 아시아에서는 사용할 수 없다. 라플란드와 방글라데시의 기후는 완전히 다르기 때문이다.

그럼에도 이 이끼의 활용은 식물을 사용한 환경정화기술의 바람직한 예다. 이 기술은 다양한 유해 물질을 흡수, 저장, 분해하는 식물의 능력을 활용해 오염된 물, 토양, 공기를 정화한다. 식물을 이용한 이러한 정화 방식은 기계적·화학적 방식보다 친환경적이면서도 저렴하다. 유럽과 미국에서는 석유 시추, 채굴, 그밖에 오염이 발생하는 환경에서 식물의 정화 능력을 활용해 오염 물질을 제거하기 위한 시험이 이루어지고 있다.

2 자연이라는 대형 식자재 마트

오, 경이롭도다! 나는 음식이다. 나는 음식이다!

나는 음식을 먹는 자이다.

–『우파니샤드』

미국 북서부 오리건주에서 아주 작은 생물이 가문의 영광을 얻었다. 2013년에 양조 효모—허리둘레가 약 5마이크로미터(1마이크로미터는 머리카락의 굵기의 80~100분의 1)인 미세한 균류—가 대대적인 환영 속에 엄청난 득표 차로 오리건주의 공식 미생물로 지정된 것이다. 내가 아는 바로는 이런 영예를 얻은 미생물은 또 없다. 효모가 선정된 이유는 수제 맥주로 유명한 오리건주의 양조 전통 때문이다. 맥주를 빚을 때는 효모가 필수적으로 들어간다. 그러나 보통 효모는 와인, 청주, 통곡물빵, 피자, 신선한 건포도 번bun의 구수한 향을 책임진다.

곡물, 과일, 채소, 육류, 수산물 등 우리에게 일용할 양식을 주는 다른 종들은 효모에 비하면 아주 눈에 띄면서도 잘 알려졌다. 숲속에서 열매를 따 오든 마트의 채소 코너에서 사 오든 이것들은 모두 자연에서 왔다. 그러나 이것들이 언제까지나 우리가 원하는 양과 질로 제공될 거라고 믿는다면 그건 착각이다. 인간 자신이 남긴 발자국의 크기는 생각지 않고 자연의 마트를 짓밟아온 행위를 생각하면 더더욱 그렇다.

와인에 관한 의외의 진실—말벌과 효모

사람들은 물 말고도 많은 걸 마신다. 와인이 그 예다. 그러나 우리가 잔을 들고 건배하기까지 무수히 많은 종들의 노고가 있었다는 사실은 모를 것이다. 먼저 포도밭이 필요하다. 비록 와인병의 라벨에는 나와 있지 않지만 와인 효모 또한 필수적이다. 하지만 무엇보다 신기한 것은 최근에 밝혀진 것처럼 사회성 말벌*이 질 좋은 와인 생산에 절대적으로 기여한다는 사실이다.

발효 음료를 만들려면 다양한 효모가 필요하다. 효모는 설탕과 녹말을 분해해 이산화탄소와 알코올로 바꾸는 일을 한다. 지역에 따라 차이는 있지만 발효 음료는 전 세계에서 적

---

* 말벌에는 무리를 지어 생활하는
  사회성 말벌과, 홀로 생활하는
  단독성 말벌이 있다.

어도 1만 년 전부터 생산되어왔다. 발효 음료가 발달한 이유는 여러 가지다. 알코올은 소독약, 진통제, 보존제 기능을 한다. 알코올이 사람의 기분과 성격에 영향을 준다는 건 길게 설명할 필요도 없다. 와인에 대한 가장 오래된 기록은 약 9,000년 전 중국에서 발견되었다. 오늘날에는 매년 전 세계에서 거의 300억 리터나 되는 와인이 생산되는데, 다 합치면 올림픽 수영 경기장 1만 2,000개를 채우고도 남는다.

와인 효모는 잘 익은 포도에서 발견된다. 그런데 이 효모는 애초에 어디에서 오는 걸까? 익지 않은 포도에는 와인 효모가 없다. 참나무 껍질 같은 곳에도 효모는 더운 여름철에만 존재한다. 도대체 평소 어디에 숨어 있다가 때가 되면 그리 용케 잘 익은 포도까지 찾아갈까?

그 답은 사회성 말벌에 있다. 노르웨이 시인 잉거 하게루프Inger Hagerup가 묘사한 것처럼 말벌은 잘 익은 포도를 향해 "줄무늬 수영복을 입고 결연한 자세로 맹렬하게" 날아간다. 이 말벌의 배 속에는 훌륭한 와인을 만들어줄 효모가 잔뜩 들어 있다. 최근 연구에 따르면 와인 효모는 (사람들이 그토록 질색하는 노랗고 까만 해충의 친척인) 말벌과 쌍살벌에서 발견되며, 말벌의 위에서 1년 내내 산다. 이 사회성 말벌은 효모에게 숙박과 차편을 모두 제공한다. 말벌의 내장은 바깥 날씨가 좋지 못할 때 안전하고 아늑한 피난처가 되어준다. 말벌 어미는 자기가 먹은 것을 게워서 유충에게 먹이는데 그때 효모도 새끼에게 전달되어 대물림된다. 게다가 말벌 중에는 동면하는 것들이 있다. 바로 막 짝짓기를 마친 여왕벌이다. 겨울잠에서 깨어난 여왕과 여왕의 딸들은 잘 익은 포도알의 달콤한 포도즙을 마시며 포도에 효모를 옮긴다.

말벌의 종류에 따라 운반하는 효모도 다르기 때문에 와인마다 고유한 특징이 나타난다. 말벌의 배 속은 그저 효모가 깜깜한 한구석에 들러붙어 가까운 양조장으로 운반될 때까지 대기하는 장소가 아니다. 효모의 생활사 중에서도 의미 있는 단계가 모두 그곳에서 일어난다. 인간 세계의 화려한 클럽이라고나 할까. 후덥지근한 어둠 속에서 서로 다른 효모들이 그들만의 방식으로 뒤섞인 결과 새로운 품종이 탄생하고, 와인 각각에 고유한 풍미를 돋울 것이다.

그러니 다음에 가장 즐기는 와인을 마실 때면 어느 곤충의 배 속에 사는 생명체들을 위해서도 잔을 들어주시길.

내가 먹는 것이 곧 나라면 나는 걸어 다니는 풀이다

풀

내가 자라는 곳은,
다른 이들이 살지 못하는 곳

바람이 거세고
물이 귀해서

비를 마시고,
태양을 먹는다

초원의 바람 앞에서
나는 달린다

씨앗을 뿌리고, 싹을 틔우고,
자라고, 기어간다

얼음과 눈 속에서,
나는 잠이 든다

메마른 스텝과 벨드와
팜파스 초원에서,*

광활하고 거대한
하늘 아래에서,

내 초라한

---

* 스텝은 아시아, 벨드는 남아프리카,
팜파스는 남아메리카 초원을 일컫는다.

풀잎을 만든다

그리고 평평한 대지가 있는 곳이라면,
나는 퍼져나간다

– 조이스 시드먼Joyce Sidman
『유비쿼터스: 자연의 생존자들을 기리다Ubiquitous:
Celebrating Nature's Survivors』

풀은 소들이나 뜯는 거라고 생각하는지? 그렇다면 다시 생각해보길 바란다. 인간이 소비하는 열량의 거의 절반이 풀에서 오니 말이다.

우리가 먹는 식자재의 대부분은 식물이다. 별로 놀랄 일은 아니다. 식물은 말 그대로 생명의 토대니까. 이산화탄소와 물만으로 살아가는 식물과 달리 인간은 자기가 먹을 음식을 직접 만들지 못한다. 식물은 광합성이라는 마술을 부린다. 식물은 햇빛과 이산화탄소, 그리고 물을 '먹고', 그걸 마술처럼 유기분자로 변환한다. 이들이 하는 일을 결코 하찮게 봐서는 안 된다. 매년 지구의 주요 생산자들(구체적으로 말하면 식물, 해조류, 일부 세균)이 대기에서 1,000억 톤이나 되는 탄소를 가져다가 다른 원소들과 결합해 곡식의 이삭에서부터 거대한 거삼나무까지 제조한다.

지구의 나머지 생물들은 직간접적으로 식물에 100퍼센

트 의존해 제 몸을 만드는 데 필요한 에너지와 자재를 얻는다(저 바다 밑바닥에서 화학에너지로 살아가는 희한한 놈들은 제외하고). 광합성 과정에서 폐기물로 버리는 것이긴 하지만 식물이 생산하는 물질이 한 가지 더 있다. 그들에겐 대수롭지 않은 기체, 즉 산소다.

지구에는 먹을 수 있는 식물이 5만 종도 넘지만, 인간이 역사 속에서 식량원으로 재배한 것은 7,000종에 불과하다. 오늘날에는 100~200종 정도로 오히려 수가 줄어든 반면, 집약적으로 재배되는 소수의 식물들이 먹거리 시장을 지배한다. 우리가 식물에서 얻는 열량의 거의 60퍼센트가 쌀, 옥수수, 밀에서 온다. 여기서 파생되는 불행한 결과가 있다. 현재 식량원으로 쓰이는 식물은 대부분 야생종에서 개량된 것들인데, 이 야생종들에는 우리가 식용식물을 보다 튼튼하게 개발하는 데 사용할 수 있는 유전 물질이 있다. 그런데 이 식물들이 사라지고 있다. 현재 전체 야생종의 5분의 1이 멸종위기에 처했다. 안타깝게도 1970년대 이후로 인공 비료와 화학 살충제 덕분에 농업 생산량은 많이 증가했지만, 식량 생산을 뒷받침하는 자연 고유의 능력은 상대적으로 감퇴하고 있다. 생물다양성 과학기구IPBES에 따르면 같은 기간에 수분, 또는 해충이나 잡초를 제어하는 서비스는 감소했다(참고로 생물다양성과학기구는 환경 문제와 관련한 독립적인 정부 간 국제기구인 '기후 변화에 관한 정부 간 협의체IPCC'의 자매기관이다).

소는 풀의 줄기와 잎을 먹지만, 우리는 풀의 자손인 씨앗을 먹고 산다. 쌀, 옥수수를 비롯한 곡물은 결국 풀씨에 불과하다. 이 풀들의 씨앗에는 녹말 형태로 탄수화물이 많이 들어 있는데, 원래는 새싹에게 줄 도시락이었다. 인간이 녹말을 소화하는 데는 문제가 없다. 하지만 식물의 대부분을 차지하고 종이를 만들 때 사용하는 셀룰로스를 소화할 재주는 없다.

가끔 너무 일이 바쁘거나 시간 가는 줄 모르고 즐거울 때는 밥 먹는 것도 왕왕 잊어버린다. 하루는 오슬로에서 한 회의에 들어가 노르웨이 자연의 현재 상태를 평가하는 방식을 두고 온종일 치열하게 토론을 벌이는 바람에 집에서 싸 온 두 겹짜리 치즈롤 하나 먹을 시간조차 없었다. 그러다가 집에 가는 전차에 뛰다시피 올라타서야 겨우 늦은 점심을 먹게 되었다. 하지만 여전히 내 머릿속은 온통 블루베리와 평가 기준, 숲속의 죽은 나무들에 대한 생각으로 가득 차 있었다. 결국 마지막 한 입을 먹기 직전에야 내가 치즈롤은 물론이고 치즈롤 사이에 끼워 둔 종이까지 먹어 치웠다는 걸 알았다. 이런 걸 녹말과 셀룰로스의 행복한 결합이라고 해야 하나?

인간의 문제는 셀룰로스를 먹었을 때 이 물질의 강한 결합을 끊고 영양소에 접근하게 해주는 효소가 체내에 없다는 데 있다. 사실 셀룰로스를 소화할 능력이 있는 척추동물은 없다. 소도 마찬가지다. 하지만 소의 위에는 총 3킬로그램에 달하는 세균, 균류, 단세포 생물이 들어 있고, 이 중 일부가 풀이나 지푸라기에서 영양소를 뽑아낸다(샌드위치 종이까지 처리할 수 있는지는 언급하지 않겠다). 인간도 풍부한 장내 미생물을 갖고 있지만, 안타깝게도 우리 팀원들은 셀룰로스를 분해하지는 못한다.

그럼 시금치나 샐러드, 감자 같은 뿌리채소, 과일은 어떻게 먹을 수 있는 걸까? 다행히 그 부위에는 셀룰로스 함량이 적고 녹말처럼 쉽게 추출할 수 있는 영양소가 더 많기 때문에 문제가 없다. 3장에서 꽃가루받이에 관해 이야기할 때 우리에게 중요한 비타민과 무기질을 제공하는 과일에 대해 다시 이야기하겠다. 참, 풀 이야기가 나와서 말인데, 미국에서 (내가 보기엔 쓸데없이) 가장 물을 많이 먹는 '작물'이 잔디라는 걸 알고들 있는지? 미국에서 잔디와 골프장이 차지하는 면적이 1.9퍼센트 정도로 추정되는데 이 풀한테 옥수수, 벼, 과일, 견과류에 주는 물을 모두 합친 것보다 더 많은 물을 주어야 한다.

멸종의 쓰나미—사라진 대형 동물들

하여, 오늘날 지구에서 평균적으로 사람들은 대부분의 에너지를 식물에서 얻는다. 인류가 섭취하는 열량의 80퍼센트 이상이 각종 곡물로 구성된다. 나머지 열량은 동물에서 온다. 지방과 내장을 포함한 육류에서 약 10퍼센트, 그리고 나머지는 계란, 우유, 해산물에서 얻는다. 우리가 먹는 고기도 자연에서 온다(이제는 세계적으로 육류가 산업적으로 생산되기 때문에 엄밀히 말하면 자연에서 온다고 볼 수 없다).

과거로 돌아가보자. 만약 역사의 백미러를 볼 수 있다면, 지구가 아주 오랜 세월 동안 거대한 동물들의 보금자리였다는 사실을 알게 될 것이다. 고기에 굶주린 인간이 등장하기 전까지 말이다.

'낙타'라는 단어를 떠올려보자. 무엇이 생각나는가? 사하라 사막을 가로지르는 대상들의 행렬? 황량한 고비 사막을 배경으로 되새김질하는 동물? 그런데 원래 낙타가 북아메리카에서 왔다는 사실을 알고 있는지? 약 1만 2,000년 전 마지막 빙하기가 끝날 무렵까지 '어제의 낙타'로 알려진 카멜롭스 헤스테르누스*Camelops hesternus*가 현재 로스앤젤레스와 샌프란시스코 지역을 누비고 다녔다. 오늘의 낙타는 어제의 낙타가 북아메리카에서 죽어나가기 전, 베링 해협을 건너 아시아로 퍼져나가 살아남은 것이다.

이번엔 코끼리를 생각해보자. 수십만 년 전에는 곧은엄니코끼리, 마스토돈, 매머드처럼 긴 코를 가진 장비류들이 오스트레일리아와 남극 대륙을 제외한 전 세계에 살았다. 지중해 섬들에는 키가 약 1미터에 몸집이 셰틀랜드포니만 한 작은 난쟁이코끼리가 있었다. 1만 4,000년 전만 해도 아메리카 대륙의 포유류 동물상은 현재 아프리카보다 더 다양했다. 그러다 이 거대한 야수들로 둘러싸인 세상에서 인류가 손에 창을 꼭 쥐고 뒷다리로 결연히 일어나 세력을 넓히기 시작했다.

불과 수만 년 전, 상대적으로 짧은 기간에 대형 동물 종의 절반 이상이 자취를 감췄다. 검치호랑이, 땅늘보, 큰뿔사슴, 아메리카사자, 유럽의 털코뿔소가 그렇다. 무슨 일이 일어난 걸까? 그 이유를 두고 열띤 논쟁이 벌어지고 있지만, 기후 변화와 더불어 인간의 포식이 큰 영향을 미쳤다는 데는 의심의 여지가 없다.

각 대륙에 인류가 진입한 시점이 그 지역에서 대형 동물이 사라진 시점과 일치한다는 건 충격이다. 그 영향력은 당시 존재하던 포유류의 평균 크기를 비교하면 명확해진다. 유라시아에 현생 인류가 도착한 이후로 그들과 땅을 공유했던 포유류의 평균 크기가 절반으로 줄었다. 오스트레일리아에서 포유류의 평균 크기는 4만 년 전에서 6만 년 전 사이 인간이 대륙의 해안에 도착한 후 10분의 1로 작아졌다. 가장 극적인 패턴은 아메리카 대륙에서 볼 수 있다. 석기시대 인류가 손에 창을 들고 땅이 드러난 베링 해협을 가로질러 왔을 때, 그곳에 존재했던 포유류의 10퍼센트가 사라졌다. 여기에서도 가장 치명타를 입은 것은 몸집이 큰 동물들이었다. 600킬로그램이 넘는 동물들이 모조리 멸종했고, 북아메리카에서 포유류의 평균 몸무게는 98킬로그램에서 8킬로그램으로 곤두박질쳤다.

이 믿을 수 없는 현상을 요약하면 다음과 같다. 10만 년 전에 세상에 존재했던 1톤 이상 대형 초식성 포유류는 최소

50종 중에서 고작 9종만 살아남았고, 1톤 이상 대형 포식자 15종 중에서는 6종만 남았다.

이런 변화는 생태계 전체에 아직 제대로 파악조차 하지 못한 엄청난 영향을 미쳤다. 흔적이 남지 않은 많은 종들이 줄줄이 멸종한 건 물론이고 전반적인 먹이사슬과 생태 과정이 재편되었다. 지난 10년 동안 출판된 많은 과학 논문 중 하나를 인용하면 "최근에야 비로소 우리는 지구가 인간의 활동으로 얼마나 철저하게, 그리고 얼마나 오랫동안 변화되어 왔는지를 가늠하기 시작했다."

무엇보다 중요한 건 빽빽한 숲이든, 반쯤 개방된 사바나 경관이든 이 대형 짐승들이 지구의 물리적 구조 즉, 생태계의 모습에 미친 영향일 것이다. 대형 동물의 생태적 영향력이 아직까지 다소 온전하게 남아 있는 아프리카에서의 연구를 보면, 대형 동물은 큰 나무를 훼손하거나 쓰러뜨리고 작은 나무를 짓밟는 행위로 숲의 면적을 15퍼센트에서 95퍼센트까지 감소시킨다. 남아프리카 크루거국립공원에서 진행한 연구 결과, 사바나의 아프리카코끼리는 다 자란 나무를 매년 1,500그루나 쓰러뜨렸다. 남아메리카를 비롯한 세계의 다른 지역에서도 대형 동물이 살아 있던 시기에는 숲보다 사바나 초원이 더 발달했다고 추측된다.

대형 동물의 멸종은 또한 그들에게 잡아먹힌 종이나, 기생체로서 몸에 붙어살던 종, 배설물이나 사체를 먹고 사는 종,

그들에 의지해 종자를 산포하던 종에 파급 효과를 미칠 수 있다. 쉬운 예를 들면, 약 1만 년 전에 라틴아메리카에서 땅늘보가 멸종했을 때(땅늘보는 크지만 굼떠서 사냥하기가 쉬웠을 테고, 폭스바겐 비틀 크기라 많은 사람이 배부르게 고기를 먹었을 것이다) 아보카도는 씨를 뿌려줄 농부를 잃었다. 아보카도는 덥고 습한 숲에서 자라면서 우리에게 익숙한 가죽질 껍질 속에 보드랍고 연한 녹색 과육으로 둘러싸인 씨를 만든다. 땅늘보는 이 영예로운 녹색 열매를 한입에 통째로 삼킬 만큼 입이 컸다. 과육은 소화관 안에서 사라지고 씨앗은 뒷구멍으로 나와 영양분이 풍부한 비료와 함께 싹을 틔웠을 것이다.

지금까지 1만 년이나 애도할 시간이 있었는데도 아직 아보카도는 제 씨를 뿌려주던 친구가 사라졌다는 걸 받아들이지 못한 것 같다. 야생 아보카도 나무는 여전히 커다란 열매를 만들어내고, 자연에서는 열매 대부분이 모수母樹 바로 밑에 떨어져 저희들끼리 빛과 물과 양분을 두고 싸운다. 그러다 인간이 나타나 땅늘보의 역할을 대신했다. 아즈텍인들은 16세기 초 스페인 사람들이 도착하기 수백 년 전부터 아보카도를 먹어왔다. 사실 아보카도라는 이름도 아즈텍 언어에서 왔다. 아즈텍인은 아보카도를 고환이라는 뜻의 '아후아카틀ahuacatl'이라고 불렀는데, 아보카도가 나무에 쌍으로 달려 남성의 특정 신체 부위를 연상시켰기 때문이 아닐까 싶다.

다음에 과카몰리를 먹을 때는 대형 동물과 함께 사라져

우리에게는 그 존재조차 알려지지 않은 수많은 맛있는 열매와 채소들을 애도해주길. 그것들이 다 살아남았다면 아보카도 토스트는 브런치 카페의 메뉴에 이름을 올리기 위해 쟁쟁한 라이벌들 속에서 고생깨나 하지 않았을까 싶다.

고기에 굶주린 사람들 — 과거와 현재

사냥꾼으로서 인류의 역사가 얼마나 오래되었는지 정확히는 알 수 없지만 어쨌든 수백만 년이 넘는 것은 사실이다. 그 긴 시간 동안 인류의 조상은 짐승을 절벽이나 함정으로 몰거나 창이나 돌처럼 날카롭고 무거운 물체를 사용하는 아주 단순한 방식으로 먹잇감을 잡아왔다. 이는 원시적인 방법치고는 놀라울 정도로 효과적이었다. 그러나 그러려면 적어도 사냥할 동물의 행동이나 서식처, 그리고 자연에 대한 전반적이고 상세한 지식이 밑바탕에 깔려 있어야 한다. 그 지식이 오늘날 점차 사라지고 있다.

자연에 대한 깊은 이해를 바탕으로 사냥에 성공하는 흥미로운 예들이 유일하게 남아프리카에 아직 남아 있다. '부시맨'으로도 알려진 칼라하리 사막의 산족San은 흡착음*이 특징인 언어를 사용하는 부족을 통칭한다. 산족의 어떤 부족들은 여전히 전통적인 고대 사냥법의 명맥을 유지한다. 곤충의 독을 묻힌 독화살로 사냥하는 것이다.

---

* 폐에서 나오는 날숨과 상관없이
   입에서 혀를 차듯이 내는 소리.

활쏘기는 인류 역사에서 꽤 늦게 등장한 편으로, 약 7만 년 전 사회 조직의 대변화와 출현 시기가 일치한다. 과학자들은 화살촉이나 창끝에 독을 칠하는 방식이 선사시대에도 매우 중요했다고 믿는다. 예를 들어 'toxin(독)'이라는 단어는 화살이나 활을 뜻하는 그리스어 'toxon'에서 왔다. 우리는 남아메리카 토착 민족이 사용한 독인 쿠라레나 신화와 전설에 등장하는 독화살에 익숙하다. 오디세우스는 헬레보어*의 독을 화살에 묻혔고, 북유럽의 신 발두르는 겨우살이 화살에 맞아 죽었다. 발두르의 어머니 프레이야는 세상의 모든 산 것과 죽은 것들로부터 사랑하는 아들을 해치지 않겠다는 약속을 받아낸 적이 있는데 이때 공교롭게 겨우살이는 제외됐다.

산족이 사용한 것은 헬레보어도 겨우살이도 아니다. 이들은 몰약나무을 찾아다녔다. 몰약나무는 달콤한 나뭇진 향으로 잘 알려진 키 작은 나무로, 예수의 탄생 이야기에서 동방박사가 예물로 드린 그 몰약이다. 몰약나무를 발견하면 뿌리가 드러나도록 땅을 깊이 파는데, 그 아래에는 잎벌레 유충이 튼튼한 고치 안에 들어 있다. 유충의 고치는 흙과 똥으로 만든 수제 침낭이다. 이 고치를 모아다가 치약을 짜듯 누르면 독성이 있는 진액이 나오는데, 작은 꼬치로 살촉에 바르면 사냥 준비는 끝이다.

여기에서 말하는 사냥감은 작은 동물만이 아니다. 기린도 코끼리도 모두 독화살을 맞고 쓰러졌다. 화살을 맞았다고

---

* 미나리아재비과의 초본.

해서 먹잇감이 바로 죽는 건 아니다. 잎벌레 유충의 독은 적혈구를 파괴해 산소 운반에 차질을 주므로 중독된 동물은 일종의 내질식에 의해 서서히 죽어간다. 산족 사냥꾼은 먹잇감이 죽을 때까지 뒤를 쫓는다. 사냥은 몇 시간 만에 끝나기도 하지만 며칠씩 걸리는 경우도 있으므로 사냥꾼에게는 사냥감의 뒤를 쫓는 실력은 물론이고 지구력과 강인함이 필요하다.

여느 독화살과 마찬가지로 독은 혈류를 타고 몸에 들어갈 때에만 작용한다. 따라서 독화살을 맞고 죽은 동물을 먹어도 문제가 되지 않는다. 물론 독이 상처로 들어가면 사냥꾼에게도 위험하다.

사냥의 전통은 부족마다 차이가 있다. 다른 유충을 사용하거나 여러 가지 독초를 혼합하는 경우도 있다. 그러나 오늘날 독을 이용한 전통적인 사냥법은 산족이 사는 대부분의 지역에서 금지되었다. 그 결과 이 문화를 관찰하고 배울 기회도 사라지고 있다. 여기에는 어떤 동식물을 먹을 수 있고, 어떤 것에 독이 있는지 등의 지식이 포함된다.

이처럼 '원시적인' 사냥 방식을 사용하면서도 초기 인간은 지구에 깊은 흔적을 남기는 데 성공했다. 석기시대 대형 동물의 멸종은 시작에 불과했다. 인간이 식량을 탐색한 결과는 불어나는 인구와 근대 문명의 발명으로 가속화되었다. 이것만으로도 책 한 권 분량은 족히 된다. 그러나 이 책에서는 인간이 식량을 생산하는 방식이 오늘날 자연에 미치는 영향의 일반적인 패턴만 확인할 예정이다.

전 세계 1인당 육류 소비량은 연평균 44킬로그램으로 양 4마리의 정육량에 해당한다. 이 수치는 내가 태어난 1960년대의 두 배에 가깝다. 육류 소비량 증가는 심각한 결과를 가져왔다. 지구에서 빙하나 사막을 제외한 전체 토지 면적의 절반이 농경지로 사용되는데, 그중에서 5분의 1만이 직접 인간의 입으로 들어가는 먹거리를 생산하고 나머지는 가축 방목과 사료 생산에 쓰인다.

오늘날 우리가 섭취하는 동물 단백질 대부분이 가축에서 온다. 우리는 덤보*의 코를 가진 야생 선조가 사라진 공백을 클라라벨 카우⁑로 채웠다. 현재 지구상의 가축을 합친 무게는 석기시대 이전 야생 대형 동물을 합친 것보다 10배나 무겁다. 가금류만 해도 모든 야생 조류를 합친 무게의 3배가 훌쩍 넘는다. 이는 생태적 문제이자 동물복지라는 윤리적인 문제이기도 하다. 고기 소비에 가장 열성인 나라들이 육류 소비를 줄이는 것은 지속 가능한 식량 생산을 위한 간단하고 친환경적인 해결책이 될 것이다.

바다—병든 세계에 마지막으로 남은 건강한 땅

바다가 이토록 방대한 영역이라는 사실은 잊고 살기 쉽다. 바다는 지구 표면의 70퍼센트 이상을 뒤덮고 평균 수심이 3킬로

---

* 디즈니 만화에 나오는 아기 코끼리.
⁑ 디즈니 만화에 나오는 젖소.

미터에 달한다. 해저의 95퍼센트는 인간의 눈으로 본 적이 없다. 얼음같이 차가운 진공을 사이에 두고 2억 6,200킬로미터나 떨어진 화성의 표면을 그린 지도가 아마 지구의 바다 밑 지도보다 더 정확할 것이다. 하지만 생선과 해산물은 물론이고 소금과 김밥용 김까지, 바다가 우리에게 필수적인 자연 재화와 서비스를 준다는 사실을 부인할 사람은 없다. 바다는 산소는 말할 것도 없고 영양 순환, 기후 조절, 물 순환과 같은 서비스도 제공한다. 우리가 들이마시고 내쉬는 숨의 두 번 중 한 번에 대해서 바닷속 녹색 플랑크톤에게 감사해야 한다.

그런데 반찬으로 올라오는 생선에 대해 우리는 얼마나 알고 있을까? 세계인의 밥상 위에 오르는 생선들은 다 어디에서 오는 걸까? 나는 통계치를 조사하면서 사람이 먹는 생선의 절반 이상이 양식된 것이고, 그중 절반은 담수에서 키운다는 걸 알고 깜짝 놀랐다. 이런 변화는 바닷속 어류 보유량 감소와 생선 수요 증가에 반응한 결과다.

세계적으로 1년에 한 사람이 생선을 약 20킬로그램 먹는다. 내가 태어난 해에는 10킬로그램 정도였다. 생선 소비가 천천히 그러나 꾸준히 상승한 셈이다. 개발도상국 국민들의 밥상에서 생선이 차지하는 비율은 선진국보다 높다. 그리고 육류와 마찬가지로 국가 간 소비량 차이가 크다. 태평양 작은 섬나라에서는 1년에 1인당 50킬로그램 이상을, 내륙의 중앙아시아에서는 고작 2킬로그램의 생선을 먹는다.

낚시와 해양 포유류 사냥 또한 육지 못지않게 역사가 깊고 상당한 생태학적 영향을 미쳐왔다. 유엔식량농업기구FAO는 세계 수산 자원의 3분의 1이 남획되고 있다고 보고했다. 우리는 생물다양성뿐만 아니라 생태계로서의 바다까지 변질시켜왔다. 육지 동물과 마찬가지로 상어, 매가오리, 황새치 같은 포식성 어류와 고래 등 대형 종들이 타격을 입고 전체 먹이사슬에 연쇄적인 효과를 일으켰다.

어린 시절 우리 언니는 통나무집 침대 머리맡에 종이 한 장을 붙여 놓았다. 거기엔 노르웨이 작가 알렉산데르 셸란Alexander L. Kielland의 작품에서 인용한 문구가 적혀 있었다. "바다를 신뢰할 수 없다는 말은 진실이 아니다. 바다는 아무것도 약속한 적이 없기 때문이다. 아무것도 요구하지 않고 구속하지도 않는 자유롭고 순수하고 신실한 심장이 크게 맥동한다. 바다는 이 병든 세상에 마지막으로 남은 건강한 존재다."

슬프지만 이게 맞는 말인지 나는 잘 모르겠다. 이제 바다는 건강하지 않다. 바다는 산성화, 산소가 고갈된 죽음의 해역, 미세플라스틱, 그리고 어족자원의 남획으로 몸살을 앓고 있다. 앞의 세 가지는 비교적 새로 등장한 문제들이다. 그러나 셸란이 『가먼 가와 워스 가Garman & Worse』를 쓴 1880년대에도 바다는 건강하지 않았다. 왜냐하면 (포식성) 낚시는 새로운 발명품이 아니기 때문이다. 역사 자료에서 찾을 수 있는 사례만 보아도 굉장히 인상적이다. 북대서양 대형 어종을 연구한 결과를 보면, 오늘날 16킬로그램이 넘는 큰 물고기의 무게는 다 합쳐도 사람들이 낚시를 하지 않았을 때의 3퍼센트가 채 되지 않는다. 캐나다 뉴펀들랜드에서 1505년과 1990년의 대구 보유량을 비교했더니 99퍼센트가 사라진 것으로 추정되었다.

물론 정확하고 체계적인 과거 데이터베이스가 없으니 어족자원 보유량의 변화를 기록하기는 어렵다. 따라서 어디까지나 추정치에 불과하지만, 이 푸르고 짠물에서 수치가 더 낮아져서는 안 된다는 사실만큼은 명확하게 보여준다.

처음에 했던 이야기를 마저 하자면, 지금까지 4,800명 이상이 지구에서 가장 높은 지점인 에베레스트산 정상에 올랐고, 600명 정도가 지구를 벗어나 우주에 갔으며 그중 12명은 달 위를 걷기까지 했다. 그러나 지구에서 가장 깊은 장소인 마리아나 해구에 가본 사람은 고작 4명에 불과하다. 수백만 세제곱킬로미터의 바닷물과 그 안에 사는 모든 것을 완전히 파악하기란 불가능하다는 사실을 받아들여야 옳지만 그렇다고 해서 바다가 모든 상황에 알아서 척척 대처할 수 있다는 뜻은 아니다.

바다가 '순수와 건강'을 유지할 수 있게 더 애써야 한다. 어업과 양식업은 증가하는 인구에 단백질을 제공한다. 그러나 모든 시설이 환경 기준을 지키는 건 아니다. 미래에도 해산물을 계속 얻으려면 적절한 한도량을 계산하고, 불법 어업을 막고, 혼획*을 줄이고, 해양 보전 지역을 설정하는 등 많은 영역에서 노력이 이루어져야 한다. 또한 수온 상승, 산성화, 오염 등으로부터 산호초를 구해야 한다. 산호초는 해양 생태계의 그 어느 곳보다 단위 면적당 많은 종을 부양한다. 전 세계 바다의 1퍼센트도 차지하지 않지만 전체 해양 종의 4분의 1이 살면서 한 번쯤 산호초를 거쳐 간다고 추정된다. 저명한 어류학자 존 굴란드John Gulland는 이런 시나리오를 내놓았다. "어족자원 관리란 바다에 물고기가 얼마나 많이 있느냐를 두고 끝없이 벌어지는 논쟁이다. 그러나 모든 의심이 해결되는 순간, 물고기도 모두 함께 사라질 것이다." 깊고 푸른 바다의 자원을 완전히 관리하지는 못하더라도, 이런 시나리오가 가까운 미래에 현실이 되지 않게 하려면 앞에서 말한 모든 것은 물론이고 그보다 더한 노력을 해야만 한다.

왜 나빠지고 있다는 걸 눈치채지 못할까

나비는 기억할까?

애벌레 때 알았던 것들을

– 안야 코닉Anja Konig, 『동물 실험Animal Experiments』
'나비의 탈바꿈' 중에서

---

* 어획 과정에 의도하지 않은 종이
섞여 들어가는 것.

30여 년 전, 미국 남부 주들을 거쳐 최남단 키웨스트까지 자동차 여행을 한 적이 있다. 플로리다 본토에서 플로리다키스 제도를 관통하는 오버시즈 하이웨이는 연필로 점을 다 이을 때까지는 무슨 모양인지 알 수 없는 점 잇기 그림처럼 바다를 가로질러 섬과 섬을 연결하는 직선 도로다.

그 유명한 저녁노을과 차 안에서 노숙한 후 경찰한테 야단을 맞으며 잠에서 깼던 일 말고도 이 여행에서 가장 선명하게 남은 기억이 있다. 바로 어니스트 헤밍웨이의 집이다. 집 안에는 헤밍웨이가 사용하던 타자기와 발가락이 6개인 고양이들—헤밍웨이가 길렀던 우아한 유전적 결함을 가진 고양이의 후손들—이 있었다. 헤밍웨이는 물고기, 더 정확히 말하면 낚시를 좋아했다. 1935년에 찍은 사진에서 그는 자기 키의 두 배는 됨직한 청새치 네 마리 앞에서 가족과 함께 웃고 있다.

키웨스트에서는 그날 잡은 가장 큰 물고기와 사진을 찍는 것이 오랜 전통이었다. 이 역사적인 사진들을 모아 시간순으로 나열하면 이 트로피들의 명확한 패턴이 보일 것이다. 가장 최근에 찍은 사진 속 낚시꾼은 옛날과 다름없이 활짝 웃고 있다. 왜냐하면 자신이 대단히 큰 물고기를 잡았다고 믿기 때문이다. 그러나 사실 전리품의 크기는 민망할 정도로 줄었다. 1956년에서 2007년 사이에 사람들이 낚시로 잡은 대어의 크기는 92센티미터에서 42센티미터로 작아졌고, 길이와 종에 따라 추정한 무게 역시 20킬로그램에서 고작 2.3킬로그램으로 줄었다. 그러나 2007년의 대어 낚시꾼에게 물으면 아마 이렇게 대답할 것이다. "맞아요. 지금껏 본 적 없는 가장 큰 물고기였어요." 그가 이렇게 생각하는 이유는 우리가 일종의 집단 기억상실증에 걸렸기 때문이다.

자신이 기억하지 못하는 것을 설명할 수 있을까? 본 적이 없는 자연의 상태를 알 수 있을까? 그럴 수 없다. 이것이 자연 앞에서 사람들이 느끼는 심리의 핵심이며, 기준점 이동 증후군shifting baseline syndrome으로 알려진 현상이다. 이는 자연 세계의 상태를 판단하는 기준점이 이동하고 달라지는 집단 경험을 말한다.

이 현상은 시간이 지나면서 자연의 '건강한 상태'에 대한 정확한 정보와 지식이 사라지는 이유를 설명한다. 그건 우리가 실제로 일어난 변화를 인지하지 못하기 때문이다. 짧은 수명과 제한된 기억으로 인해 세대마다 기준점이 달라지는 것이다. 그래서 인간 자신의 활동으로 세계가 얼마나 크게 변했는지에 대해서도 막연한 인상만 가진다. 기준점 이동은 심지어 한 세대 안에서도 일어난다. 스카게라크 해협에서 혹은 그게 어디서였든 간에 어릴 적 대구를 낚았던 기억이 있으면서도 자신이 잘못 기억하고 있다고 확신하는 것과 같다. 그렇게 점차 자신을 둘러싼 자연 세계에 대한 기대치를 낮추게 된다.

'기준점 이동'이라는 말을 처음으로 사용한 사람은 캐나다 해양생물학자 대니얼 폴리Daniel Pauly다. 그에 따르면 사람들은 처음에는 대형 포식성 물고기를 마구 잡다가 수가 줄어 수익성이 떨어지면 먹이사슬의 아래 단계에 있는 물고기를 잡아들이기 시작한다. 덧붙여 폴리는 굉장히 중요한 발견을 했다. 어부나 해양생물학자 할 것 없이 모두 자기 경력 초반의 기억을 기준 삼아 종과 개체 수를 해석하고 있었다는 사실이다. 마치 그 시점이 완전무결한 시작점인 양 변화를 가늠하는 절대적인 기준으로 삼는 것이다. 그 결과 이미 빈약해질 대로 빈약해진 생태계를 자연의 정상 상태로 받아들였다. 이것이 기준점 이동 증후군이다. 자연 상태에 대한 기억이 한 세대에서 다음 세대로 넘어갈 때마다 소실되는 일종의 공유된 기억상실증.

바다와 강 사이를 이동하는 물고기의 예를 들어보자. 미국 컬럼비아강의 연어는 현재 그 수가 1930년대보다 두 배나 많아졌다. 이것은 좋은 소식이다. 1930년이 기준이라면 말이다. 그러나 1930년대에 이 강에서 발견한 연어의 수는 1800년대에 비하면 불과 10분의 1밖에 안 된다. 그 기준점은 그동안 일어난 장기적인 변화에 대해 완전히 다른 그림을 보여주며, 앞으로의 변화를 파악하는 또 다른 기준점이 된다.

기준점 이동 신드롬은 '옛날엔 모든 게 좋았지'를 내세우는 감상적인 낭만주의가 아니다. 길들지 않은 방대한 자연 속에 살았던 석기시대 사람들처럼 자연으로 돌아가야 한다는 순진한 믿음도 아니다. 기준점 이동 신드롬을 고려한다면 우리가 보유한 자연의 재고를 취할 때 올바른 출발점에서 계산할 수 있다. 즉, 지구의 한계를 평가할 때 적절한 교환율을 사용하게 된다는 말이다.

인류의 놀라운 적응력은 강점이면서 동시에 약점이다. 이러한 집단 기억상실 때문에 인류는 자신이 자연을 도대체 얼마나 뒤죽박죽으로 만들어놨는지 알 길이 없다. 계속해서 우리는 뉴노멀new normal에 익숙해지기 때문이다. 자동차 앞 유리에 눌려 죽은 곤충의 수가 줄어든 것이든, 숲속에서 노목과 고사목이 사라지는 것이든, 갈수록 빈번해지는 극한 기후 변화든 말이다. 또한 그로 인해 대부분의 사람들과 정치가들이 상황의 심각성을 제대로 인지하지 못한 채 개입하게 된다. 지구의 자연 생태계가 걷잡을 수 없이 축소되어가는 이 시점에 기준점 이동은 실로 엄청난 골칫덩이가 아닐 수 없다.

3 　　세상에서 가장 가치 있는 소리

내 가장 오래된 기억에는 커피가 있다. 머리를 땋고 방한복을 입고 밤새보 놀이터에 놀러 나온 네 살짜리 꼬맹이는 놀이기구의 금속 난간에 냅다 혀를 댈 정도로 철이 없었다. 노르웨이 북부의 매서운 겨울날, 내 혀는 그 자리에 철썩 들러붙고 말았다. 어린이집 선생님이 급히 달려와 얼어붙은 혀 위로 커피를 부어주신 덕분에 살아났다.

나를 살려 준 코페아 아라비카*Coffea arabica*, 즉 커피나무와의 강렬한 첫 만남 이후 50년이 지난 지금까지 난 변함없는 커피 애호가다. 물론 나뿐이 아니다. 전 세계에서 사람들이 매일 수십억 잔의 커피를 마신다. 커피는 역사 속에서 분노와 찬사를 동시에 받아온 음료다. 1675년에 영국의 찰스 2세는 커피 접대를 금지하려고 했다. 당시 성행하던 커피하우스를 반골

기질이 있는 지식인들의 집합소라고 생각했기 때문이다. 반 세기 후, 작곡가 바흐는 세속 칸타타로 유명한 '커피 칸타타' 를 작곡했는데, 어린 소녀가 아버지에게 유행하는 새로운 차 를 마시게 해달라고 간청하는 장면이 있다(커피, 커피를 마셔 야 해요).

모닝커피가 없는 아침을 상상할 수 있을까? 초콜릿이 없 는 주말 저녁과 마지팬*이 없는 크리스마스 파티는? 노르웨 이 전통인 타코 프라이데이에 (해바라기유를 써서 만드는) 타 코나 나초 없이 사탕옥수수만 먹어야 한다면 어떨까? 만약 우 리가 제대로 돌보지 못해 곤충들이 식용 작물의 수분에 실패 한다면 앞서 말한 것들이 우리의 뉴노멀이 될 가능성이 농후 하다. 수많은 과일과 채소, 견과류가 곤충에 꽃가루받이를 의 존한다. 그러므로 야생 곤충의 도움이 없이는 적어도 지금과 비슷한 규모로, 또는 지금처럼 저렴하게 다양한 작물들을 경 작할 수 없다.

곤충이 수분하는 작물은 식탁에 맛과 색을 올릴 뿐 아니 라 비타민과 미량 영양소의 공급원이기도 하다. 따라서 이런 속도로 수분 매개자들이 감소한다면 사람의 건강도 위협받을 수 밖에 없다. 특히 동남아시아의 경우 비타민 A를 공급하는 작물의 절반이 동물에 의해 수분되기 때문에 타격이 더 클 것 이다.

작물의 꽃가루받이는 정의와 연대 책임의 문제이기도 하

---

*   아몬드, 달걀, 설탕 등으로 만든 과자류.

다. 인구의 3분의 1이 빈곤층인 라오스에서는 영양소가 풍부한 식물이 부족하다고 해서 비타민 알약으로 보충할 수 없는 상황이다. 또한 개발도상국에서 곤충의 꽃가루받이에 의존하는 많은 식용 작물은 소농이나 가족 농장의 중요한 수입원이다. 곤충은 수많은 사람의 일과 수입에 바탕이 된다. 그래서 곤충이 윙윙거리는 소리만큼 반가운 소리가 없다고들 하는 것이다.

꽃과 벌

꽃가루받이, 또는 수분을 이해하려면 기초적인 성교육부터 받아야 한다. 우선 꽃에서부터 시작해보자. 식물은 처음 뿌리를 내리는 순간부터 땅에 매여 있기 때문에 동물과는 다른 방식으로 번식한다. 토마토나 사과는 마음에 드는 짝을 찾아 돌아다닐 수 없으므로 가계를 이어가기 위해 서로 다른 두 세대가 번갈아 가면서 나타나는 방식을 택했는데 그중 하나는 사실상 이동할 수 있다. 물론 외부의 도움을 받아야 가능한 일이긴 하지만 말이다.

둘 중 한 세대는 우리 눈에도 확실히 보인다. 어린싹에서 시작해 잎이 돋고 줄기가 자라고 꽃잎이 벌어지는 이 세대가 통상 우리가 식물이라고 부르는 것이다. 이 세대가 더 크고 오래 살기 때문에 그렇게 불러도 문제는 없을 것 같다. 여기에서 다음 세대를 생산한다. 작고 수명이 짧은 이 세대에는 암수가 있다. 암컷은 식물의 꽃 속에 얌전히 들어앉아 있다. 그리고 꽃에서 만들어지는 꽃가루가 바로 수컷이다. 이 작은 티끌을 식물의 정자로 보면 된다. 꽃가루는 유전 물질로 채워져 있고 극도로 저항성이 큰 보호막(8장 206쪽 참조)에 의해 보호된다. 성생활이 제대로 이루어지려면 이 작은 티끌이 암컷을 찾아야 하는데, 되도록 다른 개체에 있는 암컷을 만나 다양한 유전 물질이 뒤섞이는 편이 모두에게 좋다. 이때 외부의 도움이 필요하다.

오로지 바람에 희망을 거는 식물들은 꽃가루가 바람을 타고 다른 종까지 전달될 기회를 노리기 때문에 무조건 대량 생산을 목표로 삼는다. 한 식물이 수억 개의 꽃가루 알갱이를 마구 찍어낸다. 꽃가루 알레르기가 있는 사람들에게는 결코 곱게 보이지 않는 자연의 특징이다. 침엽수, 꼬리 모양 꽃차례를 가진 식물, 곡류, 잔디와 같은 식물들이 이처럼 양으로 승부하는 전략에 의존한다. 따라서 대부분 꽃이 작고 보잘것없으며 색깔도 녹색 계열이다.

다른 식물들은 아주 크고 밝고 선명한 꽃을 제작한 다음, 동물로 하여금 암술과의 데이트 장소까지 꽃가루를 모셔 가게 한다. 이 경우 곤충들은 대단히 중요한 물류 업체 역할을 한다.

곤충과 속씨식물은 약 1억 년 전 백악기 이후로 사이좋게 진화했다. 이 둘의 인연은 우연으로 시작했다. 아침 식사를 찾아다니던 배고픈 딱정벌레가 무심코 목련꽃에 앉았다가 두꺼운 꽃잎 사이에 숨겨진 맛있고 영양 만점인 꽃가루를 발견했다. 꽃가루와 꽃을 게걸스럽게 먹는 동안 우연찮게 꽃가루 일부가 딱정벌레의 몸에 들러붙었다. 식사를 마친 딱정벌레는 다른 꽃을 찾아갔고, 바로 이곳에서 첫 번째 꽃에서 나온 꽃가루가 두 번째 꽃에 전달되면서 번식이 확정되었다.

진화는 계속되어 이윽고 벌이 등장했다. 벌은 꽃을 피우는 식물들에게 특별히 맞춤된 날아다니는 출산 도우미다. 세계에는 약 2만 종의 벌이 있고, 200종 이상이 노르웨이에 산다. 그중 사회생활을 하는 호박벌이 30종에 가깝고, 이 사회성 벌들의 둥지를 빼앗아 알을 낳는 뻐꾸기호박벌이 7종, 단독성 벌 170여 종, 그리고 다리가 6개 달린 가축 대접을 받는 꿀벌이 있다. 꿀벌은 우리에게 꿀을 주고 꽃가루받이에도 기여하지만, 전체로 볼 때 식물의 수분에 가장 크게 기여하는 건 다른 곤충들이다. 꿀벌과의 벌들이 탁월한 수분 매개자로서 공유하는 몇 가지 특징이 있다. 첫째, 몸에 털이 많다. 게다가 그 털이 가지를 친다. 확대해보면 벌의 털은 잔가지가 갈라진 작은 깃털처럼 보인다. 덕분에 꽃가루 알갱이가 구석구석 들러붙기 쉽다.

둘째, 벌은 채식주의자다. 오로지 꽃가루와 꽃꿀만 먹고 산다. 벌의 유충도 이런 식단을 먹고 자란다. 야생벌 어미는 꽃가루와 꽃꿀을 모아다가 짓이겨 알 옆에 둔다. 유충을 먹이고 자신도 먹으려면 아주 많은 꽃가루와 꽃꿀을 찾아야 한다. 그래서 셀 수 없이 많은 꽃을 찾아다니면서 꽃가루를 이리저리 옮기고 다니는 것이다.

그러나 야생벌을 비롯해 꽃을 수분하는 곤충들의 역할은 가축화된 꿀벌이 감히 대체할 수 없는 수준이다. 이는 세계적으로 다양한 식용 식물과 작물에서 증명된 사실이다. 미국에서는 사과나무 재배를 연구했더니 야생벌이 한 종 추가될 때마다 전체 사과꽃의 1퍼센트가 사과로 변했다. 하지만 꿀벌의 수가 늘어난다고 해서 사과가 더 생산되는 건 아니었다. 야생벌은 꽃이 핀 모든 사과나무를 부지런히 날아다니지만, 꿀벌은 꽃이 가장 많이 핀 나무를 선호해 처음부터 곧장 그리로 향하기 때문이다.

세계적으로 수분이 필요한 식품 생산의 가치는 2016년부터 2017년까지 영국 정부 지출의 약 3분의 2에 해당한다. 수분이 필요한 농작물의 양은 지난 50년간 3배가 늘었지만 같은 기간 동안 수확량은 그 속도를 따라가지 못했다. 그 이유는 아마도 꽃가루받이를 전담하는 곤충들이 줄고 있기 때문일 것이다. 최근 이 날아다니는 작은 도우미들의 다양성과 개체 수가 감소하고 있다는 연구 결과가 나오고 있다.

푸른 꿀 때문에 성난 양봉가들

 사회생활을 하는 다른 벌들도 꿀을 생산하지만, 이렇게 부지런히 꽃꿀을 모아 대량 생산하는 건 꿀벌류밖에 없다. 따져보면 이렇게 고된 일도 없다. 꿀을 1킬로그램 모으려면 꽃을 수백만 송이나 찾아다녀야 하기 때문이다. 그러니 꿀벌들이 빠르고 쉬운 해결책 앞에서 유혹을 느끼는 것도 무리는 아니다. 하지만 꿀벌의 한순간 잘못된 선택이 현대 세계에 문제를 일으킬 수도 있다. 몇 년 전 프랑스 동북부에서 벌을 치던 양봉가들이 벌통을 보고 아연실색한 사건처럼 말이다. 그 꿀은 따뜻한 황금색이 아닌 푸른색이었다.

 양봉가들은 어쩔 줄을 몰랐다. 꿀의 맛에는 문제가 없었지만 그런 꿀을 시중에 팔 수는 없는 노릇이다. 타격을 입은 여남은 양봉가들은 그간 꿀벌을 덮친 질병과 꿀 수확량 감소로 이미 힘든 터였다. 이들은 곧바로 조사에 들어갔다. 벌들이 꽃가루 바구니에 정체를 알 수 없는 밝은색 물질을 들고 벌집으로 돌아오는 모습이 목격되었다. 그래서 벌의 뒤를 밟아 보았더니 양봉장에서 몇 킬로미터 떨어진 바이오 가스 시설이 목적지였는데, 그곳에서는 초콜릿 제조사인 앰앤앰즈M&M's 공장에서 배출한 원색 폐기물질을 실외에 노출한 상태로 저장하고 있었다. 이곳을 발견한 꿀벌은 보기 드물게 크고 꽃꿀이 풍부한 꽃을 찾아냈다고 좋아했을까? 어쨌든 그곳은 안정적이고도 쉽게 접근할 수 있는 설탕원이었다. 괜히 고생스럽게 이 꽃 저 꽃 전전할 필요가 없으니까 말이다. 다행히 문제가 확인되자마자 바이오 가스 시설은 모든 원료를 실내로 옮겼고, 프랑스 꿀은 원래의 황금색을 되찾았다.

이 사례는 곤충을 도우려는 선의에서 정원에 설탕물이나 바나나 껍질 등을 내놓는 게 좋지 않은 이유를 단적으로 보여준다. 이런 손쉬운 먹이원은 곤충이 수분 매개자로서의 본분을 등한시하게 할 뿐 아니라, 한 장소에 많은 수의 개체가 몰려들다 보니 감염의 온상이 될 수도 있기 때문이다. 게다가 설탕물은 꽃이 생산하는 진짜 꽃꿀과 꽃가루의 엉성한 모조품에 불과하다. 정원에 꿀이 많은 꽃을 심는 것이 훨씬 바람직하다. 그리고 제발 기억해주시길. 곤충들에게는 절대 꿀을 줘서는 안 된다! 그 안에는 꿀벌에게 병을 일으키는 휴면 세균이 들어 있을 수 있기 때문이다. 꿀벌 유충을 썩게 하는 미국부저병과 유럽부저병이 모두 이런 식으로 전파된다. 모두 이름만큼이나 고약하기 짝이 없는 질병들이다.

일석이조

파리, 딱정벌레, 말벌, 나비, 나방 등 꿀벌 외에도 많은 종이 꽃가루받이에 참여한다. 특히 고위도 지역이나 고산지대처럼 추운 곳에서는 파리의 역할이 아주 중요하다. 노르웨이 핀스

(오슬로에서 베르겐까지 가는 길 위에 있는 기차역. 해발고도 1,222미터) 근처의 산에 올라가 여름 내내 야생화 위에 누가 내려앉는지 지켜본다면 아마 십중팔구 집파리나 그 가까운 친척을 보게 될 것이다. 호박벌처럼 털이 보송하지도, 꿀벌처럼 귀여운 맛도 없지만 이 부지런한 곤충들 역시 매우 중요한 꽃가루 전달자 중 하나다.

파리는 온대지역에서도 유용하다. 특히 꽃등에에 주목하자. 꽃등에는 노랑, 검정 줄무늬로 말벌처럼 가장하고 있기 때문에 찾기가 쉽다. 꽃등에는 말벌이 부러워할 만한 재간을 지녔는데, 바로 정지 비행이다. 이 비행술을 발휘할 때면 마치 미니 벌새처럼 공중에 떠서 움직이지 않는 듯 보인다. 그래서 영어 일반명도 '공중정지 하는 파리hoverfly'다. 물론 꽃등에는 이 기술을 사용해 기가 막히게 꽃꿀을 빨아먹지만 한편 구애하는 데도 써먹는다. 가장 멋진 동작을 선보이는 수컷이 동네에서 제일가는 인기남이 되어 암컷과 짝짓기를 한다.

봄이 되면 적어도 5억 마리의 꽃등에가 해협을 건너 영국으로 빠르게 날아간다. 철 따라 이동하는 건 새들만이 아니다. 곤충에도 그런 부류가 있다. 가장 잘 알려진 것이 나비와 잠자리지만 레이더 연구 결과 꽃등에도 계절에 따라 수십억 마리가 거주지를 옮기는 것으로 드러났다. 이 파리 떼가 영국을 침공하는 건 좋은 뉴스다. 아니, 아주 반가운 뉴스다. 꽃등에 성충은 먼 곳에서 이국적인 꽃가루를 싣고 올 뿐 아니라 광범위한 내륙 수송 서비스까지 제공한다. 게다가 꽃등에 유충은 식탐이 많은 포식자라 여름 한철이면 진딧물을 3~10조 마리나 먹어치워 작물을 보호한다.

농약을 살포하는 대신 천연 병충해 방제법으로 꽃등에를 이용하는 이유가 여기에 있다. 노랑, 검정 줄무늬 곤충 한 마리로부터 수분과 해충 방제라는 두 가지 서비스를 동시에 받는 일석이조의 혜택 때문이다. 또 한 가지 다행인 뉴스가 있다. 곤충 개체 수가 줄고 있다는 암울한 보고가 연이은 가운데, 지난 10년 동안 꽃등에만큼은 개체 수가 안정적으로 유지되고 있다는 사실이다.

브라질너트와 날개 달린 향수병

보통 꽃과 꽃가루 전달자의 관계는 특정되지 않는다. 그렇기 때문에 식물 한 종을 여러 종의 곤충이 수분한다. 그러나 굉장히 특수한 관계로 발전한 사례도 있다. 듣고도 믿지 않을지 모르겠다.

남아메리카로 가보자. 그곳에서 브라질너트나무는 우림 전체에 흩어져 수백 년을 살면서 키가 40미터까지 자란다. 해마다 특정 시기가 되면 이 엄청난 높이에서 나무의 후손들이 코코넛처럼 생긴 둥근 캡슐을 타고 쌩 하는 소리와 함께 땅바닥에 추락한다. 몇 킬로미터는 족히 나가는 이 열매의 낙하쇼가 근사해 보일지 몰라도 머리 위에 떨어진다는 건 전혀 고대할 일이 아니다.

1800년경 수년에 걸쳐 남아메리카를 탐험했던 알렉산더 폰 훔볼트Alexander von Humboldt의 말을 빌리면, "이 열매는 어린아이의 머리통만 한 크기이며 (…) 나무 꼭대기에서 떨어질 때면 아주 큰 소리가 난다. 유기적 작용의 힘을 보고 한껏 감탄하기에 이만한 게 없다." 머리 크기의 열매 안에 감춰진 것은 우리가 먹는 견과류 믹스 봉지 안에서 크기가 가장 큰 브라질너트다. 긴 타원형의 단단한 껍데기를 어설프게 깨다가는 내용물까지 부스러뜨리기 십상이다.

폰 훔볼트와 그의 여행 동반자인 프랑스 식물학자 에메 봉플랑Aimé Bonpland이 브라질너트나무가 수분되기까지 일어나는 야릇한 행위를 알았더라면 더욱 감명받지 않았을까 싶다. 브라질너트의 꽃에는 다른 세상에서 온 듯한 아름다운 생물이 찾아와 꽃가루를 옮긴다. 파랑, 초록, 보라색의 금속성 색깔로 번쩍이는 몸체는 날아다니는 보석이라고 해도 믿을 정도로 몸색이 현란하다. 난초벌이라고도 하는 에우글로시니Euglossini 벌은 남아메리카와 중앙아메리카에만 서식한다. 꽃가루 운송은 암벌 전담인데 여기엔 엄청난 헌신이 필요하다. 브라질너트 꽃은 일종의 뚜껑으로 덮여 있는데, 난초벌 암컷은 그사이를 비집고 들어가 꽃꿀이 감춰진 내부로 접근할 수 있는 몇 안 되는 생물이다. 이 재주로 암벌은 먹이를 얻고

브라질너트나무는 수분이 되어 열매를 맺는다. 그러나 이것
은 이야기의 전반부에 불과하다.

난초벌 암컷은 희한한 취향을 갖고 있다. 그 취향이란 냄
새로 남자를 고르는 것이다. 암벌은 좋은 냄새가 나는 수벌하
고만 짝짓기를 한다. 그렇다고 여성을 유혹하는 향수를 사다
가 뿌리고 다닐 수는 없으므로 수벌은 손수 향수를 제조한다.
암벌들이 브라질너트를 수분하느라 분주할 때, 수벌은 이 난
초 저 난초 사이를 돌아다니며 달콤한 향이 나는 기름을 모아
뒷다리에 있는 특수한 구조물에 저장한다. 다리에 형성된 삼
각형 용기가 향수병인 셈이다.

향기 수집은 난초벌 암컷을 유인하는 데 굉장히 중요한
요인이다. 자기만의 개성 있는 향수를 제조해야만 짝짓기에
성공하고 자기 유전자를 물려줄 새끼 벌을 낳을 수 있다. 이를
위해 수벌이 난초들 사이를 돌아다닐 때 꽃가루가 운반되고
씨가 맺힌다.

그래서 난초벌 부부가 각각 꽃꿀과 달콤한 향을 모으려
는 노력은 브라질너트나무와 난초벌 모두에 이롭다. 현지와
수출 시장에 브라질너트를 제공해 인간에게도 이익이 되는
건 말할 필요도 없다. 이처럼 다양한 종 간에 형성되는 복잡한
상호작용의 면면을 알고 나면, 브라질너트를 플랜테이션* 방
식으로 재배할 수 없는 이유가 납득이 된다. 벌과 나무와 난초
가 삼각 연대를 형성할 수 있도록 모든 파트너의 생활이 보장

*   작물을 대량으로
     단일경작하는 방법.

되는 숲속에서만 가능한 일이니까.

무화과와 무화과말벌 —의리와 배신의 역사

꽃가루 전달자와 식물 사이에 일어나는 극단적인 적응의 또 다른 예는 무화과말벌과 무화과나무다. 둘 사이에는 단순한 우정을 넘어서 충성, 자기희생, 배신의 3요소를 골고루 갖춘 동반 관계가 형성된다. 그 속사정이 할리우드 연애담처럼 복잡하니 잘 들어보기 바란다.

무화과나무의 꽃은 남다르다. 세상을 향해 꽃잎을 열어 주변을 기웃대는 모든 곤충에게 자신을 아낌없이 내어주는 평범한 부류와는 거리가 멀다. 이 이야기에는 시작부터 반전이 있다. 무화과나무의 꽃은 안팎이 뒤집어졌다. 나뭇가지에 작은 서양배 모양으로 달리는 연한 녹색 구조물은 속이 비어 있고 그 내부의 벽을 따라 꽃이 핀다.

꽃을 그런 식으로 꼭꼭 숨겨두다니 초짜가 아닌가 생각할지도 모르겠다. 하지만 무화과나무에게는 다 계획이 있다. 사실 거기에는 안으로 들어가는 길이 있다. 단, 선택받은 무화과말벌만이 좁은 통로를 통과할 수 있다.

짝짓기를 마친 무화과말벌 암컷이 그 안으로 비집고 들어온다. 통로가 어찌나 좁은지 들어가는 도중에 날개가 모두 떨어지므로 암벌은 다시 밖으로 나가지 못하고 꽃이 핀 동굴

안에서 짧은 생의 마지막을 보낸다. 무화과나무 입장에서는 그러거나 말거나다. 나무가 관심이 있는 것은 오직 이 암벌이 들어오면서 다른 나무의 꽃가루를 가져왔는지뿐이다. 그래야 꽃다발 속 암꽃들을 수정시킬 수 있으니까.

꽃 속에 갇혀버린 암벌의 미래는 암울해 보인다. 암벌은 인생이 달린 로또를 손에 쥐었다. 과연 이 암벌이 들어간 무화과는 앞으로 자식들을 맡아 키워줄 훌륭한 어린이집일까? 아니면 제 아이들을 받아주지도 않을 무화과 속에 재수 없게 발을 들인 걸까? 자, 이제부터 이야기가 좀 복잡해지니 집중하시길.

평소에 우리가 먹는 무화과를 생산하는 데에는 무화과나무가 두 종류 필요하다. 하나는 서양배처럼 생긴 뒤집어진 꽃다발 안에 정상적으로 기능하는 암꽃을 피워 암벌에 의해 꽃이 수정되면 우리가 먹을 수 있는 무화과가 된다. 그러나 정작 암벌은 그곳에 알을 낳을 수 없다. 암꽃의 물리적 구조가 그걸 허용하지 않기 때문이다. 인생 로또를 잘못 뽑은 암컷은 가문의 대를 잇는 데 실패한다. 그녀는 파트너에게 배신당했다. 무화과나무는 그녀를 속여 그저 꽃가루를 배달하게 했을 뿐이다.

암벌에게는 천만다행으로 무화과나무 중에서도 카프리무화과라는 품종이 있다. 이 나무의 꽃차례도 뒤집어져 있기는 마찬가지지만, 그 안에 핀 암꽃은 불임이라 암벌이 알을 낳기에 안성맞춤이다. 또한 이 꽃다발에는 수꽃도 있다. 만약 암벌이 로또에 당첨되어 카프리무화과를 골라서 들어갔다면, 이곳에서 새끼들은 무럭무럭 자랄 것이다. 이윽고 새끼들이 어른의 삶을 살 준비를 마치고 나면 무화과는 보육원에서 매음굴로 변하여 말벌들이 그 안에서 짝짓기한다.

마지막으로 한 가지 문제가 남았다. 짝짓기를 마친 암컷이 어떻게 날개를 온전히 달고 무화과에서 벗어나 세상 밖으로 나갈 수 있을까? 이때 말벌의 수컷이 등장한다. 이들은 눈도 멀고 날개도 없지만 씹기에 능한 턱으로 좁은 터널을 확장하는 실력만큼은 타의 추종을 불허한다. 수컷이 투철한 희생정신으로 길을 터주고 자신이 태어난 곳에서 죽고 나면, 암벌은 그 길을 따라 온몸에 수꽃의 꽃가루를 바른 채 자유를 찾아 떠나 새로운 나무를 찾는다. 이렇게 생명의 로또는 다시 추첨에 들어간다.

무화과 이야기는 꽃과 꽃가루 전달자의 관계가 얼마나 복잡해질 수 있는지를 보여준다. 작물을 생산하는 데 두 가지 무화과나무가 필요한 이 특별한 시스템은 고대로부터 잘 알려졌다. 그래서 사람들은 무화과나무에 카프리무화과 가지를 걸어놓곤 했다. 무화과나무는 틀림없이 인간이 가장 먼저 체계적으로 경작한 작물일 것이다.

요즘은 수분이나 말벌 없이도 열매를 맺는 품종을 재배하기도 한다. 하지만 어떤 경우에도 기분 좋게 한 입 베어물었다가 그 안에서 죽은 말벌을 발견할 일은 없다. 말벌 유충이 득시글거리는 카프리무화과는 어차피 딱딱해서 먹을 수 없다. 그리고 먹는 무화과 안에 갇힌 암벌은 효소에 의해 완전히 분해되어 사라진다.

지구에는 800종 이상의 무화과나무가 있고, 보통 수분을 책임지는 전담 무화과말벌이 있다. 이 복잡한 협력관계는 수천만 년 이상 이어져왔다. 3,400만 년 된 무화과 꽃가루를 가진 무화과말벌의 화석이 발견된 적이 있지만, 그 역사는 적어도 두 배는 더 거슬러 올라간다고 추정된다.

인간만이 무화과를 좋아하는 건 아니다. 무화과는 열대지방에서 가장 중요한 과실수의 하나로 전체 조류 종의 최소한 10분의 1, 포유류의 6분의 1이 무화과를 먹는다. 무화과와 무화과말벌이라는 환상의 짝꿍이 이동에 약간의 도움만 받는다면, 사라진 숲을 재건하는 일에도 이바지할 수 있을 것이다.

크라카타우섬은 자바와 수마트라 사이에 있는 화산섬인데, 과거 수백 년 동안 엄청난 폭발로 악명이 높았다. 그중에 1883년에 일어난 폭발은 가장 큰 섬의 상당 부분에 걸쳐 일어나 역사상 가장 강력한 소음을 기록했다. 이 폭발로 섬의 모든 생명이 사라졌다. 그러나 이웃 섬에서 온 새들과 구대륙 과일박쥐의 도움으로 무화과말벌과 무화과나무는 섬에 다시 발을 들였다. 그 이후로 무화과나무는 불모의 용암 섬에서 세를 불리고 있다. 오늘날 20여 종의 무화과나무가 이곳에서 자라면서 섬에 유입되는 수행단들에게 삶의 토대를 제공한다. 과학자들이 여기에 착안해 다른 열대 지역에서도 숲을 복원하기 위해 무화과나무 도입을 시험하고 있는데, 그 결과가 상당히 고무적이라는 소식이 들려온다.

4   모든 가능성을 열어둔 약국

갑옷을 두른 바다 생물, 밝은색 북아메리카 도마뱀, 고대 숲의 상록수…. 이 종들의 공통점이 무엇일까? 모두 수백만 명의 목숨을 구한 약물의 원천이라는 점이다.

우리는 수백 년 동안 버드나무를 구슬러 열을 내리는 비밀을 밝혀냈는데, 그 결과가 아스피린이다. 양귀비에서는 진통제 모르핀을 얻었다. 아름다운 디기탈리스는 디기탈리스 강심배당체의 원료가 되어 수 세기 동안 심장약으로 사용되었다. 아마존 토착민들은 다양한 식물에서 추출한 신경독 쿠라레를 화살 독으로 사용했다. 쿠라레가 유럽에 알려진 뒤에 서양 의학에서는 근육 이완제로 사용되었고 오늘날에도 초기 마취법에 쓰인다.

매년 전 세계에서 약 1조 달러어치의 약이 팔린다. 첨단 기술로 뭐든지 합성할 수 있는 현대에도 이 약들의 3분의 1은 여전히 직간접적으로 자연 속 생물종에서 온다. 항생제나 항암제는 그 비율이 훨씬 높아서 60~80퍼센트가 적어도 출발점은 자연이다. 수십만 종의 식물, 곰팡이, 동물이 신약 원료를 제공하기 위해 대기 중이다.

개똥쑥 대 말라리아

수천 년 동안 식물의 왕국은 약리학적 활성 성분의 가장 큰 원천이었다. 기록상 가장 오래된 약용 식물은 5,000년 전 수메르인이 제작한 점토판에 적힌 12가지 약의 제조법에 나와 있다. 여기에는 250여 가지의 식물이 사용되었는데, 그중에는 맨드레이크, 사리풀, 양귀비처럼 중추신경계에 작용하는 물질이 함유된 식물도 있다.

이 식물들은 수백 년의 시행착오 끝에 약용 식물이라는 지위에 올랐다. 그래서 인간과 식물의 관계를 연구하는 민속식물학은 신약의 가능성을 찾아볼 수 있는 좋은 출발점이다. 2015년에 중국의 투유유는 말라리아 치료에 쓰이는 아르테미시닌이라는 활성 성분을 발견한 공로로 노벨의학상을 수상했다.

이 발견은 전통 중의학을 바탕으로 수십 년 동안 탐색한 결과였다. 연구팀은 2,000여 가지 약초를 조사해 말라리아 기생충을 효과적으로 퇴치하는 활성 성분을 찾아 헤맸다. 그리고 마침내 눈에 잘 보이지도 않는 작은 꽃이 핀 연한 녹색 덤불성 식물을 찾아냈는데, 그게 바로 개똥쑥이다. 개똥쑥은 꽃가루 알레르기로 고생하는 사람들에게는 골칫거리인 머그워트와 독주인 압생트의 원료인 향쑥의 가까운 친척이다.

중국 과학자들은 개똥쑥에 흥미로운 활성 성분이 있다는 걸 알았지만 분리해내기가 만만치 않았다. 그러다 투유유 연구팀이 1,700년 전인 3세기에 중국의 약초 의학자 갈홍이 쓴 『주후비급방』이라는 응급 처치 지침서를 보고 이 식물에서 활성 물질을 추출하는 중요한 비결을 발견했다.

실험 결과 아르테미시닌은 가장 치명적이라고 알려진 말라리아 기생충*Plasmodium falciparum*을 신속하고 효과적으로 박멸했고 부작용도 거의 없었다. 이는 굉장히 좋은 소식이었다. 많은 지역에서 말라리아 기생충이 과거의 치료제에 내성을 보이고 있었기 때문이다.

오늘날 말라리아 치료는 아르테미시닌과 다른 치료제를 결합해 말라리아 기생충이 내성을 키우기 어렵게 만든다. 아르테미시닌에 대한 수요가 높아지자 과학자들은 이 물질을 실험실에서 생산할 방법을 찾으려 애썼다. 여기에서 양조 효모가 다시 등장한다. 앞서 2장에서 미국 오리건주를 대표하는 생물로 선정된 효모 말이다.

2013년부터 한 제약회사가 유전자 조작 효모로 말라리아 치료제의 원료를 대량 생산하고 있다. 이렇게 과학자들은 활성 물질을 생산하고, 필요한 사람들이 치료받을 수 있는 새롭고도 저렴한 방법을 알아내기 위해 노력하고 있다.

아르테미시닌은 말라리아와의 전쟁에서 결정적인 돌파구였고, 백만 명 이상이 이 보잘것없는 식물 덕분에 목숨을 구했다. 이는 약효가 있는 종에 대한 전통 지식을 보존하면서 현대 과학으로 새롭게 접근하는 것이 합리적이라는 뜻이다. 단, 과학적 근거가 없는 미신—이를테면 코뿔소 뿔을 마구잡이로 사용하는 것—과 새로운 약물 개발로 이어질 수 있는 전통 지식을 구분하는 것은 대단히 중요하다. 오늘날 근대적인 생활방식과 전반적인 도시화가 보편화되고 토착 민족들이 전통적인 생활방식을 포기하면서 이런 전통 지식이 세계 곳곳에서 사라지고 있다.

이와 동시에 천연자원을 사용할 권리와 특허 문제가 분쟁의 원인으로 떠올랐다. 현지인이 보유한 지식에 대한 존중과 수익에 대한 요구가 충돌하고 대개는 식민지 시대의 불편한 앙금을 동반한다. 생물 해적질이라고도 하는 생물자원 수탈의 예는 수없이 많다. 외국의 제약회사들은 현지인들의 전통 지식을 이용해 엄청난 돈을 긁어모았지만, 정작 원천 지식을 제공한 토착민들이나 지역 공동체는 어떤 혜택도 받지 못했다.

이것은 간단한 문제가 아니다. 풀과 개구리에 대한 권리가 누구에게 있는가? 공유된 자연 재화와 서비스에서 오는 권리와 수입을 어떻게 분배해야 하는가? 오늘날 이런 사안들을 조정하기 위한 국제협약인 나고야 의정서가 채택되었지만 문제는 여전하다.

또 다른 말라리아 치료제 후보 물질과 관련된 최근 사례가 있다. 국립프랑스개발연구소IRD에서는 과거에 말라리아 치유에 쓰인 동물과 식물을 찾아 남아메리카의 프랑스령 기아나에서 토착민과 그곳 주민들을 대표하는 117명을 인터뷰했다. 여기에서 제시된 34가지 치료법 중에 소태나뭇과에 속한 식물이 있었다. 소태나뭇과는 주로 열대에 분포하는 식물로 가죽나무가 포함된다. 가죽나무는 공기 오염이 심한 도심에서도 잘 자라기 때문에 세계 곳곳에서 도시에 장식용 나무로 흔히 심는다(참고로 가죽나무는 버드나무처럼 암그루, 수그루가 따로 있는데, 수꽃의 냄새가 역해 수나무는 잘 심지 않는다). 말라리아 치료에 사용한 식물은 소태나뭇과의 쿠아시아 아마라*Quassia amara*라는 붉고 아름다운 꽃이 피는 자그마한 나무다.

잠깐 딴 길로 새자면, 스웨덴 박물학자 칼 린네는 프랑스령 기아나와 국경을 마주하는 수리남에서 온 해방된 아프리카 노예이자 치유사인 그라만 콰시Graman Quassi의 이름을 이 식물에게 붙여주었다. 콰시는 1700년대에 이미 이 식물을 사용해 열을 다스렸다. 학명에 붙은 'amara'는 라틴어로 '쓰다'

라는 뜻인데, 초식동물들이 먹지 못할 정도로 잎에서 쓴맛이 나기 때문에 붙은 이름이다.

실제로 프랑스 과학자들이 말라리아 기생충과 맞설 신물질 시말리카락톤 E를 발견한 것도 쿠아시아 아마라의 잎에서였다. 국립프랑스개발연구소는 2015년에 이 물질을 분리해 특허를 등록했지만 처음에는 여기에 프랑스령 기아나 정부를 참여시키지 않았다. 그러다 곳곳에서 생물 해적질이라는 비난을 받은 후에야 프랑스령 기아나와 수익을 나누기로 합의했다. 연구에 사용된 지식과 식물 재료의 원천은 결국 프랑스령 기아나였으니까.

약용 버섯을 품고 있는 전령

몇 년 전 이탈리아 북부 도시의 햇볕이 잘 드는 거리에서 몇 시간 동안 줄을 서 있었다. 아이스맨 외치Ötzi*가 너무 보고 싶어서였다. 외치는 5,000년 전에 고산 빙하에서 생을 마감한 가엾은 영혼이다. 유럽 동기시대‡에서 온 쭈글쭈글하고 볼이 홀쭉한 전령 외치는 늦게나마 온도가 조절되는 상자 안에 안치되었다.

이 사람만큼 온몸이 구석구석 분석된 인간도 많지 않을 것이다. 엑스선 촬영과 CT 스캔부터 시작해 가능한 한 모든 방식을 동원해 요리 뜯어보고 조리 뜯어보고 했으니 말이다.

---

*   1991년 알프스에서 발견된 미라. ‡   석기시대와 청동기시대 사이에 금속을 사용하기 시작한 기간.

내가 외치를 보면서 가장 관심이 간 것은 그의 몸 위에, 그리고 그의 곁에 있었던 것들이다. 침침한 조명이 비치는 서늘한 박물관에는 외치와 함께 발견된 의복과 도구도 전시되었다. 영원한 곤충 사랑꾼인 나는 외치의 머리와 옷에서 발견된 사슴파리와 벼룩 두 마리의 잔해가 먼저 눈에 들어왔다. 외치는 작은 가죽 주머니에 말굽버섯을 포함해 다양한 버섯을 지니고 있었다. 말굽버섯은 아마도 불을 피우거나 원시적인 붕대처럼 상처 부위를 지혈하는 데 사용되었다고 여겨진다.

외치는 실에 꿰어놓은 자작나무버섯 두 덩어리를 지니고 있었다. 외치가 이 버섯을 갖고 있던 이유에 대해서는 종교적·상징적인 의미가 있다는 설, 그리고 구충제로 쓰였다는 설이 있다. 후자의 가설은 누군가 이 불운한 미라의 장을 조사하다가 기생충인 편충을 발견했기 때문에 등장했다. 구충제 가설은 의견이 분분하지만 민속의학에서 세균 번식을 막기 위해 자작나무버섯을 사용한 오랜 전통이 있기는 하다.

한 최신 연구 결과 자작나무버섯에서 약물로서 잠재력이 있는 활성 성분이 확인되었다. 연구자들은 앞으로 균류가 의학과 생물공학계 양쪽에서 신약이나 신물질의 원천이 될 수 있으리라 기대한다. 우리는 어쩌면 또 한 번 5,000년이 지난 후에야 답을 알게 될지도 모른다.

곰팡이를 약으로 쓴다는 말에 그리 놀랄 건 없다. 균류는 종류가 엄청나게 많고 그중 많은 종이 토양 속, 소화하기 힘든 나무 속, 살아 있는 생물의 몸속처럼 희한한 곳에서 살아간다. 결과적으로 균류는 독특한 적응법을 개발했고 다른 생명체가 닥친 어려움에 해결책을 줄 수 있다.

의학적으로 중요한 균류의 대표적인 예는 당연히 페니실린속의 종들이다. 이 곰팡이들은 역사상 최초로 발견된 항생제 페니실린의 기원이다. 페니실린은 지난 한 세기를 통틀어 가장 중요한 의학적 혁신이며 곰팡이가 인간에게 준 가장 위대한 선물로 평가된다.

자주 언급되는 또 다른 예는 면역 억제제인 사이클로스포린이다. 장기 이식에 필수적인 이 약은 노르웨이의 하뎅거 고원 토양에 사는 곰팡이에서 추출했다. 그곳은 옛날 사우디아라비아 문헌에서 "노르웨이 남쪽의 나무 없는 황량한 고원"이라고 음울하게 묘사된 곳이다. 한 스위스 회사가 그 토양의 표본을 채취해 쓸쓸하고 적막한 노르웨이 고원의 곰팡이로 약을 만들었는데, 지금은 덕분에 1년에 수십억 크로네를 벌고 있다.

주목이 속삭이는 지혜

소멸과 탄생 사이의 긴장된 시간
세 개의 꿈이 교차하는 고독의 장소
푸른 바위들 사이에서

그러나 주목나무를 흔들고 나온 소리가 흘러 퍼질 때

다른 주목이 흔들리고 답하게 하라

- T. S. 엘리엇 '재의 수요일'

주목은 라틴어 속명인 탁수스*Taxus*를 따서 탁솔taxol이라고 이름 지은 항암제를 통해 많은 생명을 구했다. 주목은 이런 실용적인 쓰임뿐 아니라 신화와 문헌 속에서 길고도 복잡한 역사가 있다.

먼저 40만 년 전 영국의 에섹스 해안으로 돌아가보자. 런던에서 동쪽으로 차로 두 시간쯤 거리에 있는 이곳에는 오늘날 클락톤-온-시라고 불리는 마을이 있다. 홍적세 간빙기였을 때 이곳은 강가에 자리 잡은 비옥한 평야가 절반은 개방되고 절반은 숲이 우거진 상태였고 활엽수가 지배했다. 여기에 사람이 살았다. 정확히 어떤 친척인지는 확실치 않으나 여하튼 현생인류는 아니었다. 한 가지 확실한 건 이들이 우리는 죽었다 깨어나도 만날 수 없는 아주 다양한 대형 동물들에 둘러싸여 있었다는 점이다. 고고학자들은 스텝 매머드, 곧은엄니 코끼리, 큰뿔사슴, 코뿔소 몇 종, 야생말, 야생 소 오록스와 스텝 들소의 것으로 추정되는 뼛조각들을 발굴했다. 또한 이곳은 세계에서 가장 오래된 나무 도구가 발견된 곳이기도 하다. 바로 주목나무로 만든 뾰족한 창끝이다.

주목에는 강하면서도 유연하다는 특별한 성질이 있다.

클락톤-온-시에 살던 야생동물 대부분이 죽고 유럽에서 사라진 이후에도 주목은 오랫동안 무기로 사용되었다. 5,000년 전에 살았던 아이스맨 외치 역시 주목으로 만들다 만 활과, 주목 손잡이가 달린 구리 도끼를 들고 있었다.

튼튼한 주목 장궁은 전투의 결과를 좌지우지하며 유럽, 특히 영국 역사에 명백한 영향을 주었다. 1415년 10월 24일, 영국과 프랑스 사이의 백년전쟁 기간에 벌어진 아쟁쿠르 전투에서 영국은 장궁병을 기용해 화살을 비처럼 퍼부었고 병사 수가 훨씬 많은 프랑스 군대에 맞서 대단히 효율적인 승리를 거두었다. 역사가들은 이날 인류 역사상 가장 피비린내 나는 전투가 벌어졌다고 추정한다.

노르웨이에서도 주목이 사용되었다. 서쪽의 호르달란주에서는 1900년대까지도 피오르*에서 밍크고래(북방쇠정어리고래)를 사냥하는 데 쓰였다.

주목이 항암제로 거듭난 것은 1960년대 미국 국립암연구소가 미국 농무부와 손을 잡고 자연에서 새로운 암 치료제를 찾기 위해 노력을 쏟아부은 결과였다. 연구팀은 20년 동안 3만 종 이상을 수집해 약효가 있는 것들을 선별했다.

1962년 8월의 어느 무더운 여름날, 이 연구팀 소속 식물학자 한 사람이 워싱턴주 보호 지역에 있는 한 숲속에서 8미터 높이의 추레한 미국주목을 발견했다. 그 나무는 그가 샘플을 채집한 1,645번째 나무였기 때문에 간단히 B-1645라는 이름

---

*   빙하의 침식으로 생긴 골짜기에
        바닷물이 들어와서 생긴 만.

으로 분류되었다. 샘플을 분석하자 B-1645의 나무껍질에서 암세포 분열을 막는 파클리탁셀이 발견되었다. 그러나 허가를 받기까지 길은 험난했다. 1990년이 되어서야 주목에서 추출한 활성 물질을 난소암과 유방암 등 암 치료에 사용할 수 있는 승인이 내려졌다.

파클리탁셀은 지금까지 생산된 암 치료제 중 가장 큰 수익을 올렸다. 전 세계적으로 파클리탁셀 시장은 2017년에만 8,000만 달러에 가까운 돈을 벌어들였으며 수요가 증가하고 있으므로, 2050년까지 수익은 두 배가 될 전망이다. 모두 한 조각 나무껍질에서 시작한 결과이다.

그러나 성공은 양날의 검이 될 수 있다. 과거에 미국주목은 숲속의 쓸모없는 잡초 취급을 받았다. 하지만 중요한 활성 물질이 발견된 나무이니 이후에는 더 보호받았을 거라고 생각할지도 모르겠다. 문제는 파클리탁셀을 추출하려면 나무껍질을 벗겨야 한다는 데 있다. 서 있는 나무에서 작업할 수 있었음에도(그래도 곧 죽겠지만), 실제로는 나무를 통째로 잘라버렸다. 그것도 아주 많은 나무를.

탁솔 1킬로그램을 추출하는 데 주목 껍질 10톤이 필요하다. 이는 나무 3,000그루를 베어내야 한다는 뜻이다. 그러고도 세계 시장 수요의 일부분밖에 채우지 못한다. 미국주목이 미국 북서쪽 해안의 아주 오래된 원시림에서만 발견되는 데다가 이 나무들은 드문드문 자라고 수가 많지 않으며 세상에서 가장 천천히 자라는 나무라는 기록까지 더하면 뭐가 문제인지 쉽게 짐작할 수 있을 것이다.

탁솔의 효능이 잘 알려지고 널리 사용되면서 미국과 캐나다 서부 해안에서 벌목을 반대하는 시위도 증가했다. 이 숲은 미국주목 말고도 많은 종을 포함하는 풍부하고 고유한 생태계의 보금자리이기 때문이다. 이 물질을 생산할 대안이 절실해졌다. 1990년대에 미국주목과는 다르지만 더 흔한 종인 유럽주목의 바늘잎에서 파클리탁셀을 생산하는 기술이 개발되었다. 이후 전적으로 실험실에 기반해 활성 성분을 생산하게 되었지만, 미국주목과 여러 아시아 주목 종들은 여전히 세계자연보전연맹IUCN의 적색목록*에 남아 있다.

노르웨이에서 유럽주목은 외스틀란데트에서 아그데르주까지 남부 해안을 따라 넓은 띠를 형성하며 분포한다. 세계 적색목록에 등재되지는 않았지만 노르웨이에서는 취약한 종이라 국가 적색목록에 올라가 있다. 노르웨이 서부의 몰데는 장미와 재즈, 그리고 로열 버치Royal Birch로 유명하다. 이 나무는 호콘 7세와 왕세자 올라프가 1940년 4월에 독일의 폭격을 피해 그곳에 갔을 때 사진에 찍힌 적이 있다. 그런데 이 도시가 자랑할 만한 나무가 하나 더 있다. 세계의 최북단에 사는 야생 주목이다. 주변부 개체군—특정 종의 지리적 분포 범위 바깥 가장자리에 서식하는 개체—들은 특별히 흥미로운 유전적 특성을 가지는 경우가 많다. 이것이 노르웨이에서 주목이라는

---

*   세계자연보전연맹에서 제작한
       멸종위기종 목록이다.

종을 더 신경 써서 보살펴야 하는 추가적인 이유다. 만약 운이 좋아 노르웨이 해안에서 드문드문 낮게 자라는 주목을 발견한다면 아름다운 붉은 가종피를 제외하고는 이 나무의 모든 부위에 독성이 있다는 사실을 꼭 기억해야 한다. 사람에게든 동물에게든 마찬가지다. 결국 독이냐 약이냐는 종이 한 장 차이다.

아마도 이 독성 때문에 주목이 죽음의 나무로 여겨졌을 것이다. 고대의 짙은 상록성 주목은 공동묘지의 평범한 장식물이었다. 셰익스피어의 『맥베스』에 나오는 세 마녀는 죽음을 부르는 물약에 주목을 넣는다. 그러나 이 나무는 생명과 부활, 삶과 죽음의 전이도 상징한다. 기독교 이전의 켈트족들은 주목을 신성한 나무로 여겼고 나무의 속삭임이 망자의 목소리를 이승으로 전달한다고 믿었다. T. S. 엘리엇이 자신의 시에서 말한 게 바로 이 속삭임이다. "소멸과 탄생 사이의 긴장된 시간 / 세 개의 꿈이 교차하는 고독의 장소 / 푸른 바위들 사이에서 / 그러나 주목나무를 흔들고 나온 소리가 흘러 퍼질 때 / 다른 주목이 흔들리고 답하게 하라."

주목은 수명이 매우 길다. 스코틀랜드 포팅갈의 교회 묘지에 있는 주목은 수령이 2,000년에서 3,000년 사이로 추정된다. 바닥에 닿을 듯 늘어진 나뭇가지가 뿌리를 내리면 거기에서 새롭게 줄기를 뻗는다. 이 나무에서 나온 활성 성분이 식물에 기반한 최고의 암 치료제라는 사실이 상징하는 바는 크다. 파클리탁셀이라는 물질을 통해 주목 속 식물은 많은 사람에게 새로운 생명을 주었다. 좀 더 신경 써서 돌본다면 세상의 주목들이 우리 귀에 얼마나 더 많은 비밀을 속삭일지 누가 알겠는가?

괴물의 침이 당뇨병을 죽이다

1959년에 제작된 한 끔찍한 흑백 공포 영화에 1시간 14분 동안 시달린 적이 있다. 저예산으로 제작된 B급 영화 '자이언트 힐라몬스터The Giant Gila Monster'가 그것이다. 영화에서는 몸이 엄청나게 커진 도마뱀이 잔뜩 성이 나서 텍사스 작은 마을을 초토화시킨다(때마침 '땃쥐의 습격The Killer Shrews'이라는 영화도 연달아 개봉했는데, 그것도 아카데미상 후보감은 아니었다). 감독은 화면을 아름답게 연출하기 위해 1950년대 꽃무늬 드레스를 입은 미스유니버스 출신 프랑스인을 내세웠지만, 힐라몬스터(아메리카독도마뱀의 별명)를 포착하는 데는 실패했다. 미니어처로 제작한 풍경 속에 예기치 않게 진짜 도마뱀이 지나가는 코믹한 장면이 연출되었는데, 여기에 나온 것은 힐라몬스터가 아닌 멕시코독도마뱀이다.

힐라몬스터는 북아메리카에서 가장 큰 도마뱀으로 길이가 대략 50센티미터쯤 된다. 주황-검은색의 아름다운 사이키델릭 무늬가 바틱 염색에 실패한 듯 그려진 구슬 같은 비늘이 온몸에 덮여 있다. 힐라몬스터는 몸에 독을 장착했다고 알려진 몇 안 되는 도마뱀 중 하나다. 먹잇감을 씹을 때 아래턱 침샘에서 독이 나온다. 이 도마뱀은 원래 미국 남서부, 특히 애리조나 반사막뿐 아니라 남쪽으로는 멕시코까지 분포했다. 하지만 밀렵, 개발, 도로 건설 등으로 개체 수가 꾸준히 감소하여 세계자연보전연맹에서는 '준 위협NT' 상태로 보고 있다.

힐라몬스터는 억울한 누명으로 인기를 잃은 생물로서 어두운 과거를 살았다. 사람들은 오랫동안 힐라몬스터가 독기 서린 입김으로 먹잇감을 죽이고, 물리면 인간에게도 치명적이라고 믿었다. 모두 사실이 아니지만 그래도 괜히 가까이 갔다가는 극도의 고통을 경험할 수 있다. 물리면 그 자체로도 아프고 독이 퍼지면 통증이 극심해진다. 카메라 앞에서 물고 쏘는 동물들과 함께 있는 모습을 과시하는 일이 직업인 한 인기 유튜버의 표현을 빌리면 "뜨거운 용암이 핏줄을 타고 흐르는 것 같은" 느낌이다(그래서 도마뱀이 예상치 못하게 손가락을 물어뜯었을 때는 그도 용기를 뽐내지 못했다).

힐라몬스터의 독은 인슐린이 생산되는 췌장에 작용한다. 인슐린은 체내에서 혈당을 조절하는 호르몬인데, 인슐린이 부족하거나 세포에서 제대로 받아들이지 못할 때 제2형 당뇨병에 걸린다. 이 연관성이 1990년대에 한 당뇨병 전문 의사의 호기심을 자극했다. 어떤 놀라운 발견이 기다리는지도 모르고 그는 미국 정부로부터 변변치 않은 기초연구비를 지원받아 힐라몬스터의 독이 든 타액을 조사했다.

그가 발견한 것은 엑센딘-4라는 물질인데 인체에서 분비되는 호르몬과 유사했다. 엑센딘-4는 식사 직후처럼 혈당이 높아졌을 때 인슐린 생산을 늘리고 혈당을 적절한 수준에서 꾸준히 유지시켰다. 바로 당뇨 환자에게 필요한 기능이다.

이 과학자는 미국당뇨병학회의 연례 학술대회에서 결과를 발표했다. 작은 생명공학 회사가 이를 눈여겨보아 신약 개발에 들어갔고, 약 10년 뒤인 2005년에 미국에서 의약품 승인을 받았다. 이 약은 제2형 당뇨 환자가 보조 치료제로 사용하고 있는데, 약효가 오래 지속하기 때문에 주사를 자주 맞지 않아도 된다는 장점이 있다. 또한 식욕을 감퇴시키므로 당뇨 환자들의 체중 조절에도 도움이 된다. 2017년에 미국에서만 150만 건 이상 처방전이 발급되었다. 도마뱀에게는 천만다행으로 이 활성 성분은 실험실에서 쉽게 생산할 수 있어 이 많은 약을 제조하기 위해 도마뱀을 잡을 필요는 없다.

그렇긴 해도 인간의 관점에서 힐라몬스터가 자동차 도로와 건설 현장 사이를 비집고 들어가 어떻게 해서든 사막에서 버티고 사는 건 좋은 일이다. 힐라몬스터의 타액은 기억력에 영향을 주는 등 다른 흥미로운 특성이 있는 것으로 드러났다. 실험용 쥐에 타액을 주입했더니 쥐의 기억력이 급격하게 좋아진 것이다.

대니얼 키스Daniel Keyes의 소설 『앨저넌에게 꽃을』에서 생쥐에 이어 주인공이 실험적 치료 대상이 되어 지능이 높아진 이야기가 생각난다. 현실 세계에서 우리는 아직 그 단계에 있지 않지만, 현재 많은 제약회사가 이 도마뱀에서 추출한 물질로 알츠하이머, 파킨슨병, 조현병, ADHD 환자의 기억력 소실을 치료할 수 있을지 연구 중이다. 2019년에 발표된 한 논문은 힐라몬스터 타액 속 활성 성분의 변형체를 사용한 중증 중추신경계 진행성 질환 치료를 논의했다. 이 논문에 따르면 아직 인체를 대상으로 한 임상 테스트가 많이 남아 있지만 동물을 대상으로 한 중간 결과만 보면 가능성이 엿보인다. 이렇게 힐라몬스터는 영화 속 악당에서 의학계의 슈퍼스타로 거듭났다.

푸른 피가 구한 생명

살면서 한 번이라도 주사를 맞아본 적이 있다면 중간 크기의 프라이팬처럼 생기고 연한 푸른색 피를 가진 한 바다 생물에게 감사해야 한다. 주사기의 내용물이 오염되지 않았고 특히 세균성 독소가 없다는 것을 확인해주는 이 생물은 투구게다. 거미의 먼 바다 친척으로 지난 25년 동안 수많은 인간의 목숨을 살려왔다. 투구게의 피는 원치 않는 곳에 세균이 있는지를 알려주기 때문이다.

노르웨이어로는 '단검 꼬리'라고 알려진 투구게는 공룡보다 먼저 지구에 살았고 4억 년 전이나 지금이나 모습이 거의 비슷하다. 대부분 바다에서 생활하지만 짝짓기 철이 되면 수천 마리가 동시에 해변으로 기어 나온다. 현재 살아 있는 4종 중에 한 종은 미국 동부 해안에, 나머지 셋은 아시아에 서식한다.

완전히 성장한 투구게의 몸은 철갑을 두른 것 같고, 끝에 길게 뻗은 뾰족한 꼬리가 있다. 꼬리 생김이 단검을 닮긴 했지만, 방어용 무기라기보다는 헤엄치거나 걸을 때 방향을 잡는 방향키에 가깝다. 또한 육지에서 몸이 뒤집어졌을 때 바로잡는 데도 사용한다.

투구게는 종잇장처럼 얇고 넓은 판 형태의 새서(책아가미)로 숨을 쉰다. 그리고 구리가 들어 있는 혈액이 몸 주위로 산소를 운반한다. 이 구리 화합물 때문에 투구게의 피가 고유의 연한 푸른색을 띤다. 10개의 눈은 등판에 가지런히 배열되었고, 몸의 밑면에 발이 10개 달렸다. 이 발을 부지런히 움직여 맹그로브 숲과 얕은 바다에서 진흙을 헤치고 돌아다니고 각종 벌레와 홍합 등을 입에 퍼 넣는다.

수억 년 전 것으로 보이는 투구게의 발자국이 암석에 완전하게 보존된 상태로 중국에서 발견되었다. 투구게는 2억 5,200만 년 전 지구에서 일어난 3번째 대멸종 사건인 페름기-트라이아스기 대량 절멸에서 살아남은 몇 안 되는 생존자다. 해양 생물종 96퍼센트가 멸종한 이 사건은 시베리아에서 일어난 대규모 화산 폭발 때문에 바다의 수온, 산도, 산소량 등이 크게 달라진 것이 원인이다. 그러나 투구게는 살아남았다. 과학자들은 말 그대로 투구게의 발자취를 추적해 어떻게 이 생물이 대량 절멸 속에서도 굳건하게 버텼는지 알아볼 수 있을 것이다.

이제 다시 현대로 돌아와 흰색 실험복을 입고 위생망과 마스크를 착용한 노동자들이 긴 실험대에 나란히 서서 효율적으로 일하는 모습을 상상해보자. 실험대 위에는 투구게들을 열을 지어 늘어놓았다. 꼬리를 몸 밑으로 완전히 접어 심장 부위를 노출한 다음 가느다란 캐뉼러를 유리병으로 연결하면 파란색 액체, 즉 투구게의 기괴한 피가 채워지는데, 마치 공상 과학 영화의 한 장면처럼 보인다(1979년 영화 '스타워즈 4: 새로운 희망'에서 루크가 아침에 마시던 파란색 우유가 떠오른다). 그러나 이곳은 투구게 혈액은행이고, 여기에서 우리 인간은 흡혈귀 역할을 자처한다.

1950년대에 예기치 않은 관찰 이후 추적을 계속해나간 호기심 많은 두 명의 미국 과학자 덕분에 처음으로 투구게 혈액의 독특한 성질이 발견되었다. 투구게의 혈액 순환을 연구하던 한 과학자가 가끔 피가 젤리 덩어리로 변하는 것을 보고, 마침 세균의 독소가 혈액과 출혈에 미치는 영향을 연구하던 다른 교수에게 공동 연구를 요청했다.

마침내 두 과학자는 투구게의 피가 세균과 접촉하는 즉시 응고한다는 것을 알게 되었다. 내독소(살았거나 죽은 세균에서 나오는 독성 물질로, 감염되면 고열을 일으키고 최악의 경우 사망할 수도 있다)의 경우 아주 극소량만 접촉해도 이 피는 젤리 같은 점도로 변했다.

일반적인 멸균 과정으로는 이런 세균성 독소를 파괴할 수 없기 때문에 독성 물질을 감지하는 기술이 필수적이다. 투구게의 피는 이 능력이 극도로 탁월하다. 우리는 살아 있는 화석에서 나온 피를 장착한 채 약물이나 의료 도구의 안전성을 테스트할 수 있게 되었다. 1977년에 미국 보건 당국이 이 기술을 승인했고 이후 전 세계적으로 채택되었다. 투구게 혈액에서 나온 응고제는 체내에 들어가는 각종 이식물, 주사용 의약품, 코로나19 백신을 포함한 백신을 테스트하는 데 사용한다. 이는 규모가 큰 사업으로 바로 사용 가능한 투구게 혈액 1리터 가격이 1만 5,000달러(한화 약 1,900만 원)다.

투구게 혈액이 시장에 나오기 전에는 주사용 의약품을 준비하는 시간이 더 오래 걸렸을 뿐 아니라 토끼를 가지고 신뢰도가 떨어지는 실험을 거쳤다. 결국 투구게 덕분에 수많은 토끼들이 목숨을 구한 셈이다. 그러나 정작 투구게의 삶은 힘들어졌다.

매년 50만 마리의 미국 투구게와 수치조차 파악되지 않는 아시아 투구게가 포획되어 '혈액은행'에 피를 흘려보낸다. 미국에서는 이 과정이 규제 대상이라 할당량을 지정해 전체 혈액에서 3분의 1만 채혈하고 72시간 안에 바다로 돌려보내야 한다. 그런데도 투구게의 사망률은 약 15퍼센트나 되고, 미국 투구게는 멸종위기종 데이터베이스에 취약종으로 올라가 있다.

아시아에는 투구게 포획에 대한 규제가 없기 때문에 상황이 더 열악하다. 채혈 후 바다로 돌려보내는 일은 드물고 보통 식자재로 사용한다. 투구게가 짝짓기를 하기 위해 모이는 해변이 주택과 호텔 건설로 개발되고 있다는 점도 문제다. 그 결과 아시아 투구게 3종 모두 세계적색목록에 올랐다. 한 종은 절멸 위기EN이고, 다른 두 종은 정보가 부족해 정확하게 평가할 수 없다고 하여 정보 부족DD 범주에 있다.

투구게 개체 수 감소는 해안 생태계의 다른 종들에게도 커다란 영향을 미친다. 해변에서 투구게들의 로맨틱한 밀회가 끝나면 케이퍼 크기의 청록색 알 수백만 개가 모래 위에 깔린다. 북아메리카에서 이 '투구게 캐비어'는 남아메리카에서 북극으로 이동하는 철새들의 중요한 강장제가 된다. 봄철에 아르헨티나 티에라델푸에고에서 비행을 시작한 붉은가슴도요는 미국의 델러웨어쯤 도착했을 때 몹시 허기진 상태다. 그러나 최근 붉은가슴도요 아종 개체군이 1980년의 4분의 1로 곤두박질쳤다. 그 이유는 델러웨어의 투구게 해변 같은 경유지에 먹이가 부족해졌기 때문이다. 그 밖에도 건설, 생태계 교란, 해수면 상승, 기후 변화 등이 이 종의 수를 줄여나가고 있다.

투구게 혈액에 대한 수요가 증가하면서 이 고대 생물 앞에 멸종의 길이 펼쳐졌다. 개똥쑥의 아르테미시닌, 미국주목의 탁솔, 힐라몬스터의 타액, 그리고 바닐라난초의 바닐라 향 등 해당 생물의 수요를 하늘로 치솟게 한 활성 성분이 발견되었을 때처럼 말이다. 그러나 오늘날 우리는 이 물질을 얻기 위해 생물들을 죽이지 않아도 된다. 화학적 합성뿐만 아니라 생명공학 기술을 통해 실험실에서 복제할 수 있게 되었기 때문이다.

우리 인간은 수천 년 동안 이미 '부엌 조리대'에서 간단한 수준의 생명공학을 실행해왔다. 효모를 이용해 곡물로 술을 빚고, 젖산균을 사용해 우유를 요거트로 발효시키는 것이 이에 해당한다. 그러나 획기적인 발전은 1970년대에 재조합 DNA 기술을 사용해 유전자를 잘라서 붙이는 법이 개발되면서 이루어졌다. 이로써 외래 DNA를 세균이나 효모(이스트)의 세포 안에 삽입해 특정 단백질을 생산하도록 '재프로그램' 하는 것이 가능해졌다. 최근에 유전자가위로 알려진 크리스퍼 기술 개발로 유전자 편집을 훨씬 다양한 분야에서 간단하고도 저렴하게 적용할 수 있게 되었다. 생명공학 혁명은 의학과 건강에 새로운 해결책을 제공한다. 그러나 동시에 기술적인, 그리고 무엇보다 윤리적인 문제를 새롭게 제기했다. 생명공학 기술의 위험성에 무엇이 있고, 이 기술을 어디까지 적용해야 하는가?

생물을 죽이지 않고도 실험실에서 세포 배양으로 세균성 독소에 반응하는 효소를 생산할 수 있다는 것이 투구게에게 긍정적인 일임은 말할 필요도 없다. 새로운 시험법을 도입하는 데 꽤 오랜 시간이 걸렸지만 결국 2019년 말 유럽에서 승인이 내려지면서(2021년부터 적용) 앞으로 투구게를 포획하고 혈관을 두드릴 필요가 없어진다는 희망이 생겼다. 더 늦기 전에 투구게가 앞으로도 몇백만 년은 더 살 수 있게 되기를 바란다.

벌레로 만든 약—새로운 항생제 원료

빠진 머리를 되찾고 싶은가? 집파리를 으깨서 두피에 문지르자. 요로에 문제가 있다고? 죽은 활엽수에서 가구벌레 7마리를 찾아 우유에 넣고 끓인 다음 한 번에 들이켜라.

인류의 역사는 곤충을 이용해 건강 문제를 해결하는 희한한 조언들로 가득하다. 이런 미신과 호기심에도 일말의 진리가 있다. 1900년에 출간된 『과거와 현재의 독일 민간요법 속 동물들Die Tiere in der Deutschen Volksmedizin Alter und Neuer Zeit』에 나와 있는 치통 완화법을 보자. "치통이 심한 경우 딱정벌레를 잔뜩 잡아다가 발 위에 뒤집어 올려놓으면 통증이 가라앉는다." 이런 말도 안 되는 조언이 효과 있을 리 만무하지만, 실제로 딱정벌레류 중에는 가벼운 마취 효과를 일으키는 물질을 분비하는 종이 있다. 버드나무 잎을 뜯어 먹고 사는 잎벌레가 그 예다. 버드나무에는 아세틸살리실산이라는 활성 성분이 들어 있는데, 우리에게는 아스피린으로 친숙한 물질이다. 만약 이 벌레들을 '아주 많이' 뒤집어 놓고, 아픈 이빨을 만져 이 물질이 체내에 들어가게 할 수만 있다면 실제로 통증이 좀 가실지도 모른다.

　미래에는 신약으로 거듭날 물질을 곤충에서 찾게 될 것이다. 이 믿음에는 근거가 있다. 첫째, 곤충은 500만 종 이상으로 추정되는 지극히 수가 많은 분류군이다. 또한 바다를 제외하면 어디서든 발견되고, 다른 종과 수없이 많은 복잡한 관계를 맺고 있다. 예를 들면 버드나무 잎을 먹고 살며 다리 6개짜리 두통약이 되는 종들처럼 말이다. 더 중요한 협업도 많이 있다. 우리는 많은 곤충 분류군이 세균과 고도로 발달한 화학적 공생 관계에 있다는 것을 알고 있다. 이 작은 파트너들은 질병을 일으키는 다른 미생물에 대항하는 항균 물질을 생산한다. 이는 우리가 항생제에 의존하는 것과 별반 다르지 않다. 남아메리카에서 특별한 곰팡이를 재배하는 개미를 보자. 이 개미는 제 몸에 특별히 제작한 '셋방'을 항진균성 세균에게 내주어 자신들이 경작하는 곰팡이에 해를 끼치는 나쁜 곰팡이를 제거한다.

　또 다른 예는 은주둥이벌과에 속하는 말벌인 벌잡이벌이다. 얼핏 보면 노랗고 검은 줄무늬가 있는 평범한 말벌처럼 생졌다. 그러나 말벌보다 몸집이 더 크고 날지 않을 때는 날개를 등 위로 가지런히 포개고 있다. 다른 말벌과 달리 벌잡이벌은 유충에게 죽은 파리를 갖다 주는 것으로는 성이 차지 않는다. 이들은 꿀벌을 원한다. 그것도 산 채로.

벌잡이벌은 꿀벌들을 잡아다 마비시킨 다음 모래 속에 기발하게 파놓은 굴속으로 끌고 가서는 통로 끝에 있는 방에 3~6마리씩 차곡차곡 쌓아놓는다. 마치 엄마가 식탁에 아침 상을 차려놓고 출근하듯 어미 벌잡이벌은 아침 식사용 꿀벌 옆에 알을 낳는다. 알에서 깨어난 유충은 엄마가 쟁여놓은 식 량을 먹고 자란다. 벌잡이벌 암컷은 터널에 유충이 언제든 먹 을 수 있는 식품 저장고를 갖춘 아기방을 여러 개 만든다. 그리 고 방이 모두 채워질 때까지 꿀벌을 잡아 온다.

벌잡이벌 암컷이 어미로서 수행하는 마지막 의무는 아기 방의 천장을 페인트칠 하는 것이다. 암벌이 사용하는 페인트 는 더듬이의 특별한 샘에서 분비되는 끈적거리는 흰색 물질이 다. 어미는 치약을 짜듯 이 물질을 짜내서 천장에 꼼꼼히 바른 다. 이 흰색 지붕은 아기가 성장을 마치면 굴 밖으로 나오는 비 상탈출구 표시판 역할을 할지도 모른다. 이 페인트는 다용도 로 쓰이는 물질이자, 목숨을 구하는 슈퍼 페인트이기도 하다.

어미의 더듬이에서 나오는 흰색 물질에는 특별한 세균 이 들끓는 것으로 밝혀졌다. 이 세균은 스트렙토미세스속 *Streptomyces*의 '착한' 세균이다. 실컷 배를 채운 유충이 번데기로 변할 때가 오면, 이 천장의 페인트 속 세균을 섞어서 고치를 만든다. 축축한 동굴 속에서 주변 흙 속의 각종 곰팡이와 오물에 둘러싸인 채 이듬해 여름이 올 때까지 가을, 겨울, 봄 세 계절 동안 꼼짝없이 누워 지내야 하는 상황에서는 꽤나 쓸모 있는 대비책이다. 스트렙토미세스는 여러 가지 항균 물질이 뒤섞인 칵테일을 만들기 때문에 친구 삼아 침낭에서 함께 지내는 것도 좋다. 이 칵테일은 인간이 세균의 내성을 막기 위해 사용하는 복합적인 치료법과 다르지 않다.

건강과 관련해 현재 세계적으로 가장 심각한 문제가 항생제 내성이다. 항생제 내성이란 무분별하게 항생제를 사용하면서 병원성 미생물이 항생제에 저항하여 생존 혹은 증식할 수 있는 능력이 발달한 것이다. 2019년 연구 결과에 따르면 매년 유럽에서 3만 3,000명이 항생제가 듣지 않는 내성균 때문에 목숨을 잃는다. 2050년에는 암보다 항생제 내성 때문에 죽는 사람이 더 많을 거라는 연구 보고도 있다. 그 추정치는 오늘날보다 14배나 많은 1,000만 명에 달한다. 이대로 간다면 조만간 우리의 손주가 우리의 증조부를 죽인 질병에 걸려 죽는 걸 보게 될지도 모른다.

인간이 사용하는 항생제 중 절반은 스트렙토미세스속 세균에서 기원한다. 앞으로는 스트렙토미세스속 중에서도 토양에 사는 세균으로부터 더욱 참신한 재료를 얻을 수 있을 것 같다. 토양은 곤충에게 친숙한 공간이고, 스트렙토미세스속의 유용한 세균이 개미, 말벌, 딱정벌레, 파리, 나비, 나방, 그 밖의 다른 곤충들에도 풍부하게 존재하기 때문이다.

최근 한 연구팀이 인간에게 질병을 일으키는 세균과 곰팡이 24종류를 퇴치할 새로운 활성 성분을 찾기 위해 곤충 1,000여 종을 조사했다. 그랬더니 토양에 사는 세균보다 곤충의 몸에 사는 미생물들이 항생제 내성균 퇴치에 훨씬 낫다는 결과가 나왔다. 곰팡이를 키우는 어느 브라질 개미에서 추출한 새로운 항생 물질을 테스트했더니 적어도 쥐에서는 효과가 있었다.

하나의 신약이 만들어지기까지 그 길은 언제나 길고 험난하다. 그 길에서 곤충은 새로운 항생제 사냥에 유망한 선두 주자다. 어쩌면 그것이 으깬 집파리를 두피에 문지른다고 해서 머리카락이 무성해지지 않을 거라는 사실을 받아들이는 데 도움이 될지도 모르겠다.

새끼를 토하는 개구리

옛날옛적에 개구리 한 마리가 있었다. 1973년 오스트레일리아 우림의 한 개울에서 평범하기 그지없는 회갈색 점액질투성이인 이 생물이 잡혔다. 과학자들은 이 개구리가 신종일지도 모른다고 생각했다. 하지만 240종의 양서류를 보유한 나라에서 신종 발견은 그리 대단한 뉴스거리가 아니었다(참고로 영국에는 고작 7종의 양서류가 서식한다). 유달리 횡격막이 큰 이 암컷 개구리는 실험실 수족관에서 살게 되었다. 그런데 숲속에서 잡힌 지 19일째 되던 날, 새 수족관으로 옮기려는데 갑자기 개구리가 구역질을 하더니 올챙이 6마리를 뱉어냈다. 그리고 며칠 후에는 형태가 완성된 아기 개구리를 토해냈다.

순식간에 이 개구리는 평범함을 상실했다. 이 암개구리는 수정된 알을 삼키고 위장을 자궁 삼아 그 안에 새끼를 키우는 세계에서 유일한 종이 되었다. 그리고 위부화개구리라는 어울리는 이름이 붙었다. 새끼는 어미의 배 속에서 6~7주 동안 머물며 알에서 올챙이를 거쳐 아기 개구리로 발달한다. 새끼들이 준비가 되면 어미는 며칠에 걸쳐 몸 밖으로 토해낸다. 이 시기에 어미는 먹지 않고 위액도 분비하지 않는다. 그랬다가는 어린 새끼들이 몸속에서 죽고 말 테니까. 달리 해석하면 이 개구리는 위액 분비를 조절할 수 있고, 필요에 따라 내장 기관의 용도를 변경할 수 있다는 뜻이다. 의학계가 지대한 관심을 보였다. 인체에서 위산 생산을 조절하는 물질을 찾을 수 있다면 어떨까? 또는 한 장기를 재프로그램해서 다른 기능을 수행하게 하는 방법을 찾는다면?

과학자들이 위부화개구리를 더 잡아다 이 놀라운 현상을 기록하고 실험실에서 그 모습을 촬영했다. 사진을 찍으려고 어미 개구리를 수족관에서 들어 올렸을 때 갑자기 배 근육이 수축하더니 논문에서 진지하게 '토사물 발사체'라고 지칭

한 물체가 줄줄이 발사되어 60센티미터 떨어진 곳에 착륙했다. 일부 개구리는 왔던 곳으로 되돌아갔다. 과학자들은 어미의 벌린 입안에서 모습을 살짝 드러냈다가 몸을 돌려 즉시 되삼켜지는 새끼를 보았다. 눈앞에 있는 인간이 마음에 들지 않았거나 자기 종이 처한 운명을 눈치챘는지도 모른다.

후자라면 개구리들이 튀어나오길 거부한 것도 이해가 간다. 위부화개구리에 대한 초창기 기사는 모두 현재 시제로 쓰여 있는데 이제 와서 읽으려니 참 안타깝다. "위부화개구리는 수생 개구리다…" 그리고 "위부화개구리는 제한된 지역에서만 발견된다…" 그러나 위부화개구리는 더 이상 존재하지 않고, 따라서 발견될 수도 없다. 집중적인 수색에도 불구하고 1981년 이후로 이 개구리를 본 사람은 없고, 세계자연보전연맹은 위부화개구리가 멸종했다고 선언했다. 그런데 불과 몇 년 후 같은 지역에서 근연관계에 있는 또 다른 알 품는 개구리가 발견되었다. 그 종 역시 이제는 멸종했다. 다시 말해 의학계는 위부화개구리의 메커니즘을 연구할 기회를 잃었고, 거기에서 어떤 의학적 발견이 이루어졌을지 영원히 알지 못하게 되었다는 뜻이다. 중국의 개똥쑥이나 미국의 힐라몬스터처럼 훨씬 평범한 생물체에서도 생명을 구한 의약품들을 찾아낸 것을 생각하면 참 애석한 일이 아닐 수 없다.

위부화개구리가 사라진 이유는 누구도 알지 못한다. 개구리가 서식했던 지역의 개울가에서 나무를 베어버렸기 때문인지도 모른다. 아니면 잡초성 침입종이나 야생으로 탈출한 돼지, 또는 세계의 많은 양서류를 위험에 빠뜨린 Bd 곰팡이병 때문이었을 수도 있다. 생물다양성과학기구의 보고에 따르면 전체 양서류의 40퍼센트가 멸종위기에 처했다. 새보다 3배 정도 높은 수준이다(13퍼센트).

이 작은 오스트레일리아 괴짜의 소멸을 되돌리려고 노력하는 과학자들이 있다. 어느 실험실 냉동고에 폐기되었던 개구리 다리(그리고 다른 부위)에서 위부화개구리의 유전 물질을 추출했고, 근연관계에 있는 개구리 종의 알에 이식해 부활시킬 수 있기를 희망하고 있다. 그러나 이름도 근사한 이 라자로 프로젝트*는 아직 세포 덩어리를 생산하는 것 이상의 진척이 없다. 물론 이 프로젝트가 흥미롭다는 걸 부인할 생각은 없지만, 나는 이런 멸종 생물 복원 프로젝트에 큰돈을 들이기에 앞서 아직 살아 있는 종과 그 서식처부터 보호해야 한다고 믿는 사람이다. 옛날 방식으로 서식처 보호에 헌신한다고 해도 넉넉한 연구비나 권위 있는 상을 받지는 못하겠지만, 더 많은 종을 구할 수는 있을 거라고 장담한다.

작은 해파리와 불멸의 미스터리

위부화개구리는 보름달물해파리와 쏘는 해파리들의 작고 연약한 친척인 히드라충강 생물을 본받아야 했다. 그들 중에는

*   라자로는 성경에 나오는 부활한
      사람의 이름이다.

영원히 사는 종이 있기 때문이다. 불사해파리라고도 부르는 홍해파리Turritopsis dohrnii는 생을 반복할 수 있다. 의학계에서 이보다 더 뜨거운 관심거리가 있을까.

다른 히드라충강 동물처럼 홍해파리는 플라눌라planula라는 자유롭게 헤엄쳐 다니는 작은 유생으로 삶을 시작한다. 그러다가 바다 밑바닥에 몸을 부착하고 폴립으로 자라기 시작한다. 폴립은 처음에 작은 풀숲처럼 보이다가 결국엔 접시 더미 같은 군집이 된다. 때가 되면 이 '접시'들은 느슨해져 메두사가 된 다음 우산 형태로 떠다닌다. 여기까지는 평범한 생활사다. 그러나 이 시점에서 홍해파리는 일반적인 수순대로 메두사가 생장하여 성체가 되고 번식하고 죽는 대신, 폴립 단계로 껑충 되돌아가 과정을 반복한다. 그리고 또다시 반복의 연속. 그들이 조심해야 할 것은 오직 잡아먹히지 않는 것뿐이다. 그 순간 불멸의 바퀴는 정지되기 때문이다. 메두사가 폴립으로 되돌아가는 건 마치 병아리가 자라서 닭이 되길 거부하고 다시 알로 돌아가는 것과 같다.

배 속에서 올챙이를 임신한 개구리를 발견했을 때 누구도 그 말을 믿지 않았던 것처럼, 불사해파리를 발견했다고 했을 때도 마찬가지였다. 누가 뭐라고 해도 이런 일은 일어날 수가 없기 때문이다. 한 유기체의 생명이 생을 시작할 때 그 첫 번째 세포들은 소위 줄기세포처럼 모두 똑같다. 그러나 개체가 발달하면서 세포가 분화하고 나면 다시는 줄기세포로 돌아갈 수 없다. 그런데 홍해파리 몸에서는 그 불가능한 일이 일어나는 것이다.

과학자들은 이 기이한 히드라충강 생물에게서 세포를 제어하고 손상된 조직을 치유하는 방법을 배울 수 있을 거라고 믿는다. 홍해파리를 연구하는 학자 중에 가장 낙관적이고 또 독창적인 이가 일본의 신 쿠보타다. 그는 지금까지 세계에서 유일하게 실험실 환경에서 홍해파리를 장시간 살려두는 데 성공한 사람이다. 쿠보타는 홍해파리가 불멸의 미스터리를 풀 열쇠를 쥐고 있다고 믿으며, 이 작은 젤리 덩어리를 적극적으로 홍보한다. 심지어 이 노老과학자는 홍해파리 찬가를 만들고 직접 노래를 부르는 영상까지 찍어 유튜브에 올리기도 했다.

육지에서 곤충에 대한 연구가 미흡한 것처럼, 바다에서는 해양 무척추동물에 대한 연구가 덜 이루어졌다. 그러나 이곳은 우리가 미래의 약물을 찾을 곳이다. 지난 50년 동안 3만 개 이상의 의학적 활성 성분 후보 물질이 해양 생물종에서 분리되었고, 300개의 특허로 이어졌다. 2019년에는 노르웨이 트롬쇠의 한 연구팀이 1년간 표적 탐색 끝에 또 다른 작은 해파리 투이아리아 브레이트푸시*Thuiaria breitfussi*에서 공격적인 유방암 세포를 죽이는 새로운 분자를 찾아냈다는 뉴스가 보도되었다. 해양 세균과 바다 환경에 사는 수백 종의 균류는 연구 가치가 충분한 흥미로운 집단이다.

세계 문학사에서 가장 오래된 위대한 작품 『길가메시 서사시』에서 인류 불멸의 원천은 해저에 자라는 가시나무라고 했다. 홍해파리는 식물이 아니라 동물이고 불멸이란 인간에게 가능하지도 바람직하지도 않다. 그럼에도 3,000년 전 점토판에 적힌 이 이야기는 핵심을 짚고 있다. 바다에는 인간의 생명을 개선하고 연장할 무궁무진한 가능성이 있다는 사실 말이다.

자연이 운영하는 약국

천산갑은 몸집이 고양이만 한 포유류로 온몸이 커다란 갈색 비늘로 뒤덮여서 마치 살아 있는 솔방울 같다. 긴 발톱으로 흰개미탑이나 개미집을 열어젖힌 다음, 비현실적으로 긴 혀—혀뿌리가 입이 아닌 골반에 있다—를 디밀어 개미와 흰개미를 퍼먹는다. 평화로운 동물로 주로 밤에 활동한다. 심지어 이빨도 없지만 흰개미를 먹으면 위장에 들어 있는 케라틴 성분의 돌기가 씹는 기능을 대신한다.

2020년 봄에 갑작스럽게 천산갑이 전 세계 언론의 주목을 받은 것은 이런 해부학적 특성 때문이 아니다. 이 특별한 포유류의 멸종이 임박했다는 사실 때문도 아니었다. 천산갑은 아시아와 아프리카에 서식하는 8종이 모두 멸종위기종이고 적색목록에도 이름을 올렸으며 멸종위기에 처한 동식물의 국가 간 교역에 관한 국제적 협약CITES의 데이터베이스에도 등재되어 거래가 불법이다. 그렇다면 어쩌다 갑자기 유명세를 탔을까? 그건 코로나바이러스가 박쥐에서 인간으로 전염되는 과정에 천산갑이 중간 다리 역할을 했을지도 모른다는 의심때문이다.

개체 수가 곤두박질치며 멸종위기에 처한 생물이 감염의 매개체가 될 정도로 그렇게 인간과 가깝게 접촉할 일이 있는지 묻는 사람도 있을 것이다. 답은 미신에 있다. 중국에서는 과거에 천산갑 비늘로 갑옷을 만든 적도 있지만, 오늘날 천산갑 비늘이 팔리는 이유는 몸에 좋다는 끈질긴 오해 때문이다. 게다가 천산갑 고기는 고급 요리의 식재료로 고가에 팔린다. 그 결과 아시아의 재래시장에서는 산 것, 죽은 것 할 것 없이 천산갑을 구하는 게 가능하고, 그래서 사람들이 코로나바이러스가 천산갑을 통해 퍼졌다고 믿는 것이다.

코로나바이러스 때문에 관심을 받게 된 이 포유류가 그 덕분에 존재를 지속할 더 나은 기회를 얻게 되길 바랄 뿐이다. 어쨌든 코로나 위기를 계기로 살아 있는 생물을 사고파는 재래시장 문제가 건강과 동물복지 측면에서 주목을 받게 되었다. 덧붙이자면 천산갑은 2020년 6월, 중국 정부가 승인한 약재 목록에서 삭제되었다.

천산갑은 세계에서 불법으로 가장 많이 거래되는 생물이라는 불명예를 안고 있지만 이런 통계치는 천산갑에만 적용되는 게 아니다. 전통 의학에 약재로 쓰이거나 반려동물로 불법 거래되는 취약한 희귀종 무역은 10억 달러에 달하는 산업이다. 멸종위기에 처한 동물, 동물의 신체 부위, 목재, 식물 생산물이 마약이나 무기와 더불어 불법으로 거래되는 상품의 상당 부분을 차지하고 있다. 이 무역은 마약 산업만큼이나 수익성이 높지만 적발될 위험은 훨씬 적다. 온라인 거래와 휴대전화 보급이 확산되면서 암시장이 쉽게 조직되었고, 감지하기는 어려워졌으며 그 규모가 점점 커지고 있다. 아시아 국가의 급성장하는 중산층이 가장 열성적인 구매자들이지만, 유럽 또한 이 게임에서 중간 판매자로서 역할을 톡톡히 하고 있다.

2019년 6월, 인터폴과 세계관세기구가 합동으로 암거래와의 전쟁을 선포했다. 불과 26일 만에 다수의 코뿔소 뿔, 수백 킬로그램의 상아, 살아 있는 영장류 23마리, 조류 4,000여 마리(부리에 테이프를 감은 채 병에 담긴 살아 있는 새와 박제), 1만 마리에 가까운 살아 있는 거북, 살아 있는 파충류 1,500마리가 압수되었다. 불법 거래 때문에 야생에서 포획된 파충류는 사망률이 너무 높아서 꺾어놓은 꽃이 시드는 비율과 비슷할 정도다.

압수된 대형 고양잇과 동물 30마리 가운데 멕시코에서 트럭으로 운반 중에 적발된 백호가 있었는데, 이 호랑이는 아마 미국으로 실려 가는 길이었을 것이다. 미국에는 개인이 소유하는 호랑이가 전 세계 야생 호랑이 개체 수를 합친 것보다 많다. 이 경우에 동물은 건강식품이 아니라 지위를 과시할 목적으로 거래된다. 믿기 어렵지만 텍사스주에만 2,000~5,000마리의 호랑이가 비참한 뒷골목 고양이처럼 사육되고 있다 (2020년 봄에 가장 많이 스트리밍된 넷플릭스 다큐멘터리 중에 '타이거 킹: 무법지대Tiger King: Murder, Mayhem and Madness'라는 작품에서는 많은 생물들이 처한 참담하고 비윤리적인 환경을 보여준다). 현재 전 세계에 야생 호랑이는 4,000마리도 채 남지 않았다고 한다.

남획과 밀거래는 지구의 생물다양성을 위협하는 두 가지 사례에 불과하며 점차 줄어드는 자연과 파괴된 서식지, 기후 변화, 종의 이동, 다양한 오염 위에 추가로 얹어진 것일 뿐이다. 우리가 자연에서 발견하는 약효 성분에서 더 많이 배울 수 있다는 데는 의심의 여지가 없다. 하지만 공공의 선이 아닌 사익을 위해 계속해서 이 중요한 종들을 위험으로 내모는 것 또한 사실이다.

우리는 새로운 시대의 문턱에 있다. 생태학 지식을 이용해 자연에서 새로운 생물 활성 물질을 찾은 다음 실험실에서 합성하면 신약을 만들면서도 야생 개체군을 보호할 수 있다. 그러려면 새로운 발견이 원활하게 이루어질 수 있도록 출발점부터 잘 보전해야 함을 깨달아야 한다. 우리는 지구의 자연이 제공하는 약국과 일방적이고 무례한 거래를 하고 있으며 그 결과 오늘날 적어도 2년마다 신약 물질을 한 가지씩 잃고 있으니까 말이다.

5   섬유 공장

자원과 활성 성분을 찾아 자연을 뒤지는 건 제약업계만이 아니다. 산업이나 기술 분야도 마찬가지다. 일상에서 우리는 풀과 나무가 생산한 다양한 섬유로 둘러싸여 있다. 우리가 입는 옷, 집의 벽, 선반, 책, 그리고 추운 겨울날 거실을 훈훈하게 해주는 장작, 이 모든 게 자연의 섬유 공장에서 나온다. 아이스크림에 바닐라 향을 입히거나 양식 연어의 먹이를 만드는 것처럼 천연 섬유가 독특한 방식으로 응용되는 분야도 있다. 특히 나무와 균류 사이의 상호작용에서 얻을 게 많다. 이 관계에서 일어나는 과정이 천연 섬유를 사용하는 새로운 방법을 알려줄 것이다.

털북숭이 씨앗에서 가장 인기 있는 천으로

멜로(mallow, 아욱과)에 대해 들어본 적이 있는지? 캠프에서 모닥불에 구워 먹는 마시멜로와는 상관이 없다. 멜로는 식물의 한 분류군 이름이다. 이 책을 읽고 있는 독자는 이 아욱과 식물의 섬유로 만든 옷을 분명 하나쯤은 걸치고 있을 것이다. 이 섬유는 8,000년 된 파키스탄의 무덤 속에서부터 산업혁명의 씨앗을 거쳐 오늘날 환경 파괴적인 섬유 산업에 이르기까지 끊어지지 않은 실타래를 타고 인류 역사에 이어져왔다. 어떤 섬유를 말하는지 짐작이 가는지? 바로 면이다. 면은 세계에서 가장 널리 쓰이는 직물 섬유다.

목화가 맨 처음 어디에서 재배되었는지는 모르지만 오늘날 파키스탄에 있는 메르가르 문명을 포함해 세계 여러 지역에서 서로 다른 목화 종이 독자적으로 사용되었다는 사실은 잘 알려졌다. 메르가르는 남아시아에서 가장 오래된 고고학 유적지로 그곳에서는 농업과 목축의 흔적이 기원전 7,000년까지 거슬러 간다.

이 유적지에 있는 인간의 묘지는 우리에게 갖가지 정보를 주었다. 세계에서 가장 오래된 치과 치료 사례도 여기에서 찾아볼 수 있다. 여성 4명, 남성 2명, 성별을 알 수 없는 3명을 포함해 총 9명의 불쌍한 사람들의 이빨에 수석(부싯돌)으로 추정되는 도구를 사용해 구멍을 뚫은 흔적이 있다. 더 오래된 다른 무덤에는 성인 남성과 두 살쯤 되어 보이는 아기가 매장되었는데, 남성은 왼쪽 손목에 구리로 만든 8개의 구슬을 꿰어 만든 끈을 차고 있었다. 분석 결과 구슬을 엮은 끈에 면섬유 보푸라기가 남아 있었다. 이것은 사람이 목화를 사용한 가장 오래된 예다.

지구 반대편 페루에서는 6,000년 전에 파란색, 흰색 패턴으로 엮은 면직물 자투리가 잘 보존된 상태로 발견되었다. 이곳에서는 사람들이 면섬유로 어망이나 직물을 만들었다. 무명실의 푸른색은 인디고 식물의 염료로 물들인 게 분명하다.

유럽에서 모직물은 널리 쓰였지만 면은 수입에 의존했다. 중세 유럽인들 중에서는 목화를 본 사람이 거의 없었기 때문에 아시아의 오지에서 자란다고 알려진 양털 식물에 대한 괴이한 미신이 성행했다. 식물과 양이 마치 테더볼*처럼 조합된 잡종 생물도 그 미신 중 하나다. 그 식물에는 살과 피와 양털을 갖춘 살아 있는 진짜 양이 튼튼한 꽃대 끝에 올라 있다. 꽃대는 줄기와 탯줄이 결합된 구조물로, 아주 유연하기 때문에 땅을 향해 구부러지면 양들이 풀을 뜯을 수 있었다. 이 미신은 1700년대가 되어서야 사라졌다.

면은 근대 역사에서도 한몫했다. 미국의 플랜테이션 노예제도나 영국의 산업혁명에서 면의 역할을 생각해보자. 산업혁명은 면직물 생산에 다축방적기 같은 기계가 도입되면서 시작되었다.

---

* 기둥에 긴 끈으로 공을 매달아 라켓으로 치는 게임.

청바지를 입은 당신은 사실상 말린 열매로 만든 바지를 걸치고 있는 셈이다. 면섬유는 목화씨에서 자란 긴 흰색 털을 가공해서 만든다. 털 하나하나가 긴 단일 세포로 씨앗 하나에 이런 털이 1만~2만 개가 있다. 씨앗에 털이나 솜털이 달린 식물 종은 많다. 황새풀이나 우리에게 익숙한 민들레만 해도 그렇다. 그러나 목화씨에는 고유한 특징이 있다. 전 세계 모든 식물의 털 중에서 목화씨의 털만이 길고 강하며 마른 상태에서 방적이 가능한 3차원 구조의 조합을 유일하게 갖추었다. 그렇지만 아마, 삼, 대나무 등으로도 직물을 만든다.

면섬유는 무게의 25배나 되는 물을 흡수하고 젖으면 더 튼튼해진다. 그래서 옷은 물론이고 붕대, 친환경 생리대, 수건, 은행권에도 사용하는 것이다. 노르웨이 지폐의 대구와 바이킹 배는 면으로 만든 코튼지에 인쇄했다. 노르웨이 은행은 코튼지가 화폐의 위조 방지 장치를 새기는 데 더 적합하다고 보고 있다.

오늘날 생산되는 직물의 절반이 면이다. 지난 30년 동안 목화 재배 면적은 세계 농경지의 약 2.3퍼센트를 차지하며 비교적 일정하게 유지되었으나, 집약적인 경작법 덕분에 같은 기간에 생산량은 두 배 가까이 늘었다. 그러나 천연 섬유라는 이미지와 달리 목화 생산에는 물과 비료, 농약이 많이 들어가기 때문에 그다지 환경친화적이지 않다. 목화는 물을 많이 마시는 식물이다. 면직물 1킬로그램을 생산하는 데 최소 1만 리터

의 물이 들어간다. 고작 청바지 한 벌과 티셔츠 한 장을 만드는
데 말이다.

농약 사용량만 봐도 2009년 기준, 전체의 14퍼센트가 목
화 재배에 쓰였다. 게다가 오늘날 재배되는 목화 대부분이 유
전자 조작된 것으로 자연에 미치는 영향에 대해서는 의견이
분분하다. 반면 방대한 규모의 목화 재배는 많은 사람들에게
일자리와 수입을 보장한다. 세계적으로 2억 5,000만 명이 목
화 산업에 몸담고 있고, 여기에 섬유 산업까지 추가하면 그 수
는 훨씬 늘어난다. 이제 우리에게 주어진 과제는 물과 유독
한 화학 물질을 덜 쓰면서 보다 친환경적인 방식으로 목화를
재배하는 것이다. 영국은행이 최근에 코튼지로 만드는 파운
드 지폐를 플라스틱 지폐로 전환하기 시작했다고는 하지만
8,000년이나 지속한 면직물 유행이 쉽사리 식을 것 같지는 않
기 때문이다.

즐거운 나의 집

2019년 여름, 나는 러시아 남서부의 보로네시 자연보호구역
에서 노르웨이대학과 러시아대학이 공동 주최한 여름 강좌
를 하나 맡아 죽은 나무의 생물다양성에 관해 가르쳤다. 러시
아 밤 기차를 타고 유쾌한 사람들과 어울린 이 환상적인 여행
에서 가장 좋았던 두 가지가 있다. 하나는 오래된 참나무 줄기

위에 제대로 모습을 드러낸 사슴벌레 수컷—이 거대한 딱정벌레의 턱은 몸길이에 맞먹는다—을 본 것이고 다른 하나는 초기 인류 역사를 다룬 지역 박물관에 방문한 것이었다.

코스텐키 박물관은 겉으로는 전혀 눈길을 끄는 점이 없다. 네모난 블록처럼 지어진 이 건물은 금방이라도 무너질 듯한 집들과 그저 그런 풍경의 러시아 마을 한가운데 뚝 떨어진 노르웨이 건축자재 창고처럼 보였다. 그러나 겉모습에 속으면 안 된다. 이 박물관은 2만 년 동안 이곳에 있던 또 다른 건물 위에 지어졌다. 2만 년 전에 이 지역은 스텝 초원이었고 영구 동토층의 손아귀에 꽉 잡혀 있었다. 당시에는 나무 한 그루 보기가 힘들었을 것이다. 그렇다면 사람들은 뭘로 집을 지었을까? 한 가지밖에 없다. 매머드 뼈다.

코스텐키 박물관에서 나는 매머드 뼈로 만든 둥근 집—천막이라는 말이 더 어울리지만—잔해를 보았다. 각종 부위의 매머드 뼈를 쌓아 기틀을 잡고 주변에서 구할 수 있는 나뭇가지로 보강한 다음 겉에 순록 가죽을 덮어 일종의 라부 lavvu*를 지었다. 코스텐키 주변 지역은 유럽에서 지금까지 발견한 중에 가장 오래된 현생 인류 유적지이다(코스텐키는 우크라이나어로 '뼈'라는 뜻이다). 매머드 사냥꾼들은 이미 4만 5,000년 전부터 이곳에 살았고, 이 지역에는 매머드와 인간의 뼈가 비슷하게 쌓였다.

뼈, 가죽, 나무 같은 건축 재료는 자연이 주는 재화와 서

---

* 북유럽 사미족이 사용한 천막 형식의 임시 거주지.

비스다. 노르웨이에서는 석기시대에 땅에 구덩이를 파고 나무로 틀을 세운 다음 지붕을 얹어서 만든 수혈주거 이후 계속 나무로 집을 지었다. 노르웨이에는 그런 석기시대 주거지의 흔적이 많이 남았고 북유럽 여느 지역보다 잘 보존되었다. 2017년에 발표된 어느 박사과정 논문을 보면 이런 집들이 잘 관리되면서 1,000년 동안 재사용되었다고 한다.

이후에 목재 기둥으로 하중을 견디는 건축 기술이 발전했다. 노르웨이에서는 청동기시대와 철기시대에 이 기술로 장옥longhouse과 1,000채에 달하는 통널교회가 지어졌다고 추정한다(그중 28채가 남아 있다). 중세에 들어서는 통나무 건축 기술이 완전히 자리를 잡았고 노르웨이에서는 1904년까지도 계속해서 목재로 집을 지었다. 그러나 목조 가옥에는 치명적인 단점이 한 가지 있다. 바로 화재 위험이다.

1904년 1월 23일 토요일 밤 2시 15분, 올레순의 통조림 공장에서 화재 경보가 울렸다. 고작 15시간 만에 1만 명이 집을 잃고 길거리에 나앉았다. 피해가 너무 커서 독일 황제부터 배우까지 유럽 전역에서 도움의 손길이 쏟아졌다. 올레순 화재를 계기로 노르웨이 도심 집들은 돌로 지어야 한다는 법이 제정되었다.

최근에는 건축에서 환경 문제에 초점을 맞추고 있는 데다가 내화성을 높인 새로운 건축 기술이 발달한 덕분에 목재가 노르웨이를 비롯해 전 세계적으로 르네상스를 맞이하고 있다. 콘크리트가 세계 이산화탄소 배출의 8퍼센트를 차지하는 상황에서 보다 지속 가능한 건축 자재를 찾는 게 시급하다. 2010년에 일본은 3층 미만 신축 공공건물에는 목재를 의무적으로 사용해야 한다는 법을 도입했다. 그러나 층수에 관해서 그렇게 소심할 필요는 없다. 나무로도 얼마든지 고층빌딩을 지을 수 있기 때문이다. 세계에서 가장 높은 목조 건물은 중국에 있는 67미터짜리 잉현목탑으로 1056년에 지어진 이후로 몇 차례의 대형 지진에도 끄떡없이 서 있다.

이제 소위 플라이스크레이퍼Plyscraper*라고 하는 목조 고층빌딩이 건축계의 최신 유행이 되었다. 한동안 노르웨이는 세계에서 가장 높은 목조 건물을 자랑할 것이다. 노르웨이 북부 브루문달에 있는 미에스토르네는 2019년에 완공된 18층짜리 목조 건물로 높이가 84.5미터나 된다. 다른 나라에서도 열심히 쫓아오고 있으니 노르웨이가 이 기록을 얼마나 오래 보유할지는 알 수 없다. 그러나 누가 됐든 진짜 원조를 능가하긴 어렵다. 캘리포니아의 세쿼이아는 세계에서 가장 높은 나무로 키가 무려 115.86미터나 되니 말이다.

곰팡이 등불 ─ 79년의 미스터리

여보, 나는 오늘 밤 당신에게 버섯 다섯 개의 불빛으로
편지를 쓰고 있소.

---

* 합판을 뜻하는 'plywood'와
마천루를 뜻하는 'skyscraper'를
합친 신조어.

- 미국인 종군 기자가 뉴기니에서 아내에게 보내는 편지

가끔 나는 운 좋게 노르웨이 국영 방송사에서 제작하는 라디오 프로그램 '아벨의 타워'(유명한 노르웨이 수학자 닐스 헨리크 아벨의 이름을 따서 지은 프로그램명)에 출연할 때가 있다. '아벨의 타워'는 인기 있는 과학 프로그램으로 청취자가 보낸 질문에 답을 하는 방식으로 진행된다.

2019년 봄에 노르웨이 서부 해안의 크리스티안순에 사는 95세 노인이 질문을 보냈다. 제2차 세계대전이 발발했을 때 16살이었던 그는 어느 날 잊을 수 없는 장면을 보았다. 1940년 독일군이 노르웨이를 침공하자 크리스티안순도 폭격 대상이 되어 도시 전체가 폐허가 되었다. 이 분도 많은 사람들과 함께 이웃한 투스트나의 노르뫼레 섬으로 대피했다. 머리 위에서 전투기들이 굉음을 내며 날아다니는 전장에서 이 노인은 지난 79년간 수수께끼를 풀지 못한 현상을 목격한 것이다.

어느 날 노인이 마을에 갔다가 늦은 시간에 걸어서 농장으로 돌아오던 길이었다. 어두운 창고에서 자전거를 꺼내는데 구석에 쌓인 장작더미에서 이상한 빛이 나왔다. "바닥에서 약 30센티미터 높이까지 나무에서 광채가 나고 있었습니다. 돌이켜보면 푸르스름했던 것도 같아요. 불빛이 깜빡거리는 게 꼭 살아 있는 듯 보였던 기억이 납니다. 정말 아름답고 신비했어요. 아래쪽 30센티미터까지만 빛이 났고 다른 부분은 평

소와 같았어요."

나는 그게 인광성 나무였다고 생각한다. 그 기묘한 빛의 원천은 균류였을 것이다. 균류는 광합성을 하지 못하지만 개중에는 광합성 과정을 거꾸로 수행하는 하는 종들이 있다. 나무의 유기물질을 분해해 이산화탄소와 빛을 생산하는 것이다. 그 빛은 에너지를 운반하는 루시페린luciferin이라는 분자에서 왔다. 우리는 이 단어를 타락한 빛의 천사인 악마 루시퍼와 연관 짓는 경향이 있지만 루시페린은 '빛을 품은 것'이라는 뜻의 라틴어 'lucem ferre'에서 유래했다. 루시페린은 루시퍼레이즈luciferase라는 효소와 만날 때 빛 에너지를 발산한다.

우리가 아는 발광성 곰팡이는 약 75종이 있고 대부분 열대지역에 서식한다. 반딧불이나 글로웜 같은 곤충, 특히 심해에 있는 해양 생물들에서도 동일한 생물발광 현상이 일어난다. 바다에서는 다양한 생물이 빛을 사용해 소통하거나 먹잇감을 유인하고 적을 물리친다. 그러나 곰팡이의 경우는 빛을 내는 이유가 불분명하다. 빛이 포자를 옮겨주는 곤충을 끌어들인다고 생각하는 사람도 있고, 곰팡이를 먹고 사는 생물에게 겁을 주어 쫓아내려는 거라고 주장하는 사람도 있다. 이 빛이 딱히 어떤 생태학적 기능이 없는 단순한 부산물이라는 가설도 있다.

생물의 몸속에서 만들어지는 이 빛은 차갑다는 점에서 특별하다. 불에 타고 있는 나무나 백열전구의 필라멘트와는 달리 열을 발산하지 않는다는 말이다. 제 몸을 불살라 빛을 낼 수는 없으니 그건 당연하다.

이런 차가운 빛은 과거에 불을 피우기가 여의치 않은 상황에서 유용했다. 1500년대 북유럽의 오래된 역사 자료 속에서 사람들이 어둠을 뚫고 건초더미로 가면서 빛이 나는 썩은 참나무 껍질을 들고 가는 장면이 묘사된 것도 이로써 설명된다.

빛을 내는 나무들은 전장에서도 유용했다. 제1차 세계대전 당시 참호의 병사들은 어둠 속에서 서로 부딪히지 않기 위해 밤에는 군모에 썩은 나뭇조각을 붙이고 다녔다. 제2차 세계대전 때 미국 병사들은 칠흑 같은 밤에 아시아 정글을 순찰하면서 같은 방법을 썼다. 실제로 뉴기니에 배치된 한 미국인 종군 기자는 버섯 5개가 내는 빛에 의지해 아내에게 편지를 썼다.

빛나는 나무들이 골치일 때도 있었다. 제2차 세계대전에서 런던의 등화관제* 때에는 템스강을 따라 야적장의 빛이 너무 밝아 감시꾼들이 방수포로 나무를 덮어야 했다.

이 나무들의 흥미로운 예를 1770년대 미국 독립전쟁에서도 찾아볼 수 있다. 미국의 발명가 데이비드 부시넬David Bushnell은 세계 최초의 잠수함인 터틀호를 설계했다. 보스턴 항구에서 영국의 봉쇄를 깨기 위해 이 잠수함을 타고 적함에 폭발물을 부착할 계획이었다. 이때 잠수함에서 생물발광 곰팡이를 사용했다는 내용이 1775년 당시 한 편지에 적혀 있다. "안쪽에 수심을 알 수 있는 수압계와 항로를 알려주는 나침반

---

* 적의 야간 공습시 등불을 일제히
끄게 하는 일.

129

을 고정했다. 수압계와 나침반 바늘에는 여우불(어둠 속에서 빛을 내는 나무)을 붙여두었다." 부시넬의 창의력은 인정할 만하지만, 안타깝게도 여우불은 잘 작동하지 않았다. 나중에 쓴 편지에서 부시넬은 왜 나침반 바늘이 더 이상 빛을 내지 않는지 설명했다. 아마도 주변 환경이 곰팡이에게 너무 건조하거나 추웠을 것이다.

빛을 낸다고 알려진 균류 중에 꿀버섯이라는 별명으로도 불리는 뽕나무버섯속*Armillaria* 종들이 북반구 전역에 분포한다(마침 이 속에는 미국 오리건주에서 지하 약 10제곱킬로미터의 면적을 뒤덮는 종이 있는데, 단일 개체로서는 세계에서 가장 크다). 뽕나무버섯은 살아 있는 나무에 기생하면서 나무껍질 아래로 운동화 끈 모양의 감초 사탕처럼 생긴 검은 균사를 수 미터씩 뻗어낸다. 빛을 발산하는 과정은 이 검은 운동화 끈 끝에 집중된 것으로 보인다.

노르웨이의 위도에서는 아마 뽕나무버섯이 나무에 광채를 준 균류였을 것이다. 그리고 그게 내가 그분께 드린 답이기도 하다. 그는 1940년 4월의 밤에 수레 창고에 불을 밝히던 것이 무엇이었는지 평생 궁금해했다. 장작더미의 나무는 신선하고 축축했으며 뽕나무버섯의 검은 균사로 뒤덮여 있었다. 어두운 장작더미와 빛나던 버섯 분자가 한 10대 아이에게 자연의 마법을 홀로 엿본 잊을 수 없는 순간을 선사한 것이다.

꾀꼬리버섯의 영리한 사촌

사실 나는 광채가 나는 뽕나무버섯을 몇 년간 찾아다녔다. 그런데도 아직 본 적은 없다. 그래서 그사이에 식용 버섯에 정착했는데, 이 버섯들도 강렬한 경험을 선사하기는 마찬가지다. 아름다운 숲으로 떠나는 가을철 버섯 여행은 모든 것을 잊게 해준다. 무언가에 홀린 여자처럼, 내 앞에서 환히 빛날 노랑-주황색 꾀꼬리버섯 다발을 찾아 조금 더, 조금만 더 하면서 숲으로 들어간다. 버섯에 대한 내 광기는 이 방대하고 복잡한 균계에서도 극히 일부에 한정되어 있다. 대부분 꾀꼬리버섯, 턱수염버섯, 그물버섯이 그 대상이지만 가을의 숲속 하이킹에는 눈에 보이는 모든 균류를 찾고 철학을 논하는 데에도 즐거움이 있다.

균류는 대단히 매력적인 생물로 나한테는 곤충 다음으로 아슬아슬하게 2등이다. 사람들은 균계가 식물계와 가깝다고들 생각한다. 두 분류군이 닮기도 했으니 그렇게 생각하는 것도 무리는 아니다. 사람들이 숲속에서 따는 꾀꼬리버섯은 자실체라고 하는 균류의 생식기관이다. 꽃이 식물의 생식기관인 것과 마찬가지다. 그리고 균류의 몸체 대부분은 균사체의 네트워크로 구성되었는데, 적어도 겉으로는 식물의 뿌리와 동일해 보인다. 균류와 식물 모두 땅에 매인 삶을 살고, 식물처럼 모듈이 결합해 하나의 유기체를 구성한다는 측면에서도 비슷하다(반면 동물은 대개 반복적이지 않은 분화된 기관으로 구성된다). 이 모듈들이 한데 합치면 커다란 표면을 형성하고, 덕분에 먹이를 뒤쫓지 않아도 광합성을 하거나 충분한 식량을 얻을 수 있어 유용하다.

그러나 겉모습에 얽매이지 않는다면 균류는 동물과 공통점이 더 많다는 게 분명해진다. 학창 시절 어느 교수님께서 즐겨 말씀하신 것처럼 균류는 겉과 속이 뒤바뀐 동물이다. 우선 광합성을 하는 대신 동물처럼 식물이 축적한 생물량을 분해해서 먹고 산다. 그런데 소화관 형태로 내부에서 분해하는 게 아니라 외부에서 소화를 한다. 위가 몸 바깥에 있다는 말이다. 균류는 몸의 표면에서 소화 효소를 분비해 주위 생물을 분해한다. 그리고 소화된 영양분을 세포벽을 통해 흡수해 몸으로 들여보낸다. 새로운 DNA 분석으로 계통을 분석한 결과도 균류가 식물보다는 동물과 더 가깝다고 말해준다. 아주 많은 종을 분류하고 이름을 지은 위대한 스웨덴 박물학자 린네가 균류를 카오스속*Chaos*이라는 동물의 하위 속에 둔 것은 정답에 가까운 추측이었다.

균류는 매력적인 생활방식 외에도 내가 사랑하는 곤충과 공유하는 특성이 하나 더 있다. 균류는 다양하고 종이 풍부한 분류군이다. 노르웨이에만도 8,418종의 위치가 파악되었고 그 절반에 해당하는 수만큼 더 있다고 추정된다. 우리는 숲속에서 대부분 균류의 자취를 발견하지 못하지만 그렇다고 이 생물이 중요하지 않은 건 아니다. 사실은 정반대다. 어떤 균류는 곤충이나 세균과 마음 맞는 벗이 되어 죽은 모든 것들을 해체하는 분해자 역할을 한다. 이것은 질소와 탄소가 순환되는 굉장히 중요한 단계다. 어떤 균류는 기생체다. 숙주가 죽었든 아니든 상관하지 않고 살아 있는 동물과 식물도 거리낌 없이 공격한다. 보통 이런 균류는 사람들이 별로 좋아하지 않는다. 예를 들면 무좀처럼 말이다. 세 번째 종류는 균근균mycorrhizal fungi이다. 이 특이한 단어는—이 영어 단어를 처음 써봤다면 분명 철자를 틀렸을 거라는 데 돈을 걸겠다—그리스어로 균류라는 뜻의 'myko'와 뿌리라는 뜻의 'rhiza'가 합쳐진 것이다. 곰팡이 세계에서 외향적이고 사교적인 부분을 담당하는 이들은 식물의 뿌리와 영원히 공존하고 자연의 지하 인터넷을 돌보며 살아간다. 균근이 형성한 우드 와이드 웹Wood Wide Web을 통해 나무와 풀은 서로 소통하고 영양소와 화학 물질을 교환한다.

첫 번째 집단인 분해자 중에 유독 산업에 유용하다고 밝혀진 종들이 많다. 이쯤에서 오바 리불로사*Obba rivulosa*를 소개하겠다. 내가 꾀꼬리버섯의 영리한 사촌이라고 생각하는 종이다. 오바 리불로사는 침엽수, 활엽수 할 것 없이 죽은 나무에서 자라는 백색부후균*으로 그중에서도 산불에 부분적으로 타버린 나무에서 찾아볼 수 있다. 이 균류의 자실체는 나무 표면에 노란기가 도는 흰색 다발로 퍼져 있는데, 특유의 모공

---

*   부후균은 나무를 분해하고 썩게
     하는 곰팡이를 말한다.

이 있다. 어찌 보면 마른 거품덩어리 같기도 하다. 아름답다는 말이 어울리는 생물은 아니지만, 아름다움이 내면에서 비롯하는 거라면 이 종은 틀림없이 저만의 매력이 있다.

우리의 오바 리불로사는 다소 특이한 식성의 소유자로 나무에서 가장 먹기 힘든 성분을 골라서 분해하는 효소를 분비한다(생물 수업에서 배운 것을 잊어버렸을까 봐 복습하자면, 효소는 동물과 식물에서 다양한 화학반응을 촉매하는 생물학적 물질이다). 게다가 오바의 효소는 능력이 탁월해 낮은 온도에서도 문제없이 작용한다. 이것은 좋은 소식이다. 왜냐하면 제지 산업에서 에너지 사용량을 줄일 수 있기 때문이다. 2003년에 핀란드 과학자들은 오바 효소를 산업적으로 사용하는 특허를 출원했다.

오바 리불로사는 노르웨이에서 발견되지 않지만 푸날리아 트로기이*Funalia trogii*라는 다른 백색부후균은 노르웨이에도 있다. 이 종은 베이지에 가까운 흰색에 지저분하고 털이 있으며 나무를 썩게 하는데, 특히 죽은 사시나무를 분해해서 먹고 산다. 여기에도 라케이즈laccase라고 알려진 특별한 효소가 관여한다. 곰팡이 세계와 푸날리아 트로기이에 착안해 다양한 산업 분야에서 색과 독성이 있는 폐수를 청소하고, 정유 공장에서 원치 않는 부산물을 분해하고, 종이 펄프를 표백하는 데 라케이즈를 사용한다.

그런데 아무래도 푸날리아 트로기이한테 더 많은 재주가

있는 것 같다. 이 곰팡이의 추출물이 정상 세포는 건드리지 않으면서 암세포를 골라 죽인다는 사실이 실험실 안에서 증명되었기 때문이다. 표적이 되는 암은 유방암, 난소암, 고환암처럼 대개 호르몬 의존성 암이다. 아직 연구자들이 구체적인 이유를 밝히지는 못했지만, 이 일을 해내는 건 슈퍼 효소 라케이즈의 변이체다. 소수의 다른 목재부후균에서 온 라케이즈 변이체들 또한 주목받고 있다.

잠재적으로 유망한 많은 의학, 생화학적 활성 성분이 의료용으로 승인을 받기까지 지난한 과정을 통과하지 못하거나, 상업용으로 대량 생산하기에는 수지가 맞지 않아 중도에 개발을 포기한다. 그러나 중요한 건 숲속에는 버섯 사냥꾼의 바구니를 채우는 것 이상으로 많은 일을 할 수 있는, 아직 개발되지 않은 자원이 많다는 사실이다.

캠프파이어 명상

숲에는 정말 많은 것들이 있다. 나무만 해도 그 가능성이 무궁무진하다. 앞에서 건축재료에 대해서는 이미 이야기했고, 또다른 확실한 생산물이 있으니 바로 장작이다.

불을 정복하고 잔가지나 풀, 동물의 똥처럼 마르고 죽은 유기물질에서 에너지를 추출하는 능력은 인류의 창의적인 발견 중에서도 가장 오래되고 근본적인 것이다. 모닥불은 빛과 온기를 주고, 야생동물을 내쫓고, 굽고 끓인 음식이라는 새로운 식단을 제공했다. 그리고 마침내 우리는 의도적으로 불을 질러 목초지를 만들고 경작지를 개간하는 방식으로 주변 경관을 바꾸었다.

섬유질에서 나오는 에너지는 오늘날에도 중요하다. 전 세계 20억 이상 인구가 나무에 의존해 에너지를 얻는다. 노르웨이에서 2018년에 사용한 에너지의 약 8퍼센트가 생물 연료에서 왔고, 그중 3분의 1이 장작이다. 나머지는 펠릿, 목재 칩, 그리고 액상 바이오 연료였다.

잠깐 딴 길로 새보자. 자작나무 장작이 다 말랐는지 확인하는 방법을 알고 있는지? 주방세제와 물을 통나무 한쪽 끝에 얇게 펴 바른 다음, 반대쪽 끝에 입을 대고 세게 불어 비누 거품이 생기는지 보면 된다. 자작나무 목재에는 끝이 뚫린 목질의 미세한 관이 켜켜이 쌓여 마치 긴 빨대 꾸러미 같다. 나무가 살아 있을 때는 이 관으로 뿌리에서 나무 꼭대기까지 물을 운반한다. 싱싱한 자작나무 장작에는 아직 관에 물이 남아 있어서 공기가 통과하기 어렵지만, 마른 나무에서는 쉽게 통과해 작은 비누 거품이 생길 것이다.

나는 나무를 때는 난방을 좋아한다. 어릴 적 주말을 보내던 통나무집 침실의 장작 난로에는 운모로 만든 투명한 창이 있었다. 싱글 벙커 침대에 누워 있으면 부드럽게 깜빡거리는 불꽃이 내가 침대의 기둥과 판자를 통해 염탐하던 모든 얼굴에 생기를 불어넣었다. 이 나무로 된 생물들을 벗 삼아 나는 옆방에서 어렴풋이 들리는 어른들의 조용한 대화에 마음을 가라앉히고 희미한 불빛 속에 행복하게 잠이 들었다.

모닥불의 불꽃을 바라볼 때면 여전히 내 안에 무엇인가가 스며들어 자리를 잡는 것 같다. 우리 인간은 이제 아무것도 하지 않는 걸 잘 하지 못한다. 그럴 때 모닥불이 도움이 된다. 불 앞에 조용히 앉아 숲속에서 사냥개의 목줄을 풀어주듯 생각을 놓아주고 마음껏 뛰어가게 내버려둔다. 아마 처음에는 길을 따라갈 것이다. 그러다가 점점 대담해지면서 방향을 바꾸고 풀밭과 비탈길을 마구 내달리다가 갑자기 멈춰 서서는 흥미로운 것이라도 묻혀 있는 양 땅에 코를 들이댄다. 모닥불이 다 타서 잉걸불이 되기 전에 생각은 집으로 돌아와 차분해지고 발치에 조용히 내려앉는다.

모닥불을 보고 있자면 수십만 년 동안 이 일을 해왔던 선조들과 끊어지지 않는 사슬로 연결되는 것 같다. 이는 자연의 일상이자 근본인 광합성과도 이어진다. 불에 장작을 올려놓았을 때 눈앞에 타오르는 불길은 한참 지체된 햇빛이기 때문이다. 태양에너지와 이산화탄소, 그리고 물이 '식물의 몸' 그 자체인 생물량을 쌓아 올린다. 그것은 나무의 줄기다. 이제 태양이 그동안 축적한 빛을 다시 한번 방출한다.

음식에 향을 내고 연어를 먹이는 침엽수

갓 베어낸 노르웨이의 통나무를 생각해보자. 그중 3분의 1은 판자나 합판이 된다. 나머지는 종이, 펄프, 연료, 그리고 치약에서 콘크리트까지 어디에나 사용되는 수많은 생화학 물질이 된다. 바닐라 향과 동물 사료를 포함해 가문비나무가 변신하는 것들을 생각하면 놀랍기 짝이 없다.

원래 바닐라 향은 멕시코 남쪽에서 자라는 아름답고 연한 꽃을 피우는 난초 열매 꼬투리에서 추출한 것이다. 멕시코 동쪽 해안에 사는 토착 부족인 토토낙들이 맨 처음 바닐라를 수확했다고 한다. 토토낙족에게는 바닐라의 기원에 대한 전설이 있다. 신화의 시대에 신성한 존재이자 다산의 여신이 낳은 사나트가 사람들 사이를 돌아다니다가 인간 남성과 사랑에 빠졌다. 그러나 사나트가 신이었기 때문에 둘은 함께 할 수 없었고, 슬픔에 빠진 사나트는 바닐라 꽃이 되었다. 토토낙어로 바닐라 꽃은 그녀의 이름을 따서 사나트꽃이다. 사나트는 이 땅에 남아 연인에게는 비할 데 없는 아름다움의 기쁨을, 우리에게는 바닐라 향을 주었다.

1500년대에 아즈텍인들은 토토낙 영토를 정복하고 조공으로 바닐라빈을 바치라고 요구했다. 이후 아즈텍 수도에 도착한 스페인 정복자 에르난 코르테스는 바닐라 향을 넣은 초콜릿 음료를 대접받았다. 이렇게 유럽인들이 처음으로 그 향을 알게 되었다.

토토낙은 1800년대 중반까지 원조 바닐라의 가장 큰 생산지였다. 그러다가 수년의 노력 끝에 프랑스인들이 인도양의 식민지 섬 레위니옹에서 바닐라 꼬투리를 생산하는 데 성공했다. 바닐라는 그다지 고분고분한 식물이 아니다. 멕시코에서는 벌침이 없는 사회성 벌인 멜리포나속*Melipona* 벌에 의해 수분되었으나 이 벌이 없는 인도양의 섬에서는 꽃가루받이가 이루어지지 않아 열매를 맺지 못했다. 그러다가 12살 노예 소년이 최초로 풀 줄기를 이용해 손으로 수분하는 방법을 찾아냈다.

그러나 수분 기술이 다듬어진 후에도 시장에 낼 수 있을 정도로 완전히 숙성한 바닐라빈을 만드는 데는 조심성과 인내심이 아주 많이 필요하다. 신의 딸은 이 땅에 아주 잠시만 머물다 갔다. 바닐라 꽃도 하루면 진다. 그리고 꼬투리를 숙성시키는 과정은 복잡하고 몇 개월이 걸린다. 바닐라 꽃을 4만 송이나 수분해야 겨우 1킬로그램의 천연 바닐라 향이 나온다. 사람들이 그 향을 낼 수 있는 더 간단한 방법을 찾아 헤맨 것도 당연하다.

1800년대 말에 바닐라 향을 내는 화학 물질인 바닐린이 분리되고 구조가 밝혀졌다. 소나무류의 껍질에서 시작해 이후에 정향의 오일을 원료로 삼아 바닐린을 인공적으로 합성하기까지는 오래 걸리지 않았다. 세계에서 유통되는 바닐린의 1퍼센트는 여전히 이 방식으로 제조한다. 쌀겨를 발효시켜 만드는 방식도 비중이 높지 않지만 점차 비율이 늘고 있다. 현재 바닐린의 90퍼센트는 석유에서 합성하며, 노르웨이에서는 가문비나무에서 만들어지는 비율도 상당하다(7퍼센트).

바닐린은 제지 산업의 부산물이기도 하다. 2020년 현재, 내가 태어난 노르웨이 남동부 사릅스보르그의 한 회사는 세계에서 유일하게 이런 방식으로 바닐린을 생산한다. 세계적으로 바닐라 수요가 높아지고 있으므로 제조사는 생산량을 늘리는 중이다. 원조 바닐라 향의 원료인 바닐라빈으로는 수요의 0.3퍼센트밖에 채우지 못한다.

아이스크림에 작고 검은 점들이 있다고 해서 그 향이 바닐라빈에서 왔을 거라고 생각하면 곤란하다. 설사 그 검은 점들이 진짜 바닐라 씨앗이라고 하더라도 거기에서는 아무 맛도 나지 않는다. 그것은 진짜 바닐라 추출액을 만드는 과정에서 나오는 폐기물일 뿐이다. 아마 그 씨는 시각적 효과를 주기 위해 석유나 나뭇조각에서 뽑아낸 바닐라 향과 함께 첨가했을 것이다.

그렇다면 가문비나무 조각에서 온 바닐라 향과 바닐라빈에서 나온 향은 똑같을까? 순수한 형태의 바닐린은 원료에 상관없이 똑같은 화학 물질이다. 그러나 천연 바닐라는 단순히 바닐린으로만 구성되는 게 아니라 소량으로 들어간 수백 가지 물질이 조합되어 맛과 향에 기여한다. 따라서 에그노그*

---

*   브랜디나 럼에 달걀, 우유, 설탕
    등을 넣어 만든 음료.

를 즐겨 먹는다면 복합적인 풍미를 위해 천연 바닐라를 사용하는 게 좋겠다. 그러나 베이킹에 쓸 요량이면 굳이 바닐라빈까지 사용할 필요는 없지 싶다. 어차피 긴 조리 시간과 다른 재료의 향 때문에 천연 바닐라의 미묘한 향내가 사라질 테니 실험실에서 대량생산하는 대용품으로도 충분하다. 천연 바닐라가 킬로그램당 은보다 비싸고 전체 수요의 1퍼센트도 감당하지 못한다는 점을 생각하면 가문비나무 바닐라로 편리하게 즐거움을 누리는 것도 좋겠다.

가문비나무는 놀라울 정도로 유용하다. 내가 근무하는 노르웨이 생명과학대학교NMBU에는 노르웨이 식품연구소가 있는데, 이곳에서는 나무로 동물 사료를 만드는 연구를 한다. 죽은 나무에서 나오는 당 화합물을 사용해 효모를 키우고 그걸 갈아서 고단백 가루를 만든다. 그러면 연어, 새끼 돼지, 닭을 모두 숲이 먹여 살릴 수 있다. 과학자들은 일반 사료의 단백질 일부를 효모 사료로 대체하는 실험을 했다.

나무를 먹은 연어의 품질이 좋을지 의심하는 것도 당연하다. 나는 개인적으로 버터에 튀긴 버섯에 소금과 후추를 곁들여 먹는 걸 좋아하지만, 연어가 과연 균류를 받아먹을까?* 원래 연어의 자연적인 식단은 플랑크톤, 곤충, 작은 물고기인데 말이다. 그러나 이 시도는 지금까지 성공적이다. 실험실에서 연어는 잘 자라고 있고 심지어 장 건강이 향상되었다.

---

* 효모와 버섯 모두 균류에 속한다.

연어 양식 초기에는 생선가루를 사료로 사용했지만, 물고기가 남획되는 바다에서 어느새 수요가 공급을 빠르게 앞질렀다. 현재 노르웨이의 양식 연어는 브라질에서 수입한 콩을 먹는다. 전혀 친환경적이지 않은 시스템이다. 콩을 생산하느라 우림을 파괴하기도 하고, 콩은 인간의 식량으로 먼저 사용하는 게 옳기 때문이다. 늘어나는 인구에 단백질을 제공하기 위해 대규모 어류 양식장을 운영해야 한다면 좀 더 지속 가능한 대체품을 찾아야 한다. 가문비나무처럼.

그러나 아직 거기까지 가려면 멀었다. 이런 동물 사료를 대량으로 저렴하게 생산하려면 더 많은 연구가 필요하다. 구상에서 완제품까지의 여정은 숲속의 바위투성이 보호구역을 등반하는 것과 같다. 이리저리 구불거리는 숲속에서는 길을 잃거나 오르기 불가능한 협곡을 만나기 쉽다. 이것을 혁신 분야에서 '죽음의 계곡'이라고 부른다. 좋은 아이디어가 투입되지만 나오는 건 없다는 뜻이다. 기술적으로 가능하다고 하더라도 애쓸 가치가 있다는 보장은 없다.

게다가 나무가 전 세계에 30억 그루나 있는 재생 가능한 자원이라고는 하지만 숲은 단순한 목재 자원 이상이다. 오늘날 숲의 녹색 어깨는 더 많은 책임을 짊어졌다. 물과 공기를 정화하고 기후를 구하고 콘크리트와 강철을 대체하고 연어에게 먹이를 제공해 콩 수입을 줄이고 석유가 고갈되는 곳에서 신상품을 주고 멸종위기종을 지키고 사람들에게 버섯과 열매와 야외에서의 모험을 제공해야 한다. 이렇듯 숲은 우리에게 셀 수 없이 많은 자연 재화와 서비스를 주지만 모든 것을 동시에 극대화할 수는 없다는 것 역시 분명한 사실이다. 모두가 숲의 자원에 눈독을 들이기 전에 먼저 나무에서 시선을 옮겨 턱수염버섯에서 인류에 이르기까지 생태계 전체를 돌아봐야 한다.

6   지구의 관리사무소

사무실이나 아파트에서 난방 장치가 고장 났거나 누수가 되었을 때 관리사무소가 문제를 해결해준다. 하지만 평소에 관리사무소에 대해 크게 생각해본 적은 없을 것이다. 자연이 작동하는 방식이 그러하다. 자연은 유능한 관리인처럼 대부분 무대 뒤에서 일한다. 나무를 비롯한 식생은 물과 토양을 유지한다. 노르웨이에서 가파른 산을 뒤덮는 숲은 피오르 가장자리를 따라 산사태로부터 도로와 건물을 보호한다. 습지는 홍수가 났을 때 완충지를 제공하고, 산호초와 맹그로브 숲은 쓰나미를 막아준다. 도시의 나무는 소음을 줄이고 공기를 맑게하고 그늘을 주고 기온을 조절한다. 이 장은 자연이라는 지구관리사무소에 관한 이야기로, 특별히 우리 인간이 터를 잡고 사는 곳에 초점을 맞추었다.

너무 많아서, 빨라서, 더러워서 문제

25살 때 울루루 또는 에어즈록이라고도 알려진 바위를 보기 위해 오스트레일리아의 심장부를 여행한 적이 있다. 바위 지층으로 된 거대한 붉은 섬 울루루는 진정으로 인상 깊은 곳이었다. 2×4 킬로미터 면적에 에펠탑보다 높게 우뚝 솟은 이 산은 마치 해변의 모래밭에 반쯤 묻혀 있는 거대한 고래처럼 평평한 사막 한가운데 펼쳐져 있었다. 태양의 각도에 따라 변화무쌍하게 바뀌는 산맥의 색채를 보기 위해 관광객들이 끊이지 않고 찾아온다. 그러나 굉장히 운이 좋은 사람만 나와 같은 경험을 할 것이다. 이곳에서 쏟아지는 비를 맞는 일 말이다. 어쨌거나 여기는 사막이니까.

그날 하늘이 수문을 열었을 때 나는 빗물을 포획하는 풀과 나무의 역할을 새삼 깨달았다. 울루루의 단단하고 붉은 사암 표면에는 풀이 별로 없기 때문에—사실 토양이라고 부를 만한 것이 전혀 없었다—비가 내리는 족족 전부 경사면을 따라 흘러내렸다. 빗방울이 떨어지고 모이고 흐르고 고이고 커다란 물길을 이루고 자라서 개울이 되었다. 폭우가 시작되자마자 이내 비는 크고 작은 폭포가 되어 내가 서 있던 산자락으로 쏟아져 내렸다.

이것이 정확히 도심지에서 일어나는 일이다. 인간이 땅의 식생을 모조리 제거하고 지표가 물을 전혀 흡수하지 못하게 만들었기 때문에 빗물은 아스팔트와 콘크리트로 모여들어 도시의 저지대를 향해 순식간에 돌진한다. 그 과정에서 건물과 기반시설에 타격을 준다. 잉여의 물이 모이는 강에 너무 많은 물이 밀려와 감당하기 버거워지면 제방이 터지면서 더 큰 피해를 준다.

게다가 빗물은 차량과 산업이 아스팔트에 남긴 화학 물질을 씻어낸다. 빗물이 흐르며 길에 있는 토양을 먹어버리고 침식을 일으키면서 토양과 오염 물질이 모두 강물로 씻겨 내려간다. 비가 내리기 전에 태양이 아스팔트를 뜨겁게 달궈놓았다면 빗물도 도시의 거리를 지나며 데워질 것이다. 이렇게 강물보다 몇 도 따뜻한 상태로 합류하면 강에 사는 종들에게도 문제가 될 수 있다.

대체로 이것은 도시에도 강에도 좋지 않다. 물론 인간이 강수량을 원하는 대로 조절하거나 홍수를 모두 예방할 수는 없다. 하지만 도시에 녹색식물의 자리를 마련해준다면 자연과의 팀워크를 통해 타격을 줄여볼 수는 있다. 도시의 나무들은 홍수와 맞서는 훌륭한 재간을 갖고 있다. 나무는 목이 마르다. 큰 나무는 하루에 물을 몇백 리터씩 '마신다'. 게다가 나무의 상층부는 빗방울이 땅에 떨어지기 전에 저지하고 포획하는 일종의 브레이크 역할을 한다. 나뭇잎이나 가지에 떨어진 빗방울은 그곳에서 직접 증발한다. 나무의 뿌리와 뿌리 주변의 다양한 생물들은 토양에 구멍을 숭숭 뚫어 빗방울이 지면을 따라 흘러내리는 대신 땅속으로 스며들게 한다. 나무와 관련된 토양 유기체들은 중금속 같은 유해 물질을 흡수한 다음 다른 형태로 바꾼다.

찻길에 나무를 심을 수는 없고 꽃밭이 된 주차장은 불편하기 때문에 어차피 우리는 불침투성 표면 위에서 살아가게 되어 있다. 그러나 아스팔트와 콘크리트 사이에 어떤 형태로든 초록 공간이 많을수록 좋다. 나무의 장점은 도로나 포장된 길을 따라 심어 불침투성 표면 위에 층을 형성할 수 있다는 것이다. 들판이나 잔디밭도 빗물을 흡수해 물의 흐름을 멈추고 환영하지 않는 곳에 물이 가까이 오지 못하게 관리하는 역할을 할 것이다. 이처럼 낮게 자라는 식물은 지붕을 덮는 데도 적합하다. 이것이 바로 초록 지붕이다.

초록 지붕은 최근에 나온 발상이 아니다. 스칸디나비아 지방에서는 선사시대부터 지붕에 자작나무 껍질을 얹고 잔디를 깔았다. 실제로 잔디 지붕은 중세시대부터 노르웨이 마을에서 흔했다. 1500년대 후반 노르웨이 도시 베르겐을 그린 판화 작품을 보면 지붕에서 양과 염소가 풀을 뜯는 모습을 볼 수 있다. 그러다 도시에 목조 주택이 들어차면서 잔디 지붕이 금지되었다. 지붕의 마른 풀에 불이 더 쉽게 번지기 때문이다.

지금은 전 세계 도시에서 옥상 녹화가 늘고 있다. 뮌헨 같은 도시에서는 지붕이 평평한 신축 건물 옥상에 의무적으로 나무나 풀을 심어야 한다. 녹색 지붕의 이점은 여러 가지다. 빗물을 흡수할 뿐 아니라 도시의 열을 식히는 데도 도움이 된다. 도시의 녹색 지붕에서 풀을 뜯는 염소나 양은 없겠지만, 적어도 도심 속 높은 지대에서 녹색 식물 사이를 산책하는 작은 사치는 누릴 수 있지 않을까.

나무에서 돈이 자란다면

도시의 나무는 홍수만 막아주는 게 아니다. 나무는 공기 냉각기와 청정기 역할을 하고, 인간을 포함한 다른 종을 위해 살아 있는 공간을 제공한다. 나무 위에 올라가거나 나무둥치에 기대어 앉아 시원한 그늘에서 책을 읽을 수도 있다.

왜 도시는 항상 주위 지역보다 기온이 훨씬 높을까? 여기에는 여러 가지 요인이 있다. 식생이 있는 곳에서는 잎이 증산 작용을 하면서 시원한 습기를 방출하는데, 우리는 식생이 있어야 할 자리에 짙은 색으로 아스팔트, 석조, 콘크리트를 깔았기 때문에 햇빛이 내리쬘 때 열을 더 잘 흡수한다. 사람과 기계가 발산하는 열기도 무시하지 못한다. 예를 들어 에어컨 실외기에서 나오는 잉여의 열은 냉방 장치가 없는 사람들을 더 덥게 만든다. 이런 이유들로 대도시는 주위보다 기온이 5~10도나 높은 열섬이 된다. 기온차는 대개 낮에 저장되었던 열기가 도시의 짙은 표면에서 방출되는 밤에 가장 심하다.

오늘날 지나치게 더운 여름 날씨도 지구의 북쪽 꼭대기에 사는 사람들에게는 별문제가 아닐지도 모른다. 당장은 말이다. 그러나 기후 변화는 많은 사람들의 발밑에서 지구를 불태울 것이다. 한 스위스 연구팀이 특정 도시에서 2050년에 예측되는 기후를 현재와 비교했다. 이 연구에 따르면 2050년에 오슬로는 가장 더운 달의 최고 온도가 5.6도 상승해 현재의 브라티슬라바처럼 될 것이다. 반면에 런던의 기후는 가장 높은 기온에서 약 5.9도 정도 높아져 오늘날의 바르셀로나와 비슷해진다. 만약 이 예측이 현실이 된다면 나무의 도움은 더 절실하다. 나무는 도시의 온도를 1도에서 5도까지 낮추기 때문이다. 이는 곧 생명을 구하는 길이다. 오슬로에서 내가 일하는 다른 기관인 노르웨이자연연구소NINA 과학자들은 도시에서 나무의 중요성과 우리가 나무를 보호해야 하는 이유를 살펴보았다. 이들은 나무와 기타 녹색 공간이 도시에서 열파로 인한 건강상의 위험을 효과적으로 줄여준다는 사실을 발견했다. 도시에서 나무를 한 그루 잘라낼 때마다 1년에 평균 한 명의 노인이 30도가 넘는 기온에 하루 더 노출된다. 동시에 과학자들은 오슬로에 훨씬 많은 녹지 공간이 필요하다고 지적했다. 도심에 인구가 가장 많이 밀집된 지역은 보통 나무가 가장 적은 지역이기도 하기 때문이다.

간접적이긴 하지만 실제로 나무에서 돈이 자란다. 나무의 냉각 효과가 에너지를 절약해주기 때문이다. 미국에서 진행한 한 연구에 따르면 캘리포니아 새크라멘토 같은 도시에서 나무가 뒤덮는 면적이 25퍼센트 증가할 때 평균적인 가정에서 냉각에 드는 에너지를 40~50퍼센트 절약할 수 있다고 한다. 에너지 절약은 곧 돈 절약이다.

다른 비용 절감 효과도 있다. 나무는 공기를 정화하는 역할도 한다. 미세한 오염 분자가 나뭇잎이나 가지에 포획되어 쌓여 있다가 비가 내리면 씻겨 내려가 토양에 스미거나 강물로 흘러간다. 나무가 오염 물질을 무해하게 만드는 건 아니지만, 적어도 우리가 들이마시는 공기에서는 제거해준다. 지구 전체를 놓고 봤을 때 이 기능은 중요하다. 생물다양성과학기구는 깨끗한 공기를 마시고 사는 사람이 세계 인구의 10분의 1에 불과하다고 추정했다. 매년 300만 명 이상이 공기 오염으로 조기 사망하는데 아시아에서 가장 심각하다. 다수의 국가를 대상으로 대기질 측정소 1만 개소에서 진행 중인 연구에 따르면 2020년 봄에 코로나바이러스로 인한 봉쇄 후 첫 2주에 공기 오염 수치가 개선되어 7,400명이 조기 사망을 피했다고 한다.

이 모든 것에 가격표를 붙이기는 쉽지 않지만 도시의 나무에 가치를 매기는 시스템이 있다. 일례로 이 시스템에 따르면 런던에서 가장 비싼 나무는 단풍버즘나무인데, 160만 파운드(한화 약 25억 원)의 가치가 있다. 도시 전체에 심은 800만 그루가 연간 총 1억 3,270만 파운드(한화 약 2,000억 원)의 이익을 제공하는 셈이다.

표토가 날아가버리기 전까지 계곡은 얼마나 푸르렀는가

아이슬란드의 숲을 두고 사람들이 하는 농담이 있다. 짧지만 전달하는 메시지는 확실하다. '아이슬란드 숲에서 빠져나오는 길을 찾으려면? 정답, 일어서라.' 사가saga*의 땅은 숲이 풍성하지도 나무가 높이 솟지도 않았다는 뜻이다. 하지만 원래는 그렇지 않았다. 그리고 숲이 사라지면서 침식과 토지 저하라는 더 큰 문제가 발생했다.

1,000년 전 노르웨이 바이킹들이 항해를 하면서 배가 닿는 곳이면 어디든 정착했을 당시 아이슬란드에는 숲이 많았다. 아마 오늘날의 노르웨이와 비슷하게 대지의 40퍼센트는 나무가 뒤덮고 있었을 것이다. 그러나 정착민들이 경작지와 목초지를 선호해 자작나무 숲을 개벌해버렸다. 어차피 건축 자재나 숯의 재료로 나무가 필요하기도 했다. 200~300년이라는 짧은 기간에 나무가 자취를 많이 감췄다. 쉼터를 주고 토양을 붙들어주는 나무가 없어지면서 아이슬란드의 가벼운 화산토는 금세 발가벗겨지고 바람과 거친 날씨에 노출되어 취약해졌다. 아이슬란드는 원체 날씨가 거칠고 바람은 더 심한 나라다.

침식이 시작되었다. 천천히, 그러나 확실하게. 표토가 바다로 날려 가거나 씻겨 나가거나 모래로 덮였다. 화산 폭발, 화산재, 풀을 뜯는 양들이 가하는 충격이 상처에 소금을 뿌렸

* 중세시대 북유럽의 산문문학을
   일컫는 말로 노르웨이어로는
   '이야기'라는 뜻이다.

다. 표토가 감소하면서 식생은 줄어들고 그로 인해 토양 소실이 더욱 심해졌다. 1950년 무렵에는 식생의 60퍼센트, 숲과 수풀의 96퍼센트가 완전히 사라졌다. 숲으로 덮인 땅이 1퍼센트도 채 안 되었다. 아이슬란드의 경관은 그야말로 탁 트이게 되었다. 시야를 가리지 않고 빙하와 화산과 산맥을 감상하게 된 관광객들은 좋아할지도 모른다. 이 혹독하고 황량한 아름다움이 사진 속에서는 근사해 보이는 것도 사실이다. 땅이 보여줄 수 있는 색조의 팔레트를 잘 활용하기 때문이다. 그러나 비옥도는 극도로 낮다. 이 나라 전반에 걸친 토양 소실과 침식 때문에 작물을 키우고 방목하는 것이 불가능해졌다.

몇 해 전에 국제생태복원협회Society for Ecological Restoration 유럽지부 회의에 참석하기 위해 아이슬란드를 방문했다. 몇 시간짜리 흥미로운 강의를 들은 후, 우리는 이곳에서 토양 침식을 막는 자연의 메커니즘이 무력해지면 어떤 일이 일어나며, 해결하려면 무엇을 해야 할지 살펴보기 위해 아이슬란드 남서부로 시찰을 나갔다. 버스를 타고 몇 시간 만에 용암 지대에 도착했다. 눈에 보이는 식생이라고는 고집 센 청록색 이끼가 전부였다. 우리는 군나르숄트를 방문했다. 그곳은 다름 아닌 13세기 아이슬란드 사가 『냘의 사가Njál's Saga』의 주인공인 군나르의 할아버지가 세운 농장이었다. 이 책에서 군나르는 추방당했지만 농장을 차마 떠나지 못해 결국 죽음을 맞이했다. 그는 말을 달려 도망치다가 문득 말을 세우고 아름다운 경작지 풍경을 돌아보며 말했다. "아름답도다, 산비탈이여. 전보다 더 아름답도다. 곡식과 풀을 벤 고향의 하얀 들판. 집으로 다시 돌아가련다. 그리고 다시는 떠나지 않으련다."

아마 군나르는 침식이나 자연의 관리 서비스 등을 생각해 본 적이 없을 것이다. 그랬다면 좋았을 텐데. 몇백 년이 지난 지금 그 산비탈은 그때만큼 아름답지 않기 때문이다. 군나르의 군나르숄트를 비롯해 많은 농장이 침식으로 황폐해지고 버림받았다. 현재 군나르숄트에는 아이슬란드 토양보전국과 작지만 흥미로운 박물관이 들어서 있다. 그곳에서 우리는 이 섬의 숲과 숲의 서비스를 되살리기 위한 아이슬란드의 노력을 보았다.

이날의 마지막 행선지는 루피너스가 낮게 깔린 평원이었다. 다양한 분야에서 온 과학자들과 함께 나는 푸른 금속으로 된 1미터짜리 묘목 파종기와 자작나무 묘목 두 그루를 받았다. 우리는 넓게 흩어졌다. 드디어 시작이다. 아이슬란드는 다시 숲으로 뒤덮일 것이다. 묘목 파종기를 흙에 올리고 바닥의 작은 판을 밟아 땅에 구멍을 낸다. 그리고 연두색 잎이 5개 달린 자작나무 묘목을 파종기의 관 속으로 떨어뜨린다. 나무는 미래의 고향으로 직진한다. 이제 묘목 주위의 흙을 밟아주는 일만 남았다. 아이슬란드는 나무 한 그루를 더 얻었다.

물론 이날의 행사는 상징적인 행동에 불과했다. 숲을 대규모로 되살리기까지는 시간이 오래 걸린다. 우선 볏과 식물인 레이무스 아레나리우스*Leymus arenarius*나 알래스카루피너스 같은 식물로 토양을 안정시켜야 한다. 알래스카루피너스는 북아메리카에서 도입된 종이다. 이 종은 아무것도 자라지 않는 곳에서도 발판을 구축하는 능력이 탁월하고 공중의 질소를 고정해 토양을 개선한다. 그러나 이런 외래 침입종을 광범위하게 도입하는 문제에 대해서는 논란이 없지 않다. 이 종은 너무 쉽게 퍼지는 게 문제다. 노르웨이에서 알래스카루피너스는 외래종 목록에서 '생태 위해성 높음' 범주에 들어가며, 호장근, 스페인민달팽이, 캐나다기러기 등 다른 바람직하지 못한 종들과 그 찜찜한 명예를 공유한다.

이 점에 대해 아이슬란드 사람들에게 물었을 때, 나는 상반된 답을 들었다. 이처럼 생태계가 엉망인 곳에서 토종 식물상을 얼마나 걱정하고 배려해야 할지에 대한 사람들의 생각은 제각각이었다. 숲에 심을 나무에 대해서도 같은 논의가 이루어졌다. 숲을 복원하는 지역에서 아이슬란드의 토종 수종인 자작나무뿐 아니라 잎갈나무류, 시트카가문비나무, 로지폴소나무, 사시나무류 등 외래 수종도 함께 심기 때문이다.

아이슬란드 정부는 녹색 꿈을 품고 있다. 2100년까지 아이슬란드 면적의 12퍼센트가 숲이 될 것이다. 현재는 2퍼센트에 불과하다. 거대한 아이슬란드 숲에서 길을 잃는 날이 오기까지는 오랜 시간이 남아 있다.

하늘을 흐르는 아마존강

아마존에는 강이 있다. 수십억 톤의 물을 운반하는 거대한 강이다. 이 강은 인간을 비롯한 생물종이 환상적으로 풍부한 다양성의 토대이며, 남아메리카 대륙의 방대한 영역에 걸쳐 기후와 강수 패턴에 영향을 준다. 그러나 나는 지금 그런 강을 말하는 게 아니다.

아마존 우림은 지구 표면에서 불과 4퍼센트를 차지하지만, 수백 개의 토착 부족뿐 아니라 육지에 기반한 전체 동식물종의 10분의 1이 생활하는 터전이다. 이 숲에 있는 나무의 수는 은하수에 있는 별보다 많다. 나무는 부피가 크기 때문에 전 세계 생물량의 10분의 1이 하나의 크고 뜨겁고 푸르고 무덥고 맥동하는 생태계에 모여 있는 셈이다. 그리고 이 숲을 가로질러 아마존강이 아름답고 힘차게 흐른다. 세계에서 유역의 면적이 가장 크고(미국 면적과 같다), 전체 강물의 5분의 1을 차지한다.

그런데 숲의 상층부에 이에 못지않게 중요한 또 하나의 강이 흐른다. 수증기로 이루어진 하늘의 강이다. 이 강은 나무가 만들고 대륙 차원에서 비와 바람에 영향을 준다.

하늘을 흐르는 강과 그 영향력에 대한 가설은 2007년 두 명의 러시아 과학자에 의해 처음 알려졌다. 공식적인 명칭은 '생물 펌프 이론'이다. 처음에 이 이론은 거센 반발에 부딪쳤지만 지금은 상당한 지지를 받고 있다. 생물 펌프 과정은 나무가 흙에서 물을 빨아들여 상층부의 잎까지 운반하면서 시작한다. 붉은 잎에서 생물학적 과정에 사용된 다음 증발해 수증기 형태로 공기 중에 유입된다. 마치 천천히 움직이는 간헐천처럼 나무는 땅에서 습기를 흡수한 다음 수증기 형태로 하늘 높이 뿜어낸다. 이 수증기가 대기 중에서 응결하면 저기압을 형성하는데, 그러면 거대한 강처럼 바다에서 습한 공기를 내륙으로 더 많이 끌어들인다. 과학자들은 아마존 우림이 매일 200억 톤의 물을 이 '구름 서비스'로 올려보낸다고 추정한다. 그렇게 따지면 지상의 쌍둥이 강이 대서양으로 보내는 물의 양보다 더 많은 셈이다.

이처럼 우림은 습기를 대양에서 대륙의 내부로 운반하는 살아 있는 펌프 역할을 한다. 저기압을 유지시키는 이 살아 있는 숲속 펌프가 아마존에 비를 끌어오기 때문에 일반적인 기후 모델과 달리 바닷가보다 아마존 한복판에 비가 더 많이 내린다고 과학자들은 말한다. 하늘을 흐르는 강이 마침내 서쪽으로 안데스산맥에 닿으면 방향을 틀어 남쪽으로 흘러가다가 남은 빗물을 남아메리카의 가장 중요한 곡창지대인 아마존 남쪽 지역에 쏟아붓는다.

펌프가 계속 작동하려면 우림이 벌목되거나 숲의 흐름이 끊어지지 않는 게 중요하다. 이곳이 파괴되면 펌프 시스템 전체가 파괴될 우려가 있기 때문이다. 그 결과는 극단적일 수 있다. 가장 끔찍한 시나리오는 아마존 우림 전체가 순식간에 사바나 풍경으로 변화하는 티핑 포인트*에 도달하게 되는 것이다. 그렇게 되면 대륙 전체에서 인간과 다른 종들에게 상상을 초월하는 결과를 미칠 것이다.

흰개미와 가뭄

기후는 생물의 영향을 받는다. 그리고 아마존 나무들처럼 큰 종과 곤충처럼 극도로 작은 종들이 모두 거기에 관여한다. 열기구를 타고 탄자니아 북서부의 반사막 지대 위로 올라가 어느 정도 현기증을 극복하고 나면 열기구 바구니 가장자리 너머로 기묘하게 규칙적인 풍경이 내려다보일 것이다. 초록색 점들이 온통 흩뿌려진 가운데 모래로 된 갈색 표면이 일정한 간격을 두고 흩어져 있다. 인공적인 형태로 보이지만 이것은 인간이 만든 풍경이 아니다. 이 패턴은 개미를 닮았고 하얀색과 갈색이 섞인 작은 곤충, 흰개미가 생성한 것이다. 사실 흰개미는 함께 사는 법을 배운 바퀴벌레 친척이다. 흰개미는 발달한 사회 군락을 형성해 물과 양분을 이동하여 아프리카, 남아메리카, 오스트레일리아의 뜨겁고 건조한 지역의 많은 지형을 이룬다.

그러나 흰개미는 엄청난 비난의 대상이다. 오로지 흰개미 박멸을 목표로 하는 산업이 나타났을 정도다. 미국에서만 흰

---

*   tipping point. 서서히 진행되던 현상이 누적되어 폭발적인 반향이 나타나는 시점.

개미 집단이 들보, 바닥, 벽, 지붕 할 것 없이 탐욕스럽게 갉아먹어 매년 20억 달러 이상 피해를 준다는 점을 생각하면 놀랍지 않다. 그러나 나무 세포의 질긴 세포벽을 소화할 능력이 있는 소수 집단에 속한 생물이라면 누구라도 그렇게밖에 살아갈 수 없을 것이다. 게다가 흰개미는 대규모 공동체를 형성한다. 지하의 흰개미 군락은 수백만 마리로 구성된다. 아프리카 사바나 10제곱킬로미터 면적 안에 있는 흰개미를 모조리 모아 한꺼번에 무게를 잰다면, 같은 지역에 사는 대형 초식동물을 모두 합한 것과 비슷하거나 그 이상일 것이다.

집안의 골칫덩어리들이 자연에서는 꼭 필요한 존재다. 반사막과 사바나 환경에서 흰개미는 토양 비옥화와 관개에 기여하는 아주 중요한 생물이다. 흰개미는 죽은 식물의 잔해를 모으고 분해해 배설물이나 죽은 개체 형태로 토양 또는 흰개미를 잡아먹는 포식자의 몸속에 들여보낸다. 따라서 불에 취약한 생태계에서 흰개미는 영양가 있는 물질이 연기 속으로 사라지지 않도록 막는다. 또한 흰개미는 최대 50미터까지 땅을 파 들어간 다음, 광물이 함유된 촉촉한 토양을 끌어올려 건축에 사용한다. 이런 광물성 토양이 풍화되면서 필수 영양소, 미량 원소, 습기를 퍼뜨려 흰개미 군락 주변의 흙이 비옥해진다. 흰개미들이 파내는 땅속 터널은 토양을 다공성으로 만들어 빗물이 쉽게 스며들기도 한다. 이런 기능들로 인해 흰개미 집은 건조한 지대의 작은 초록 오아시스가 되고, 흰개미는 이 생태계를 조절하는 핵심종이 되었다. 식물을 위한 초록색 '핫 스폿'을 만드는 이런 능력은 사막화와의 전쟁에서 중요하다. 많은 종들이 생명을 부지하며 살아가는 이 오아시스는 사막에 대항하는 완충지대 역할을 한다. 비가 오면 식물들이 이 오아시스로부터 퍼져나간다. 연구에 따르면 이런 흰개미탑 경관은 가뭄 시기에도 놀라울 정도로 활발한데, 그건 흰개미가 임박한 기후 변화에 맞서 민감한 지역의 생태계를 안정시키는 데 도움이 된다는 뜻이다.

기후 안정을 유지하는 흰개미의 역할은 사바나 지역에 한정된 것이 아니다. 과학자들은 보르네오에서 흰개미를 제거한 지역과 흰개미가 온전하게 남아 있는 지역을 비교해 우림 지역에서 가뭄기에 흰개미의 영향을 연구했다. 그 결과 흰개미가 땅속 깊은 층에서부터 습기를 끌어올리는 토양은 다른 곳보다 3분의 1 정도 더 습한 것으로 증명되었다. 과학자들이 심어둔 실험용 식물의 생존 확률이 흰개미가 제거되지 않은 지역에서 50퍼센트 더 높았다는 사실도 놀랍지 않다. 이 미움 받는 곤충들은 아시아 우림에서도 날씨가 건조해졌을 때 생태계에 유용한 서비스를 더 제공한다고 드러났다. 그러나 이 조절 시스템이 제대로 작동하려면 온전한 상태의 자연을 더 잘 알고 원래의 생물 군집을 잘 돌봐야 한다. 벌목과 인간의 등장은 흰개미의 수와 종 구성을 바꾸었고, 전체 열대우림의 절반 이상이 이미 인간의 손을 탔다. 보르네오 연구팀에 따르면 인간이 손을 많이 댄 열대림에서는 흰개미가 주도하는 완충 시스템이 감소하여 가뭄에 견디기가 어려워진다.

세상에는 생활양식이 다른 흰개미가 2,000종이나 있다. 어떤 종은 높이가 몇 미터나 되는 점토 탑 안에 살고, 어떤 종은 지하의 둥지나 나무 안에 산다. 죽은 나무를 먹는 놈들, 죽은 식물을 먹고 사는 놈들이 있는가 하면, 탑 안에서 곰팡이를 직접 키우는 종도 있다. 이 균류는 때로 갓의 너비가 겨드랑이에서 손가락 끝까지의 길이만큼 자라는 대형 버섯으로 세계에서 가장 큰 식용 버섯이라는 기록을 보유하고 있다. 지역 주민들 사이에서는 인기 있는 식재료다.

크기로 말하자면 브라질 흰개미들은 단일 종이 생산한 가장 큰 건축물을 세운다. 지면에서 몇 미터 높이로 올라온 흙더미가 지하 네트워크로 연결되는데, 탑의 개수는 총 2억 개에 달한다. 이 탑은 전체 넓이가 영국 면적에 달하고 약 4,000년 전에 지어진 기자의 피라미드와 건축 연도가 같다. 그러나 피라미드와 이 '건축물'에는 다른 점이 있다. 여전히 생명이 살아 움직인다는 사실이다. 엄밀히 말해 지상의 탑은 진짜 둥지가 아니다. 굴을 파낼 때 나온 흙을 쌓아둔 것으로 그 안에는 흰개미가 살지 않는다. 흰개미들이 실제 사용하는 공간은 땅속 터널이다. 이 터널은 먹이가 있는 가까운 수풀까지 빠르고 안전하게 오갈 수 있는 일종의 덮개 달린 통로다.

열기구를 타고 탄자니아나 브라질 상공에서 아래를 내려

다볼 기회가 없더라도 너무 서운해하지는 말기를. 방 안 의자에 편안히 앉아 구글 지도만 확대해 보아도 가뭄을 제어하는 흰개미가 만든 이 구조물들을 볼 수 있다. 그럴 만한 가치가 있을 정도로 대단한 작품이다.

맹그로브 방파제

아이슬란드의 바이킹과 후예들은 너무 늦게 깨달았다. 이제 우리는 북반구와 열대지방에서 숲의 보호 능력을 잘 알게 되었다. 그럼에도 여전히 단기적인 이익 추구가 장기적이고 수익성 있는 보전 활동을 방해한다. 맹그로브 숲이 그 대표적인 예다. 쓰나미와 홍수에 맞선 살아 있는 방파제로서의 중요성이 잘 알려졌음에도 이 숲은 번개 같은 속도로 사라지고 있다.

맹그로브는 발가락을 소금물에 담그고도 잘 살아가는 여러 수종에 붙여진 이름이다. 이 나무들이 이룬 맹그로브 숲은 홍수림이라고도 부른다. 맹그로브는 산소가 넉넉하지 않은 부드러운 진흙에 발판을 마련하고 줄기 주변에서 찰랑거리는 짠 파도와 함께 지내도록 여러모로 적응했다.

그중 하나가 지주근이다. 줄기 아랫부분에서 팔뚝 크기로 다수의 뿌리가 빙 둘러 나오는데 수평으로 뻗는 듯하다가 아래로 구부러지면서 진흙 속에 박혀 들어간다. 그 결과 다리 달린 나무들이 달리기 준비를 하는 모양새가 되었다. 이 뒤엉

킨 뿌리들은 나무를 고정하는 동시에 파도에 완충 역할을 하고, 퇴적물을 가두어 천천히 그러나 확실하게 바닥에 진흙을 쌓아 나무의 생장 기반을 만든다. 진흙 속에 산소가 충분치 않으면 나무껍질의 작은 구멍을 공기 순환 통로로 이용해 숨을 쉬지만, 일반적인 뿌리와는 달리 반대 방향으로 자라는 특수한 호흡근을 발달시키기도 한다. 호흡근은 진흙에서 나와 공중을 향해 솟아오르는 작은 창처럼 보인다.

바다와 육지가 만나는 경계 지역의 숲은 삶이 몹시도 고달프다. 세계지도 위에서 맹그로브 숲의 과거 분포도를 보면 남아프리카에서 일본까지, 또 아프리카의 서쪽 해안 일부와 중앙아메리카의 동쪽과 서쪽 해안선을 따라서, 그리고 크고 작은 섬들 주위로 마치 누군가 마커로 진하게 그어놓은 듯한 선을 볼 수 있다. 지도만 보면 굉장히 인상적인 분포지만 사실 전 세계에서 맹그로브 숲은 급격하게 줄어들어 이미 40퍼센트 가까이 사라져버렸다. 오늘날 이 숲은 전체 숲 면적의 0.5퍼센트에도 미치지 못하고, 다른 숲의 3~4배 속도로 감소하고 있다.

맹그로브 숲이 사라지면서 해안을 따라 발생하는 자연재해의 여파를 억제하는 기능까지 함께 사라졌다. 인간이 만든 구조물로 그 역할을 대신할 수 있지만 비용이 많이 들뿐더러 효율도 낮다. 1999년에 인도의 오디샤주를 강타한 슈퍼사이클론의 예를 들어보자. 이 사이클론은 최대 풍속이 시속

300킬로미터로 오늘날까지 인도양 북부에서 발생한 열대 사이클론 중 최대 규모를 기록했다. 1만 명에 가까운 사람들이 목숨을 잃었고 재산 피해액이 50억 달러에 달했다. 그런데 이후 조사에서 맹그로브 숲이 온전하게 남아 있던 해안가 마을은 숲을 제거하고 방파제나 제방으로 대체한 마을보다 사망자도 적고 기반 시설 피해도 적었다는 결과가 나왔다.

맹그로브 숲은 살아 있는 보호 벨트로 자리매김하면서 해일, 홍수, 바람에 완충작용을 한다. 덧붙여 맹그로브 숲이 있는 지역에서는 범람했던 물이 신속하게 바다로 빠져나갔지만, 사람이 인공적으로 홍수 방지 구조물을 세운 곳에서는 염분기 많은 물이 오래 남아 작물을 파괴했다.

2004년 인도양에서 발생한 쓰나미에 대해서도 동일한 연구 결과가 보고되었다. 인명과 물질적 피해 모두 맹그로브 숲이 온전한 지역에서 더 적었고, 재해 이후 생존자들의 경제 발전 기회 역시 이 지역에서 훨씬 더 높았다.

그러나 이는 맹그로브 숲이 제공하는 재화와 서비스의 극히 일부일 뿐이다. 이 숲은 물을 정화하고 다른 열대림보다 탄소를 3~5배나 더 많이 포획할 뿐 아니라 주변에 사는 1억 2,000만 명의 주민에게 식량과 나무, 그 밖의 재화를 제공하는 고유하고 극도로 풍부한 생태계다.

그렇다면 왜 맹그로브 숲이 파괴되고 제거되는 것일까? 한마디로 독자와 내가 새우 요리를 좋아하기 때문이다. 맹그로브 숲이 감소하는 가장 큰 원인은 양식업, 특히 새우 양식이라는 단기적인 이익에 있다. 문제는 이 수익 계산에 맹그로브 숲이 쓰나미, 홍수, 허리케인 피해를 줄여준 값은 포함되지 않았다는 점에 있다. 2013년에 발표된 구체적인 사례를 살펴보자.

타이에서는 맹그로브 숲을 파괴하지 않으면서 지속 가능한 수확을 통해 수입을 창출할 수 있다. 숲을 제거하고 새우 양식장을 세우는 대안도 있기는 하다. 이는 숲의 주인인 개인에게 단기적으로 높은 수입을 준다. 이런 식으로 토지 용도를 변경하면 국가에서 보조금이 넉넉하게 나오기 때문이다. 그러나 맹그로브 숲이 재화와 서비스 방식으로 우리한테 제공하는 것들, 여기에 파도의 충격을 완화하고 물을 정화하고 어린 물고기들에게 서식지를 제공하는 가치까지 계산에 넣으면 그 결과는 완전히 달라진다. 사회적 관점에서 따지면 새우 생산을 대가로 이 소중한 자연 재화와 서비스를 희생해서 얻어지는 경제적 이익이 거의 없다. 게다가 새우 양식장이 오염되어 생태계를 파괴한 다음 다시 맹그로브 숲을 복원하는 비용까지 추가하면 맹그로브 숲을 보존했을 때와 비교했을 때 헥타르당 1만 6,000파운드(한화 약 2,500만 원)가 넘는 차액이 발생한다.

이는 새우나 목재로 대표되는 단일 상품이나 서비스가 아닌, 전체적인 상황을 파악하고 자연이 제공하는 재화와 서비스의 총합까지 고려하여 공공사업을 시행하는 게 얼마나 중요한지를 보여준다. 타이에서 정부가 자연재해에 맞서는 맹그로브 숲의 보호력을 희생하면서 새우 생산을 장려했지만 결과적으로 수익성이 없었듯이, 노르웨이 서부의 가파른 산사면에 도로를 건설하고 목재 생산을 지원하는 정책 역시 올바른 사회적 투자는 아니다. 그로 인해 오래된 천연림이 눈사태를 막는 능력을 (그리고 그 숲에서 발견되는 풍부한 종 다양성까지) 파괴하게 된다면 말이다.

따라서 중요한 열대 해안 생태계와 그들이 제공하는 관리 서비스를 보전하는 데 조금이나마 도움이 되고 싶다면 새우가 아닌 다른 해산물을 먹는 게 좋겠다. 아니면 친환경 인증 새우를 찾든지. 맹그로브 숲은 전 세계 숲의 몇천 분의 1밖에 안 되지만 그 숲이 관리 서비스와 복지에 기여하는 바는 절대 하찮지 않다. 이 숲을 베어버려 해안을 따라 형성된 천연 보호막을 잃는 것은 걸터앉아 있던 나뭇가지를 제 손으로 톱질하는 것과 무엇이 다를까.

썩어가는 나무의 아름다움

아무도 찾지 않는 어느 계곡에
세상에서 가장 강인한 나무가 쓰러져
한없이 사모하던 이를 만나

포옹이라도 하듯

가지를 활짝 벌리고

잔가지로 흙을 누른다

(…)

나무는 누운 채로 움직이지 않고

포옹의 깊이를 더해가고

풀들이 그 위에서 익숙하게 땋은 머리처럼

창백하게 자랄 때

서서히 저가 아닌 것이 되어간다

그 이후로 긴 세월이 흘러왔고

백 년이란 시간도

나무가 견뎌온 인고의 시간 앞에서는

찰나에 불과하다

– 타리에이 베소스 '지친 나무Trøytt tre'

우리 동네 숲에 내가 제일 좋아하는 나무가 있다. 다 쓰러져 죽
어가는 나무다. 우리는 피를 나눈 자매나 다름없다. 10년 전에
서로 나뭇진과 피를 교환했기 때문이다. 내가 평소에 잘 달리
는 길에 서 있던 이 오래된 나무가 어느 날 갑자기 쓰러지기로
마음을 먹었다. 10월의 잿빛 일요일, 하늘이 짧은 소나기로 물
을 아끼는 대신 몇 시간이고 추적추적 비를 내리던 날이었다.
나는 사실 비 오는 숲속을 즐겨 달리지만, 문제는 안경이다.

콘택트렌즈가 맞는 체질도 아니라서 빗물에 김이 부옇게 서린 안경을 쓰고 달리거나 아예 안경을 벗고 보이지 않는 채로 뛰고는 한다.

그날은 마침 큰애를 데리고 나왔다. 당시 여덟 살이던 아들은 내 뒤를 쫓아왔다. 가파른 언덕을 뛰다 보니 거센 바람에 작은 나무 한 그루가 길 위에 쓰러져 작은 관문을 세워놓았다. 나는 몸을 수그려 밑으로 잽싸게 빠져나온 다음, 몸을 돌려 아들에게 조심하라고 일렀다. 그런데 앞에 나무 한 그루가 더 쓰러져 있는지 몰랐다. 다시 앞으로 내달리는 순간 단단한 가문비나무에 그대로 이마를 부딪치고 말았다. 눈앞에 별이 보였다. 침엽수 바늘잎과 나무껍질 사이에서 정신을 차릴 수가 없었고 이마는 피와 송진으로 뒤범벅되었다.

뇌진탕이라는 진단을 받고 2주간 컴퓨터 화면을 보거나 책을 읽는 게 금지되었다. 안타깝지만 머리를 나무에 수없이 부딪치고도 멀쩡한 딱따구리와 달리 인간의 두개골에는 뇌를 보호하는 탄력 있는 보호막이 없기 때문이다.

이 드라마틱한 첫 데이트 이후 나는 그 나무를 특별히 관심 있게 지켜보았다. 바늘잎이 갈색으로 변하면서 서서히 흩어졌고, 나무껍질 밑에 바구밋과 벌레들이 모여들어 새끼를 위한 방을 만들었다. 어느 부지런한 동네 어르신이 쓰러진 나무줄기를 잘라 한쪽에 잘 치워놓으신 덕분에 더 이상 밑으로 몸을 숙이고 들어가지 않아도 되었다. 이듬해 여름이 되자 여기저기에서 나무껍질이 헐거워졌다. 하늘소 유충이 그 밑에서 줄기를 먹으며 돌아다녔기 때문이다. 나는 나무 옆을 달리며 유충 수천 마리가 갉아 만든 연한 나무 먼지가 보슬보슬 내리는 걸 보았다. 스웨덴 북부 사람인 린네에 따르면 1700년대에는 이 먼지 가루를 아기의 짓무른 엉덩이에 발라주었다고 한다.

이윽고 소나무잔나비버섯이 모습을 드러냈다. 노르웨이의 가문비나무에서 가장 흔하게 발견되는 부후균 중 하나다. 처음에는 그저 노란기 도는 흰색의 반들거리는 덩어리였다. 마치 줄기 안에서 밀가루 반죽이 부풀어 흘러 넘치는 것 같았다. 그러다가 점차 소나무잔나비버섯 특유의 짙은 갈색 또는 붉은기 도는 주황색 색채가 나타나기 시작했고 군데군데 반짝이는 물방울이 장식했다. 이 곰팡이 눈물은 수증기가 응축된 이슬이 아니라 빠르게 생장하는 시기에 곰팡이에서 배어 나온 물이다.

인간은 나무의 해체 과정을 부패와 죽음이 연상되는 음울하고 불쾌한 현상으로 생각한다. 그래서 이처럼 숲속에서 죽은 나무를 보면 치워야 하는 지저분한 잔해로 생각하는 경향이 있다. 이 얼마나 잘못된 생각인가. 죽은 나무야말로 진정으로 살아 있는 존재인데 말이다. 쓰러진 '내' 가문비나무 안에는 나무가 푸르고 튼튼하게 서 있을 때보다 살아 있는 세포들이 더 많다. 살았을 때 가문비나무의 줄기와 가지는 대부분 죽은 목재 세포로 되어 있었지만 이제는 사방을 기어 다니며 나무를 갉아 먹는 생명이 득시글거린다. 부후균들이 세포 전체에 균사를 내뻗고 효소를 분비해 한때 나무를 지탱하던 구조물을 천천히 소화한다. 이런 식으로 만들어진 영양분은 나이테 사이를 돌아다니는 온갖 곤충이 감사히 이용한다. 여기에 지의류, 이끼, 그리고 쓰러진 나무의 구멍 속에서 은신처를 찾는 겁에 질린 땃쥐류까지 추가하면, 왜 노르웨이 숲속의 종 3분의 1이 죽은 나무에 산다고 하는지 쉽게 이해할 수 있을 것이다.

나는 숲과 나무, 그리고 분해자를 25년 동안 연구했다. 시작은 석사과정으로 대학원에 들어가자마자 숲속의 오두막 주변을 헤매고 다니며 죽은 자작나무에서 말굽버섯 1,000개를 모을 때부터였다. 홀로 선 자작나무에 격리된 채 자라는 말굽버섯에서 딱정벌레 수가 감소하는지 확인하는 게 목적이었다(실제로 감소했다). 한편 여러 가지 나무와 숲에 사는 각종 곤충들도 연구했다. 나는 마른 가문비나무에서, 벌채된 지역의 자작나무 둥치에서, 소나무 노목의 발치에서, 자연적인 고사목을 흉내 내려고 사람 키 높이에서 다이너마이트로 상층부를 날려버린 사시나무에서 딱정벌레들을 수집해왔다. 그 후로 거의 매년 봄이면 밖으로 나가 보호 지역의 오래된 숲, 그을린 산불 현장, 기둥처럼 나무들이 들어찬 경제림에 덫을 놓고 곤충을 잡았다. 오래된 유럽피나무 밑동에 뚫린 구멍 속에 사는 곤충들도 연구했다. 그 나무는 5,000년 전쯤 홀로세 중반의 온난기에 처음 싹을 틔워 자라다가 늙은 나무가 죽은 다음 그 뿌리에서 새로 줄기를 낸 나무일 것이다. 그 성긴 뿌리가 오슬로 피오르를 따라 석회암 위를 구불거리는 모습이 꼭 대형 문어 다리를 닮았다. 여러 해 동안 나는 구멍 난 늙은 참나무에서 곤충 군집을 뒤쫓았다. 이 나무들은 싹을 틔우고 잎을 내고 시들고 마침내 쓰러지기까지 느린 심장 박동과 함께 수년, 수십 년, 수백 년 동안 수 세대의 인간들을 지켜보았을 것이다.

최근에 우리는 이 긴 세월 동안 수집한 딱정벌레 자료를 하나로 합쳤다. 1,267종, 15만 8,070개체로 구성된 데이터다. 우리는 이 종들이 특정 서식지를 고집하는 이유를 설명할 중요한 공통점이 있는지 찾고, 노르웨이 남부 전역에 걸쳐 400군데 이상의 숲을 아우르는 다양한 혼합 데이터 집합에서도 나타나는 강한 신호를 잡아내고 싶었다.

그리고 실제로 그런 신호를 찾았다. 어떤 변수에도 일관되게 나타나는 중요한 요인이었다. 바로 벌목이다. 사람이 나무를 베지도 심지도 않은 원시림에는 장기간 사람이 관리한 숲에서보다 멸종 위협을 받는 딱정벌레 종들이 더 많이 서식했다. 나무에 사는 딱정벌레 종 대부분이 천연림에서 발견되었다. 개벌이 되었지만 죽은 나무를 옮기지 않고 남겨둔 지역에서는 중간적인 결과가 나왔다. 이 세 종류의 숲에서는 딱정벌레 종의 구성도 달랐다. 이때는 숲의 나이와 양(부피)도 중요한 변수였다.

이 결과는 내가 참여했던 다른 연구에서 알게 된 내용과 크게 다르지 않았다. 그 연구에서는 죽은 가문비나무에 서식하는 균류를 대상으로 스칸디나비아반도 전역의 28개 숲에서 가문비나무에 특화된 부후균과 일반적인 부후균을 비교했다. 그 결과 특화된 부후균들—그중 다수가 위협을 받고 있다—이 모습을 나타내려면 주위에 죽은 나무들이 풍부하고도 다양해야 하며, 동시에 주변 경관에 오래된 숲이 넓게 펼쳐져 있어야 했다.

사실 이런 결과는 논리적으로 충분히 수긍할 수 있고 또 이미 잘 알려져 있다. 앞 장에서 설명한 것처럼 조성림*은 애초에 목재, 종이, 바닐린, 그 밖의 재화를 얻기 위해 만들어진 숲이다. 따라서 죽은 나무가 남아 있을 일이 별로 없다. 벌목장에서는 숲에서 베어낸 나무들을 거의 다 제거한다. 이는 죽은 나무의 다양성, 특히 이상하고 희귀한 죽은 나무들이 별로 없다는 뜻이다. 쓰러진 상태에서 사람이 타고 넘을 수 없을 정도로 아주 굵거나, 빛이 들어오지 않는 하층부에서 성장이 저해된 채 한 세기를 자라며 목질이 조밀해진 나무 말이다. 그 결과 이런 특이한 서식처에서만 볼 수 있는 곰팡이와 곤충들이 숲속 경관에서 사라진다.

사람의 손이 닿지 않은 한 스칸디나비아 침엽수림을 조

* 특수한 목적을 가지고
인위적으로 조림한 숲.

사했더니 숲의 60~80퍼센트가 임령이 150년이 넘는 진짜 원시림이었고, 나머지는 산불 및 기타 숲 생태계의 자연적인 교란 결과 형성된 다양한 연령대의 천연림이었다. 이런 곳에도 다수의 죽은 나무들은 물론이고 잘 관리된 오래된 나무들이 많이 있을 것이다.

오늘날 우리는 이런 숲이 되기 전에 일찌감치 나무를 베어낸다. 현재 노르웨이에서 원시림과 비슷한 조건에 있는 숲은 2퍼센트 미만이다. 약 3분의 2에 달하는 대부분의 숲이 이미 한 번 이상 개벌된 적이 있다. 그리고 가문비나무나 소나무류의 평균 수명에 반도 미치지 못하는 60~90년이 지나면 다시 개벌한다. 개벌은 남은 3분의 1까지 먹어 들어가 1800년대에는 나무를 선별적으로 잘라냈으나 그 이후로는 도로에서 너무 멀다는 이유로 손대지 않아 나무들이 평안을 즐겼다.

숲을 하이킹하는 사람들 대부분은 이런 사실을 모른다. 기준점 이동의 또 다른 예다. 진정한 원시림이 전체의 고작 1,000분의 1밖에 안 되는 지금, 살아 있는 노르웨이인 중에 과거의 그 숲을 본 사람은 거의 없다. 우리는 대대적으로 벌목이 진행되기 전 원래 숲의 모습을 더는 알지 못한다. 그래서 지금의 숲 상태가 정상이라고 생각한다. 죽은 나무 수가 1920년대 이후로 3배 늘었다고 말하면 사람들은 대단하다고 생각할 것이다. 하지만 그 수치는 진짜 원시림에서 보이는 수준의 5분의 1밖에 안 된다. 상상이 되는가?

나는 자연적인 숲 상태의 이처럼 큰 차이가 답답할 정도로 잘 알려지지 않았다고 생각한다. 이런 장기적인 대규모 변화의 결과를 우리는 너무도 모른다. 분해자의 종 다양성이 지속적으로 빈곤해진 결과는 무엇일까? 만약 우리 사회가 기꺼이 비용을 지불하고서라도 이런 자연의 악화된 상태를 감내하겠다고 결정한다면 적어도 그 비용의 실체를 정직하게 알려야 한다. 또한 사람들에게 현재의 벌목 방식에 좋은 대안이 있다는 것도 말해야 한다. 첫째, 자원 채취와 종 다양성 사이의 더 나은 절충안, 둘째, 온난화 및 강수량 변동 등 앞으로 우리가 마주할 변화에 대해 자연이라는 관리사무소가 올바른 자리에서 제 몫을 다할 기회를 주는 산림 관리 및 벌목 방식, 셋째, 나무가 숲속에서 지속적으로 쓰러지고 균근균과 뒤엉키고 수많은 아기 딱정벌레들의 집이 되고 남김없이 분해되어 토양에 천천히 삼켜지는 방법이 있다고 말이다. 그러면 톡토기, 균근균, 진드기와 세균들이 저 밑에서 계속해서 일하고 그렇게 만들어진 영양소가 흙에 흡수되어 새싹과 어린 나무에게 영양분을 줄 것이다.

분해와 토양 생성은 수억 년 전 생명이 처음으로 뭍에 자리 잡은 이후부터 시작된 그들의 일이었다. 이러한 영양소 순환은 우리가 아는 대로 생명의 필수조건이다. 간절한 바람이 있다면, 죽은 나무와 그곳 거주민들의 중요성을 이해하고 썩은 나뭇가지의 아름다움을 알아보는 사람들이 많아지는 것이다. 그때까지 우리 과학자들은 이들의 연관성을 연구하고,

이 갈색 먹이그물과 삶, 그리고 죽음이 하나로 결합한 순환 속에서 일어나는 일들을 기록하며, 생명이라는 방대한 직소 퍼즐의 작은 구석에서 하나씩 조각을 맞춰가는 일을 계속해야 한다.

순록과 큰까마귀

> 밤의 나라 기슭에서 나와 떠도는
> 무섭도록 으스스한 그런 까마귀
> 어둠의 지옥에서 그대의 고매한 이름이
> 어떻게 불리는지 내게 말해주시오.
> 갈까마귀는 말했지. '이젠 끝이야.'
>
> – 에드거 앨런 포, '갈까마귀'

마치 고원 꼭대기에서 벌어진 드라마 '왕좌의 게임' 속 초현실적인 전투 장면 같다. 머리가 잘려나간 수백 구의 사체들. 한쪽에 수북이 쌓여 있기도 하고, 여기저기 흩어져 있기도 하다. 그러나 사체는 전사가 아니다. 순록이다. 순식간에 죽어나간 성체 250여 마리와 새끼 70마리. 자연은 마냥 아름답지만은 않다. 재앙은 자연의 질서이자 역동적으로 밀려드는 평형의 칼날이다. 대자연이 검을 휘두를 때 삶은 녹록하지 않다.

2016년 8월 금요일, 심한 폭풍이 하뎅거 고원의 동쪽 지역을 강타했다. 높은 산악 고원 위에서 하늘을 찢는 듯한 천둥소리에 모겐과 스토알스부 사이의 산비탈에 모여 있던 순록 떼가 두려움에 떨며 서로 몸을 밀착했다. 그러다 갑자기 벼락이 내리쳤다.

앞다리와 뒷다리를 통해 전류가 동물의 온몸을 관통했을 것이다. 빗물에 젖은 가죽은 유독 전기가 잘 통했을 테고. 이유가 뭐였든 눈 깜짝할 사이에 순록 323마리가 죽었다. 무리 전체가 몰살한 것이다. 이제 그들은 이곳에 버려진 채로 자연의 전담 청소팀에게 맡겨졌다.

동료 생물학자 중에 대형 포식자를 주로 연구하는 샘 스테이어트가 순식간에 젊은 과학자들을 모아 관련 부서에서 허가를 받고 텐트와 장비를 설치한 다음 이 떼죽음을 연구하기 시작했다. 그들은 이 프로젝트를 레인카REINCAR라고 불렀다. 순록reindeer, 시체carcass, 환생reincarnation이라는 단어를 조합한 말놀이였다. 지역 관계자들이 이미 현장에 와서 공포스러운 사슴과 동물 질병인 광록병 감염 여부를 테스트하기 위해 이 동물들의 머리를 제거해 갔다. 그 외에 사체의 나머지는 자연이 알아서 처리하도록 두었다.

과학자들은 순록이 몰살된 장소를 한 변의 길이가 0.5미터로 고정된 정사각형으로 나누고 모니터링 지역을 설정했다. 전쟁터 한복판은 물론이고 그곳에서 조금 떨어진 지역까지 골고루 격자를 설치해 일반적인 산악 생태계와 사체의 섬간의 차이점을 비교할 수 있었다. 미생물, 식물, 곤충, 새, 포유류가 모두 연구 대상이었다.

인간은 사체와 부패를 역겹다고 생각하지만 죽은 동물의 부패는 자연의 중대하고 필수적인 과정이다. 동물의 사체는 청소동물이나 분해자들에게는 임시로 설치된 간이 식당 같아서 제한된 시간 동안 풍부한 영양분을 제공한다. 그러나 경쟁이 치열하므로 속도가 관건이다. 1960년대에 미국에서는 사우스캐롤라이나의 어느 소나무 숲에 놓아둔 새끼 돼지 사체에서 곤충과 벌레만 500종 이상 발견한 연구가 있었다. 불과 6일 만에 죽은 돼지의 90퍼센트 이상이 분해되어 사라졌다. 물론 청소 작업의 속도는 기온이나 기타 요인에 따라 달라진다.

해발고도 1,200미터의 하뎅거 고원에서는 처리 속도가 그리 빠르지 않았지만 과정은 동일했다. 사체를 먹는 온갖 동물이 떼로 몰려들었다. 검정파리나 쉬파리, 송장벌레는 물론이고 붉은여우, 북극여우, 울버린, 검독수리, 큰까마귀 같은 포유류와 새들도 있었다. 이 대형 동물 중 몇몇은 되는 대로 먹는 잡식성이라 죽은 동물, 곤충, 식물 등을 가리지 않는다. 동물의 사체는 이들 모두에게 생명의 양식이 된다. 그리고 동시에 분해자는 죽은 동물의 양분을 생명의 순환 과정에 재투입하는 중요한 임무를 수행한다.

사체의 효과는 몸뚱아리가 사라진 후에도 끝나지 않는다. 파급 효과는 수년, 심지어 수십 년까지도 이어진다. 샘과 다른 과학자들이 추가로 조사하려는 게 이 부분이다. 산악 고원에서 젖은 순록 떼의 심장을 벼락이 한꺼번에 멈춰버렸을 때, 장기적으로 전체 생태계에 어떤 일이 일어나는가?

난데없이 큰까마귀들이 많이 몰려들었다는 점은 특기할 만하다. 설치한 야생동물 카메라를 확인했더니 한 화면에 갈까마귀 수백 마리가 잡힌 경우도 있었다. 에드거 앨런 포가 시 '갈까마귀'에서 묘사했듯이 이 "비쩍 마르고 불길한 옛날 옛적의 새"들이 멀리 떨어진 어디선가 날아온 것이다.* 시에서처럼 '지옥의 기슭'까지는 아니지만 이들 역시 고원의 먼 지역에서 먹이를 찾아 몰려왔다. 큰까마귀 배 속에는 다른 곳에서 먹은 먹이가 아직 들어 있었는데, 많은 큰까마귀가 검은시로미를 먹었다. 식물학적으로 시로미 열매는 핵과이다. 단단한 씨앗을 과육이 둘러싼 열매라는 뜻이다.

소화가 이루어져도 분해되기 어려운 씨는 배설물로 배출한다. 큰까마귀 배설물 중 열에 아홉에서 검은시로미 씨앗이 발견되었다. 큰까마귀 배설물은 순록 주변에 집중되어 있었다. 그곳은 죽은 동물 아래로 광물성 토양이 노출된 상태라 이 씨앗들은 다른 식물과 경쟁할 필요가 없는 검은 맨땅에서 생장에 완벽한 환경을 제공받았다. 썩어가는 순록에서 나온 영양물질이 토양의 산도와 질소 함량을 급격하게 바꾸면서 헤더, 난쟁이자작나무 등이 사라졌기 때문이다.

순록 사체 프로젝트로 처음 발표된 논문이 이 사실을 정

* 포의 시는 '갈까마귀'로
알려졌지만 원래는 큰까마귀다.

확히 다루고 있다. 이런 사체의 섬이 동물을 통해 퍼지는 씨앗들에게 중요한 종착역이 될 수 있다. 큰까마귀들은 다른 장소에서 맺힌 씨앗을 들고 날아오기 때문에 식물의 유전다양성에도 영향을 미친다. 유전 물질이 다른 식물 개체군과 섞인다는 뜻이다.

하지만 이 모든 과정에는 시간이 걸린다. 검은시로미는 천천히 자란다. 과학자들은 새싹을 올려보내는 작은 시로미의 수를 셌고, 앞으로 수년간 더 많이 올라올 것으로 예상했다. (이 연구 장소에서 발견된 흥미로운 것 중에 페소 지폐가 있다. 알고 보니 호기심을 참지 못해 순록 묘지를 찾아온 멕시코 관광객의 주머니에서 떨어진 것이었다.)

번개가 친 지 몇 년이 지난 현재 그 고원에는 분해가 어려운 뼈를 제외하고는 남은 게 거의 없다. 큰까마귀는 가버렸다. 저 뼛조각은 창백한 목격자로 남아 자연의 청소 달인이 얼마나 바지런한 일꾼인지 증언한다. 뼈와 시로미 위로 좀새풀이 물결치는 덩굴을 내뻗는다. 이 종은 영양분이 많은 교란된 경관에서 붉은 꽃머리를 대량 생산하는 평범한 볏과 식물이다. 정상적인 산림 식생으로 돌아오는 여정을 표시하듯 조사 지역을 전형적인 붉은 색조로 물들인다. 하뎅거 고원의 위성 이미지에서 베슬 사우어를 확대하면 323마리의 죽은 순록이 재활용을 마친 흔적을 작은 분홍색 얼룩으로 볼 수 있다. 먼지로 돌아간 순록 떼의 마지막을 보여주는 확실한 증거다.

7 생명이라는 태피스트리의 날실

다음 단어를 발음할 때는 혀가 꼬일지도 모른다. 프로클로로코쿠스*Prochlorococcus*. 영어로 '원시적인 초록색 열매'라는 뜻이다. 혀를 혼미하게 만드는 이 이름 뒤에는 아주 작은 생물이 숨어 있다. 바로 시아노박테리아, 즉 남세균이다. 여기서 '원시적'이라는 말에 속으면 안 된다. 우리는 산소를 생산하는 아주 중요한 생물 기계를 말하고 있으니까. 이 녹색 열매들이 전체 광합성의 5퍼센트를 차지한다고 추정된다.

북극해와 남극해 사이의 바다라면 어디에서 물을 퍼 올리더라도 그 안에는 수백 수천 마리의 프로클로로코쿠스가 들어 있다. 그러나 꽃가루 알갱이, 헤어스프레이 방울보다 작은 0.5마이크로미터의 이 생물은 시야에서 감춰져 있다. 이토록 중요한 생물치고 아주 오랫동안 모습을 드러내지 않다가, 평생을 바쳐 이 초록색 티끌을 연구한 페니 치솜Penny Chisholm이라는 과학자에 의해 1980년대가 되어서야 발견되었다. 치솜의 연구 덕분에 우리는 프로클로로코쿠스가 수면에서부터 빛이 거의 들어오지 않는 수심 200미터 아래까지 영양이 부족한 물에서는 어디에서나 발견된다는 걸 알게 되었다. 프로클로로코쿠스는 개체 수가 30억의 10억 배의 10억 배나 되는, 세상에서 가장 수가 많은 유기체다(황금 1톤에 들어 있는 원자 수 정도라고나 할까?). 그리고 이산화탄소를 흡수하고 산소를 생산하느라 늘 부산하다. 우리가 호흡하는 산소의 절반 이상이 바다에서 생산된다.

광합성은 모든 생명의 근간이며, 프로클로로코쿠스는 자연이 제공하는 이 기본 서비스를 수행하는 대표적인 생물이다. 광합성은 모든 자연의 재화와 서비스의 기본이 되는 생명 과정으로서 생태계의 기능을 보장하는 데 필요하다. 광합성과 일차 생산, 서식지 형성, 양분과 물의 순환, 토양 생성, 유해한 생물 조절 등은 지구에 있는 모든 생물에게 필수적인 관리 유지 서비스다. 그렇다면 이 재화와 서비스를 생명이라는 태피스트리의 날실로 볼 수도 있을 것이다. 날실은 천을 짤 때 베틀을 가로질러 세로로 뻗어내는 실을 말한다. 수백만 종의 생물과 그 서식지가 이 날실 사이를 엮어 자연을 창조하고, 거기에서 우리가 모든 재화와 서비스를 받아 이토록 크게 혜택 받고 있는 것이다.

관리사무소의 서비스와 이 지원 서비스의 차이점은 시간과 정도에 있다. 지원 서비스는 장기간 더 큰 지리적 규모에서 작동한다. 그러나 하나에서 다른 하나로의 전환은 유동적일 수 있다. 토양으로 분해되는 것은 수십 일 또는 몇 년에 걸쳐 지역적으로 일어나는 현상이지만, 비옥한 토양이 쌓이는 것은 수천 년 또는 수십만 년에 걸쳐서 진행되는 느리고 전 지구적인 과정이다.

고래 사체와 하얀 황금

다시 바다로 돌아가 칠흑 같은 어둠이 깔린 짠 바닷물 속에 떠 있다고 상상해보자. 얼음장같이 찬 물은 수온이 영상을 겨우 웃돈다. 몸 아래 어딘가에는 황량한 해저가 펼쳐져 있다. 상층부에는 햇빛과 생명과 움직임이 가득하다. 그곳에서는 프로클로로코쿠스를 비롯한 식물성 플랑크톤이 산소를 생산해 먹이사슬의 주춧돌 역할을 한다. 하지만 아래로 내려가면 수 톤의 물이 거대한 압력으로 짓누른다. 마치 다 자란 코끼리들이 머리를 밟고 층층이 서 있는 것처럼. 심해에 온 것을 환영한다. 지구의 3분의 2를 차지하는 바다에서 수심 200미터 이하로 내려온 이곳은 생명이 살기 힘든 서식지지만 전체 해양 생물의 90퍼센트가 살고 있다.

그곳에 때때로 눈이 내린다. 녹지 않는 눈이다. 바다에 내리는 눈은 얼음 결정이 아니라 위쪽에서 내려오는 유기체들의 사체 조각이다. 저 아래 깊은 곳에 사는 생물에게는 간절한 식량이기도 하다. 드물게 위쪽에서 정말 거대한 것이 내려올 때가 있다. 낙하하는 고래, 즉 고래의 사체다. 이 말은 언제나 내 뇌를 간질인다. 산더미 같은 거대한 살과 지방과 뼈가 물을 뚫고 천천히 장대하게 가라앉는 장면을 상상한다. 수 톤의 탄소, 질소, 칼슘, 인이 한 생명체 안에서 마지막으로 잠수한다. 나는 죽은 대왕고래가 최후의 안식처까지 가라앉는 데 얼마나 걸리는지 알지 못한다. 그러나 바닥에 착륙하고 모든 흔적이 사라질 때까지 수십 년이 걸린다고들 한다.

1,000미터 아래 해저에서는 식량 공급이 제한되고 끼니 사이의 시간과 공간의 차가 매우 크다. 하강한 고래 사체는 심해라는 적막한 사막 한가운데 차려진 호화 뷔페나 다름없고, 아래쪽 거주자들에게는 과분한 먹이원이다. 어느 틈에 고래 사체는 잘 알려지지 않은 희한하고 다양한 종들의 핫 스폿이 된다.

고래 사체에서 찾게 될 특별한 생물 하나를 소개하겠다. 좀비벌레라고도 하는 뼈벌레는 지렁이나 거머리와는 먼 친척인 환형동물이다. 그러나 가족 간의 유사성은 그다지 두드러지지 않는다. 뼈벌레는 차라리 식물과 더 비슷하다. 한쪽에는 뿌리처럼 생긴 부위가 있고, 다른 쪽에는 선명한 색상의 흔들리는 깃털이 있다. 뼈벌레는 뼈를 먹고 살지만 이빨은커녕 입도 없다. 대신 '뿌리'에서 뼈를 녹이는 산성 물질을 분비한다. 그리고 몸속 세균과 긴밀한 협업을 통해 영양분을 추출한다. 반대쪽의 '깃털'은 아가미 역할을 한다. 비교적 최근인 2002년에 처음 이 속이 발견된 이후 전 세계 바다에 더 많은 종이 퍼져 있다는 게 확인되었다. 이를 계기로 과학자들은 뼈벌레가 고래 뼈 말고 다른 것도 먹지 않을까 추측하게 되었다.

뼈벌레의 성생활은 평범과는 거리가 멀다. 암컷이 수컷보다 큰데 커도 보통 큰 게 아니다. 인간에 빗대자면 내가 남편을 티스푼 위에 올려놓고 다니는 꼴이랄까. 심해는 황량하고 외로우며 짝을 찾기 어렵기 때문에 뼈벌레는 일을 극도로 단순하게 처리한다. 왜소한 수컷은 아예 암컷의 몸속에 잡고 살아 버린다. 그것도 한 마리가 아니라 하렘을 이룰 정도로 많이.

성별 간의 크기 얘기가 나와서 말인데 대왕고래도 암컷이 수컷보다 훨씬 크다. 대왕고래는 지금까지 지구에 살았던 동물 중에 가장 크다. 그러므로 지구에서 몸집이 가장 큰 개별 동물이 암컷인 셈이다. 거대한 산 같은 대왕고래 암컷.

죽은 고래도 바다에서 먹이 순환에 기여하지만, 그래도 살아 있는 고래가 더 낫다. 아마존 우림의 나무들이 영원히 멈추지 않는 물의 순환 과정에 생물 펌프로서 기여하는 것처럼, 이 거대한 고래들은 한곳에서 먹고 다른 곳에서 배설하고, 이곳에서 살다가 저곳에서 죽음으로써 바다 전체에서 수평과 수직으로 먹이를 운반하는 펌프 시스템에 연료를 공급한다.

이런 식으로 고래는 필요한 장소로 먹이를 운반하면서 다른 생명체에게 연쇄적으로 엄청난 영향을 미친다.

과학자들은 흑등고래, 향고래, 대왕고래 같은 대형 고래가 어떻게 가장 필요한 구역에 먹이와 양분을 펌프질해서 보내는지 알아냈다. 이 고래들은 물고기, 문어, 크릴 등 각종 먹이를 찾아 바다 깊숙이 잠수한다. 그런 다음 숨을 쉬기 위해 수면 위로 올라와서 배설하는데 이때 배출하는 고래 똥은 물에 뜬다. 이런 식으로 고래는 양분과 질소나 철분 같은 광물을 수면까지 운반한다. 남극해 같은 일부 바다에서는 철분 부족으로 플랑크톤 생장이 제한된다. 향고래의 똥에 농축된 철분은 물속보다 최소 1,000만 배는 많기 때문에 고래의 존재는 플랑크톤의 생장을 부추기고 그것은 다시 광합성과 대기 중 이산화탄소 포획량을 증가시킨다. 이렇게 흡수된 탄소는 플랑크톤의 짧은 수명이 끝나면 바다의 눈송이가 되어 깊은 곳으로 가라앉는 경향이 있다. 신중한 추정에 따르면, 남극해에서 향고래가 시스템 밖으로 내보낸 다음 바다 깊은 곳에 저장되는 탄소의 양이 매년 수십만 톤에 달한다.

많은 대형 고래들이 긴 여행을 하는데, 이는 우리가 아는 한 가장 인상적인 포유류의 계절 이동이다. 예를 들어 흑등고래는 고위도의 차갑고 영양분이 풍부한 물에서 풀을 뜯고, 적도 가까운 따뜻한 지역으로 이동해 새끼를 낳는다. 이 지역은 대개 양분이 부족하지만 고래는 새끼를 낳는 시기에는 거의 먹지 않고 몸에 축적된 지방으로 살아간다. 먹는 게 없어도 소변은 보는데 고래가 방출하는 오줌에는 바닷속에 부족한 질소가 풍부하다(이처럼 덩치가 큰 동물은 오줌의 양도 무시하지 못한다. 어느 아이슬란드 과학자가 추정한 바로는 참고래 한 마리가 하루에 약 974리터의 소변을 방출한다). 그래서 고래의 장거리 이동은 먹이가 풍부한 지역과 부족한 지역을 연결하는 식량 컨베이어 벨트 일부가 된다.

바닷속 영양소는 더 먼 곳까지 이동한다. 바다에서 출발해 강의 상류로 이동한 다음 알을 낳고 죽는 연어를 거쳐 민물로 운송되기도 하고, 사냥은 바다에서 하고 똥은 육지에서 싸는 바닷새를 통해 뭍까지 (사실 펭귄 군락의 똥은 위성 사진으로도 판독이 되기 때문에 펭귄 추적에 사용한다) 올라온다. 참으로 기막힌 먹이 수송 서비스가 아닐 수 없는 게, 이렇게 운반되는 양이 실로 상상을 초월한다. 매년 바닷새들은 380만 톤의 질소와 60만 톤의 인을 육지로 운반한다. 이는 육지에 기반을 둔 생명을 위한 양분의 원천이 된다.

해안을 따라 둥지를 트는 바닷새 군락은 특히 중요하다. 여기에 새똥이 수년간 쌓이면서 '구아노'라는 새롭고 아름다운 이름을 얻었다. 이 단어는 남아메리카 안데스산맥에 사는 약 천만 인구가 사용하는 케추아어에서 기원했다(공교롭게 '라마'나 '코카인' 같은 단어들도 어원은 케추아어다. 또한 이 언어는 영화 '스타워즈' 속에서 두꺼비처럼 생긴 마피아 보스

자바 더 헛이 사용한 가상 언어의 밑바탕이 되었다). 16세기에 유럽인들이 도착하기 전에 남아메리카에서 잉카인들은 수백 년 동안 구아노를 비료로 사용했다. 해안을 따라 마을마다 구아노를 수확할 수 있는 섬이 할당되었고, 새들이 자연의 부름에 응답하는 동안 방해하는 자에게는 엄벌이 내려졌다.

전 세계를 돌아다닌 독일 박물학자 알렉산더 폰 훔볼트(3장 73쪽에서 브라질너트 열매가 나무에서 떨어지는 것을 경고했던 사람)가 처음으로 구아노 샘플을 유럽으로 가져갔다. 그는 구아노가 새들의 뒷구멍에서 왔다는 현지인들의 말에 극도로 회의적이었다. 그러기엔 구아노가 너무 많았다. 따라서 그는 구아노를 아득히 먼 과거의 어떤 불가사의한 재앙의 결과라고 보았다.

유럽의 화학 공학자들은 구아노를 농경지의 슈퍼푸드로 빠르게 변모시켰다. 그 안에 식물 생장에 중요한 질소, 인, 그리고 칼륨이 잔뜩 들었기 때문이다. 1800년대 중반에 짧지만 강렬한 채굴이 이어지면서 구아노가 대량으로 수확되었다. '백금'을 손에 넣으려고 사람들은 섬 전체를 바닥까지 싹싹 긁었다. 결국 1856년 미국에서는 '구아노섬 법'이라는 특별한 법까지 도입했다. 이 법에 따르면 미국 시민이 아직 다른 나라가 점령하지 않는 섬에서 구아노를 발견하면 해당 섬은 미국의 소유가 되고, 최초 발견자는 원하는 만큼 구아노를 수확해 미국인에게 팔 수 있었다.

그러다 시작할 때처럼 갑작스럽게 구아노 시장이 자취를 감췄다. 새똥이 만든 하얀 산이 사라졌기 때문이다. 사람들은 있는 똥 없는 똥 할 것 없이 모조리 긁어내 유럽과 미국의 농경지에 뿌렸다. 그렇게 구아노는 밀의 이삭과 감자의 덩이줄기가 되었다. 바닷새 개체군은 수확을 따라잡을 만큼 구아노를 생산할 수 없었다. 그러나 식품업계에는 다행히도 얼마 지나지 않아 인공 비료가 발명되었다.

선사시대에는 심해에서 수면까지, 바다에서 육지까지, 해안에서 내륙까지 대량의 영양소가 공급선을 따라 흘러갔다. 이제는 그 흐름이 끊어졌다. 앞서 언급한 것처럼 대형 초식동물들은 대부분 멸종했다. 일부 고래 개체군이 다시 수를 회복하고는 있지만, 인간이 고래 사냥을 시작하기 전에 비하면 턱도 없다. 어족이 붕괴하고 바닷새 개체 수는 곤두박질치고 있다.

식량 컨베이어 벨트는 아직도 가동 중이지만, 과거보다 운반량이 크게 줄었다. 심해에서 해양 포유류가 운반하는 인의 양은 과거의 4분의 1 수준으로 떨어졌고, 바닷새와 강 상류로 이동하는 물고기에 의해 바다에서 내륙으로 운송되는 양은 96퍼센트 감소했다. 영양분이 풍부한 바다에서 영양이 부족한 육지 지역으로의 식량 분배는 악화되고 있으며, 그 결과 굶주리는 생태계가 생긴다. 그러나 그 결과를 정확히 가늠하기는 힘들다. 왜냐하면 1만 년 전 토양이 얼마나 비옥했는지 알려주는 자료가 없기 때문이다.

자연의 거대한 식량 컨베이어 벨트 중에서도 고래가 심해에서 수면으로 영양소를 운반하는 첫 번째 단계는 특별히 중요하다. 인을 비롯한 영양소가 심해의 퇴적물로 사라진다면, 인간의 시간으로 볼 때 활용 가치를 잃는 거나 다름없기 때문이다. 덧붙여 현재 우리는 쉽게 접근할 수 있는 지구의 창고를 나날이 비워가고 있다. 그런 이유로 바다에서 육지로 이어지는 영양소의 자연적인 흐름에 기여하는 연결고리로서 고래를 비롯한 대형 해양 포유류의 개체 수를 과거 수준으로 돌려야 한다는 주장이 있다.

세상에서 가장 아름다운 탄소 저장고

'탄소'라는 말을 들으면 무슨 생각이 드는가? 바비큐 숯? 다이아몬드? 기후 논쟁? 물론 다 맞다. 하지만 여기에 좀 더 추가해보자. 탄소는 별에서 만들어졌고 알다시피 생명에 매우 중요하다. 전신거울에 비친 자신의 모습을 보자. 그중 14킬로그램이 잘 포장된 탄소다. 우리가 내쉬는 숨도 탄소 순환에 기여한다. 지구의 탄소는 바다와 육지와 하늘 사이를 영원히 돌고 돌며 순환한다.

저장 창고는 보통 따분한 장소다. 내 연구실이 있는 건물의 구석진 곳에도 창고가 여러 개다. 창고 안 선반은 거친 빛에

휩싸이고, 콘크리트 벽은 날카로운 울림을 던진다. 그러나 자연의 저장고는 전혀 다른 곳이다. 나는 세상에서 가장 아름다운 탄소 저장고에 다녀온 적이 있다. 바로 캘리포니아의 세쿼이아 숲이다. 한 장소에서 내 자신이 그토록 크고도 작게 느껴진 적이 없다.

눈이 의심될 만큼 불균형적으로 큰 나무 앞에서는 누구라도 작아질 수밖에 없다. 나무라는 코끼리 다리 옆에 선 작은 생쥐가 된 기분이랄까? 나무줄기와 커다란 양치식물 사이로 성긴 안개가 노르웨이인들이 '엘프의 춤'라고 부르는 박무처럼 천천히 움직인다. 머리를 뒤로 젖히면 하늘 위로 100미터쯤 솟은 녹색 수풀이 눈앞을 가린다.

또한 숲속에 있으면 주위의 느린 생명들과 하나가 된 듯 광대하고 영적인 기분이 든다. 어슐러 르 귄의 소설 중에 『세상을 가리키는 말은 숲』이라는 작품이 있는데, 바로 이 제목 같은 느낌이다. 천천히 호흡을 내뱉으며 내 날숨이 저 하늘 밑 초록 수풀의 침엽수 바늘잎에 포획되길 기원해본다. '나의' 탄소 원자는 나무껍질과 줄기와 잎과 뿌리가 되어 숲의 일부가 될 것이다. 세상에서 가장 아름다운 탄소 저장고의 일부.

세쿼이아는 여러 사람이 손을 잡고 팔을 뻗어 빙 둘러야 할 정도로 크지만, 탄소가 가장 많이 발견되는 곳은 나무줄기가 아니다. 절반 이상, 실제로 북반구의 숲에서는 80퍼센트 이상이 지하에 있다. 토양은 거대한 탄소 저장고로 그 위에 무엇이 자라든 상관없다. 그러나 토양조차 바다에 비하면 새 발의 피다. 광활한 바다에는 토양, 식물, 대기에 저장된 양을 모두 합친 것보다 더 많은 탄소가 저장되었다. 지금도 탄소는 시시각각 광합성, 연소, 분해, 물 흡수, 그밖에도 영원히 끝나지 않는 탄소 순환의 여러 단계를 거친다. 그러나 자연은 방대한 양의 탄소(사실상 지구 전체 탄소의 99.9퍼센트 이상)를 접근하기 어려운 저장고에 맡겨놓았다. 퇴적물, 지구의 지각, 그리고 핵에 묻어놓은 것이다. 그런데 인간이 석유나 천연가스처럼 지하에 묻혀 있어야 할 화석 연료를 추출해 탄소를 지상으로 방출하는 바람에 기존의 탄소 순환 과정이 엉망이 되었다. 그 결과는 널리 알려져야 한다. 육지와 바다가 탄소를 많이 흡수한다고는 하지만, 대기 중 이산화탄소 수치는 계속해서 올라간다. 산업혁명 이전에는 대기의 이산화탄소 농도가 0.0277퍼센트였다. 2017년에는 0.0450퍼센트로 상승했다. 이산화탄소 농도가 높아지면 온실효과도 함께 커지면서 지구가 더워지고 많은 문제를 동반한다.

이산화탄소 증가가 바다에 미치는 영향은 비교적 덜 알려졌다. 공기 중에 이산화탄소량이 많아지면 바다에 흡수되는 양도 더 많아진다. 그러면 산도가 낮아지면서 바다가 산성이 된다. 해수면 근처의 산도는 전 세계적으로 1750년 전보다 평균 26퍼센트 증가했다. 바닷속에는 작은 플랑크톤에서 거대한 산호초 군락까지, 몸이 칼슘으로 이루어진 종들이 아주 많이 산다. 칼슘은 달걀 껍질을 구성하는 물질이다. 바다가 산성이 되면 화학적 특성이 달라지면서 칼슘을 주재료로 사용하는 종들이 껍데기를 만들지 못해 애를 먹는다. 아직 바다의 산성화가 가져오는 폐해는 완전히 밝혀지지 않았지만, 차가운 물이 따뜻한 물보다 이산화탄소를 더 많이 흡수하기 때문에 북쪽의 노르웨이 바다가 유독 취약한 건 사실이다.

악마는 디테일에 있다고 했다. 이 말은 탄소 순환에도 적용할 수 있다. 지구가 탄생한 이후로 전체 탄소량은 변하지 않았고 사실상 대부분이 지구의 중심에 보관된 상태지만, 남아 있는 기가 톤의 행방이 문제를 일으키기 때문이다. 우리가 화석 연료를 통해 대기 중으로 내보내는 잉여의 탄소야말로 어떤 결과를 가져올지 알 수 없는 악마의 디테일이다.

건강한 자연이 질병을 다스린다

자연은 서로 다른 종 간의 복잡한 상호작용을 수반하는 질병 관리 시스템을 내장했다. 자연의 기능 저하를 막고 온전한 생태계 및 종 다양성을 확보해야 우리 자신과 가축 및 야생동물의 건강을 지킬 수 있다는 연구 결과가 늘고 있다. 이것만 봐도 이 시스템과 친숙해지는 게 좋을 것 같다.

삶은 기생충과의 전쟁으로 귀결된다고 누군가는 주장한다. 기생충은 이루 셀 수 없이 많고 감염성 질병은 지구에서 생명이 죽음을 맞이하는 원인의 4분의 1을 차지하기 때문이다. 감염성 질병은 세균, 곰팡이, 바이러스, 기타 다양한 기생충에 의해 야기되는데, 그중 60퍼센트가 코로나19, 광견병, 조류 인플루엔자, 에볼라 바이러스, 지카 바이러스, 진드기에 의한 라임병, 살모넬라 같은 세균성 대장균 감염 등 동물과 인간 사이에서 전파된다.

최근 수십 년 동안 전염성이 더 강해진 감염병이 나타났는데, 그중 동물 매개 질병이 새로운 병증의 75퍼센트를 차지한다. 이는 우연이라고만은 볼 수 없는 문제다. 지구 생태계와 기후에 미치는 인간의 광범위한 영향력은 질병을 규제하는 자연의 지원 시스템을 교란하고 전염 가능성을 높인다.

한없이 증가하는 인구가 농업, 건설, 서식지 단편화를 통해 끝도 없이 자연을 파괴하면서 야생동물과의 거리가 가까워지는 결과를 낳았다. 그러면서 질병을 옮기는 동물과 인간, 야생동물과 가축 사이에서 만남과 접촉의 기회가 늘어났다. 1940년 이후로 새롭게 등장한 동물 매개 전염병의 절반 이상이 농업 및 식품 산업과 연결되었다.

앞에서 언급한 것처럼 식량이나 약용으로 사용하기 위해 야생동물을 합법, 또는 불법으로 거래하는 활동 역시 전염 위험을 높인다. 재래시장에서 죽은 동물과 산 동물, 가축과 야생동물을 열악한 환경 속에 함께 가두는 행위는 인간의 건강과 동물의 복지 및 윤리에 대한 도전이다. 최근 몇 년 동안 세계가 보아온 심각한 동물 매개 전염병 다수가 야생동물을 사냥하고 거래하는 과정에서 유발되었다. 코로나19뿐 아니라 사스, HIV, 에볼라, 다양한 조류 인플루엔자가 그렇다.

인간의 자연 침입도 질병의 위험을 줄이고 통제하는 자연의 내장 시스템을 약화시킨다. 그 형태는 다양하다. 예컨대 유난히 세균이나 바이러스의 숙주로 적합한 생물이 있다. 인간에 의해 환경의 전반적인 종 다양성이 줄어들 때, 감염을 옮기는 능력이 뛰어난 이 종들은 오히려 수가 늘어난다는 데 문제가 있다. 작은 설치류를 생각해보자. 이놈들은 어디서나 잘 사는 잡식성 동물로 '내달리기' 전략을 취한다. 짧은 생을 사는 동안 면역계를 개선하느라 애쓰는 대신 무조건 새끼를 많이 낳는 데 에너지를 투자하는 것이다.

대형 동물들의 전략은 아주 다르다. 이 동물들은 오래 살면서 견고한 면역계에 더 많이 투자하므로 질병을 옮기는 생물한테는 나쁜 숙주다. 온전한 생태계에서 이 생물은 전염 발생률을 낮추기 때문에 질병 전파를 막는 완충 역할을 한다. 그러나 대형 포식자가 살아남으려면 넓은 땅이 필요하고 특히 인간과 가까운 곳에서는 잘 살지 못한다. 인간이 환경을 바꿀 때 이 동물들이 제일 먼저 자취를 감추는 이유가 여기에 있다. 그리고 이들이 사라지면서 전염률 감소 효과도 함께 사라진다. 이런 식으로 인간의 영향력은 자연에서 전염과 전염 가능성이 모두 증가하는 환경을 만든다.

    자연이 질병을 다스리는 능력은 인간의 건강뿐 아니라 식물과 가축의 건강과도 연관이 있다. 스페인 연구팀은 늑대의 존재가 가축 집단에서 결핵과 같은 치명적인 동물 질병을 억제한다고 밝혔다. 이 연구에 따르면 멧돼지는 질병의 야생 저장고나 다름없는데, 멧돼지를 잡아먹는 늑대가 있을 때는 멧돼지 수가 유지되는 상태에서 전염성이 감소한다. 늑대가 없는 멧돼지 개체군에서는 많은 개체가 결핵을 앓고 그로 인해 죽지만, 늑대에 의해 개체 수가 조절되는 경우 멧돼지 무리의 크기는 비슷하면서도 병을 옮기는 개체 수가 줄어든다.

    전염 빈도가 낮아진다는 건 가축이 감염될 가능성도 낮아진다는 뜻이다. 이 논문의 공동저자 중 한 사람은 비록 늑대가 가축을 죽이지만 그로 인한 손해는 가축의 결핵과 싸우기 위해 매년 지불하는 비용의 4분의 1밖에 안 된다고 지적했다.

    질병 통제는 복잡해서 아직 답을 알지 못하는 문제가 많다. 하지만 생물다양성과학기구는 온전한 생태계와 타고난 생물 다양성을 보전하는 것이 감염성 질병의 범위를 축소한다고 강조한다. 여기에 한 가지 중요한 사실이 있다. 공중 보건과 동물 및 환경의 건강은 밀접하게 얽혀 있다는 점이다. 자연 시스템은 동물에 투약되는 항생제, 현대 농업, 사라지는 종, 기후 변화를 통해 필연적으로 인간과 가축의 건강을 연결한다. 따라서 원헬스One Health* 개념이 강조하는 것처럼 전체를 하나로 연결해서 생각해야 한다. 그러지 않으면 우리 아이들은

*   사람, 동물, 생태계가 하나로
     이어졌다는 인식하에 모두에게
     최적의 건강을 제공하자는 접근.

건강과 수명이 크게 타격을 입는 첫 번째 세대가 될 것이다.

그럼 자연이 어떤 식으로 질병을 통제하는지 예를 들어보자. 과거 나그네비둘기는 한 번 출몰할 때마다 몇 시간씩 하늘을 어둡게 뒤덮을 정도로 규모가 컸다. 북아메리카에 살면서 도토리 등 씨앗을 먹고 군락을 이루어 나무에 둥지를 틀었는데 당시에는 세상에서 가장 흔한 새였다. 개체 수가 수십억 마리에 달하는 종이라면 당연히 생태계에 미치는 영향도 남다를 것이다. 그런데 상황이 급격하게 변했다. 인간이 타격을 주기 전 나그네비둘기 개체군은 북아메리카 새들의 25~40퍼센트를 차지했다고 추정되었지만, 대규모로 존재하던 이 새들이 1800년대 후반 수십 년 만에 사라졌다. 눈 한 번 떴다 감을 시간에 멸종한 것이다. 새들이 둥지를 트는 숲을 베고 새를 무자비하게 잡아들인 게 원인이었다. 전보와 철도의 발명으로 열성적인 사냥꾼들은 나그네비둘기 군락이 터를 잡은 지역을 쉽게 찾아냈고 그렇게 포획한 새들을 시장에 내다 팔았다. 1878년 미시간의 한 번식터에서 3개월 동안 50만 마리의 죽은 비둘기와 8만 마리의 살아 있는 비둘기가 기차로 운송되었다. 그리고 비슷한 수가 배로도 보내졌다.

이것만도 안타까운 일이지만 나그네비둘기의 멸종은 보이지 않는 역효과를 낳았다. 먹이를 찾아 숲 바닥을 헤매는 비둘기 수십억 마리가 사라진 후, 종자 뷔페에서 사슴쥐가 가져가는 몫이 늘어난 것이다. 물론 1800년부터 현재까지 사슴쥐 개체 수 데이터는 없지만 개체군이 점차 성장했을 가능성이 크다. 사슴쥐의 털에는 라임병 등을 인간에게 옮기는 진드기가 우글거린다. 그래서 나그네비둘기의 멸종이 미국에서 라임병 발병을 증가시킨 원인 중 하나라는 주장이 있다.

그러나 이것도 어디까지나 가설에 불과하다. 나그네비둘기가 영원히 자취를 감춘 지금 가설을 입증할 방법이 없기 때문이다. 그러나 견과, 사슴쥐, 감염 사이의 연관성을 지지하는 현대의 연구 결과는 있다. 특정 해에 도토리가 많이 열리면 이듬해에 사슴쥐가 늘어나고 감염을 일으키는 진드기 수도 덩달아 증가한다. 여우 등 포식자가 쥐 개체군을 제어하면 진드기도 함께 줄어든다는 연구 결과도 있다. 그러나 이는 다수의 요소와 요인이 관여하는 복잡한 상호작용이다. 숲의 단편화도 사슴쥐, 그리고 주머니쥐의 개체 수에 영향을 준다.

미국인들은 대부분 주머니쥐를 별로 좋아하지 않는다. 주머니쥐가 북아메리카에서 유일한 유대류라는 사실은 개의치 않는 것 같다. 주머니쥐는 이빨이 50개 이상이고 포유류 중에서 몸무게당 뇌의 비율이 가장 낮다. 옛날 사람들은 주머니쥐 수컷이 암컷의 코로 짝짓기하고 암컷은 재채기를 통해 배의 주머니에 새끼를 낳는다고 믿었다. 그도 그럴 것이 주머니쥐 수컷의 음경은 끝이 둘로 갈라져 암컷의 콧구멍에 딱 들어맞게 생겼기 때문이다. 그러나 주머니쥐 암컷 역시 질이 둘로 갈라졌고 자궁도 두 개다. 이런 재밌는 사실에도 불구하고 사람들은 주머니쥐가 못생긴 데다 쥐처럼 해로운 짐승이라고만 생각한다.

만약 이 작은 동물한테 주변의 진드기를 모조리 빨아들이는 능력이 있다는 사실이 알려지면 평판이 좀 나아질까? 주머니쥐는 날 때부터 장착된 50개의 날카로운 이빨을 극도로 잘 활용하는 것으로 드러났다. 그리고 진드기의 전형적인 숙주 6종 중에서도 무임승차자를 골라 잡아먹는 실력이 단연 으뜸이다. 연구팀이 주머니쥐의 몸에 뿌려둔 진드기 96퍼센트가 인간한테 옮기기 전에 잡아먹혔다.

나그네비둘기가 멸종되지 않았다면 세상이 어떻게 달라졌을지, 예컨대 라임병이 덜 확산되었을지는 알 수 없다. 종을 몰살하면 그로 인한 결과와 그 종과 함께 사라진 재화와 서비스가 무엇인지 영영 알지 못한다는 점을 강조하고 싶다. 한 번 사라진 건 다시 돌아오지 않는다.

배가 많이 고픈 애벌레

과학자들은 독특한 일들을 많이 한다. 그리고 창의성은 훌륭한 연구의 중요한 요소다. 그러나 우리 연구팀 박사과정 학생 로스 웨더비Ross Wetherbee가 2019년 여름에 새롭게 실험하던 참나무를 봤다면 좀 과하다고 생각할지도 모르겠다.

로스의 박사학위 연구 대상은 구멍 난 늙은 참나무에 사는 곤충이다. 그는 이 생물이 어떤 재화와 서비스를 제공해 환경에 기여하는지 연구한다. 어떤 놈들은 죽은 나뭇가지 또는 참나무 구멍 안에서 유충으로 살면서 죽은 나무를 흙으로 되돌리는 일을 한다. 성충이 되면 일부는 꽃과 꽃 사이를 날아다니며 수분을 돕는다. 숲속의 법 집행관 노릇을 하는 거주자들도 있다. 그런 곤충은 다른 곤충과 벌레를 잡아먹는 포식자로서 특정 종의 수가 너무 불어나는 것을 막는다. 자연은 먹고 먹히는 자들의 역동적인 관계에서 균형을 잘 조절하면서 현명하게 조직된다. 이는 우리가 영원히 달려야 하는 경주다.

이 연관성을 잘 이해할 필요가 있다. 해충 및 잡초와 관련한 골치 아픈 일들은 먹잇감—또는 식물에 기반한 식량—과 천적의 관계가 틀어졌을 때 일어나기 때문이다. 넓은 땅에 한 가지 식물만 재배하면 그 식물을 좋아하는 유충에게는 잔치판이 벌어지지만 반대로 그 유충을 통제하는 포식성 곤충의 서식처는 제거하는 꼴이 된다.

이것이 우리가 연구하는 주제다. 오래된 참나무가 이 굶주린 포식성 곤충들의 기원이자 집합 장소라는 게 우리의 가설이다. 이 가설을 시험하기 위해 로스는 인공 애벌레를 만들었다. 유치원에서 아이들이 흔히 가지고 노는 점토를 사용해 길이 3센티미터에 연필 두께의 초록-갈색-검은색 가짜 애벌레 720마리를 만들었다. 그는 모스와 호르텐을 왕복하는 여객선 카페에서 주로 작업했는데 지나가던 승객들이 재밌다는 듯이 쳐다보았다고 했다.

애벌레를 나뭇가지에 묶을 수 있도록 바깥으로 튀어나온 철심의 일부는 남겨 두었다. 이렇게 제작한 인공 애벌레를 절반은 나이 든 참나무에, 나머지 반은 주변의 작고 어린 참나무에 두어 숲이 최대한 비슷하게 보이도록 했다.

다양한 충식주의자들이 이 가짜 애벌레를 진짜 애벌레 카나페라고 믿고 공격했지만 나뭇가지에 단단히 묶어놓은 덕분에 물고 가지는 못했다. 며칠 뒤 수거하여 물린 자국을 확인하는데, 새, 포유류, 곤충 등 포식자별로 특색이 있기 때문에 식별이 가능하다. 물린 자국을 남긴 애벌레 수로 각 포식자의 수를 추정한다.

가짜 애벌레는 예전에도 사용한 적이 있다. 2017년에 오스트레일리아에서 그린란드까지 지구적 패턴을 보기 위해 3,000마리에 달하는 점토 애벌레를 설치한 대규모 국제 연구가 있었다. 연구 결과 체계적인 패턴이 발견되었는데, 적도의 애벌레는 북극의 애벌레보다 잡아먹힐 가능성이 8배나 높았다. 이런 격차의 원인은 새나 포유류가 아니라 포식성 곤충, 특히 개미였다. 곤충이 얼마나 중요한 포식자인지 단적으로 보여주는 결과다.

로스의 연구는 아직 완결되지 않았지만 중간 결과에 따르면 늙은 참나무에 있는 애벌레가 더 많이 물렸다. 또한 곤충 군집을 비교했을 때, 나이 든 나무일수록 포식성 곤충의 수가 더 많을 뿐 아니라 특성도 더 다양했다. 이는 '법 집행관'으로서 포식성 곤충을 보다 효율적이고 강력하게 만든다.

이 예시의 교훈은 전반적인 핵심을 찌른다. 자연은 결국 먹고 먹히는 관계로 귀결되고, 그 안에서 지속적으로 진화하는 역동적인 균형을 유지한다. 자연의 기본적인 지원 서비스는 어느 한 종의 우점을 방지하는 메커니즘을 포함한다. 메가 해충이나 슈퍼 잡초가 세계를 정복하지 못하게 알아서 막아준다는 뜻이다. 이는 특히 농업 분야에서 폭넓게 활용해야 하는 지식이다. 농업 경관을 조성할 때 자연과 충분히 협업한다면, 자연에 내장된 시스템을 사용해 독성 물질과 살충제를 덜 사용하고도 해충과 잡초를 처리하는 윈윈 전략을 실천할 수 있다. 그러면 적어도 그만큼의 식량을 보다 지속 가능한 방법으로 재배할 수 있을 것이다.

사람들 대부분은 인지하지 못하지만 이런 과학을 지지하는 결과는 압도적이고 사례도 풍부하다. 예를 들어 영국 전역 250개 이상의 경작지에서 딱정벌레를 풀어놨더니 잡초 씨앗이 밭에 발을 들이지 못했고 딱정벌레가 많을수록 잡초가 줄어들었다. 스위스에서는 농부들이 밀밭 가장자리를 따라 꽃씨를 뿌린 이후 밀의 주요 해충인 오울레마 멜라노푸스*Oulema melanopus*로 인한 피해가 60퍼센트 감소했다. 자연에게 내어준 작은 땅이 이 해충의 천적이 살아갈 삶의 터전이 되었기 때문이다. 프랑스에서 과학자들이 1,000군데에 달하는 다양한 농장을 비교했더니 94퍼센트가 독성 물질을 훨씬 덜 사용하고도 비슷한 생산량을 유지했고, 심지어 5분의 2는 생산량이 증가했다. 열대지방에서는 커피나무와 카카오나무 위에 큰 나무를 심었더니 장기적인 수익률 증가 등 수많은 이점을 가져왔을 뿐만 아니라 잡초와 해충이 자연스럽게 통제되었다. 영국, 프랑스, 독일, 그리고 스페인에서 진행된 연구에 따르면 농업 경관의 다양성을 높이고 경작 단위를 소규모로 줄였을 때 수분에 기여하는 곤충 수와 종자 생산이 증가했다. 그러므로 되도록 집약적인 대규모 농경지를 제한해야 한다.

이런 예는 얼마든지 더 댈 수 있다. 잡초와 해충을 제거하기 위해 사용하는 화학 물질이 생태계의 건강을 해치고 바람직하지 못한 효과를 낳아 자연과 동물, 인간(유엔에 따르면 특히 개발도상국에서 이로 인해 매년 수십만 명이 사망한다)에게 모두 독이 된다는 사실을 고려하면 결론은 하나다.

이제 때가 되었다. 자연의 서비스를 이용해 훌륭한 작물을 확보해야 한다. 농업 경관을 다양한 형태로 복원함으로써 실행할 수 있는 일이다. 꽃 피는 초원과 로스가 연구하는 구멍 뚫린 참나무처럼 오래된 나무 같은 자연 식생을 되살리면 특정 종이 압도하는 것을 막고 농약 사용을 줄일 수 있으며 자연 고유의 시스템이 강화될 것이다.

8

자연의 기록보관소

도서관이 없다면 우리에게 남은 것은 무엇인가?

과거도 미래도 없는데.

- 레이 브래드버리Ray Bradbury

오슬로 전철을 타고 송스완 종점에서 내려 동쪽을 보면 소나
무밭 한복판에 4층짜리 하얀 건물 한 채가 보인다. 그곳은 국
립 기록보관소로 핵폭탄이 떨어져도 안전한 금고 속에 화가
에드바르 뭉크의 유언장에서부터 보르마강을 따라 건설된 주
요 도로를 손으로 색칠한 1769년 지도(벌레혹으로 만든 잉크
로 주석을 썼다)까지 노르웨이의 모든 역사가 보관되어 있다.
이 건물에 있는 수많은 책, 문서, 마이크로필름들과 600만 장
이상의 사진 자료, 약 10만 장의 지도 및 도안이 모두 우리에

게 일어났던 변화와 그 원인을 나타내는 그림을 제공한다.

형태가 사뭇 다르지만 자연에도 기록보관소가 있다. 수렁 깊은 곳에 파묻힌 꽃가루는 빙하기 이후 노르웨이에서 나무와 풀이 언제 어떻게 자리 잡았는지 말해준다. 그린란드 빙하에서 추출한 얼음 기둥인 빙하 코어는 지난 수만 년에 걸친 기후 변화 양상을 보여준다. 과학자들은 고사목과 오래된 건물의 목재에 새겨진 나이테를 일일이 비교해 과거의 생장 조건, 벌목, 산불 등의 사건을 알려주는 나이테 기록보관소를 제작한다. 산호, 홍합껍데기, 물고기의 이석 역시 서로 다른 지역에서의 생장 요인을 읽을 수 있는 재료들이다. 이 장에는 이런 자연의 기록보관소에서 무엇을 읽을 수 있는지 살펴보겠다.

꽃가루가 하는 말

한 알의 모래에서 세상을 보고
한 송이 들꽃에서 천국을 본다
손바닥에 무한을 쥐고
찰나에서 영원을 보라
— 윌리엄 블레이크, '순수의 전조'

꽃가루는 단순한 식물의 생식세포나 알레르기 유발 물질 그 이상이다. 꽃가루는 과거 기후와 식생, 석유가 묻힌 장소, 석기시대 사람들의 식단 등을 알려주는 정보의 원천이다. 게다가 꽃가루는 위조된 그림과 가짜 약물을 밝히고 꿀이 어디에서 왔는지 알아내고 범죄를 해결하는 데 도움이 된다.

수십만 종의 식물이 꽃가루를 생산한다. 미세한 알갱이를 확대해보면 덩어리, 구체, 타원형 등 형태가 다양하고 표면도 뾰족한 가시, 구멍, 사마귀, 주름, 조각 등 모양이 제각각이라 꼭 애들이 먹는 시리얼 같다. 커피원두, 레몬, 골프공처럼 생긴 것들도 있고, 오늘날 악명 높은 코로나바이러스를 떠올리게 하는 꽃가루도 있다. 호박벌이나 꿀벌이 뒷다리에 잔뜩 묻히고 날아가는 꽃가루는 보통 노란색이지만, 꽃가루라고 해서 다 노란색은 아니다. 예를 들어 봄철 정원의 무릇에서 수집한 꽃가루는 파란색이다. 칼루나와 산딸기 꽃가루는 회색을 띤다.

문서보관소의 관점에서 꽃가루가 제공하는 정보는 풍부하다. 식물마다 고유한 꽃가루를 만들기 때문에 전문가들은 꽃가루를 보고 과나 속, 심지어 종을 구분하는 것까지 가능하다. 꽃가루 표면은 자연에서 가장 저항력이 강한 물질로 이루어졌기 때문에 여간해서 곰팡이나 세균이 뚫지 못한다. 그 결과 꽃가루는 수렁이나 바다, 호수 밑바닥은 물론이고 화석에도 보존이 잘 된다. 마지막으로 식물은 보통 짧은 기간에 대량의 꽃가루를 생산해서 방출한다. 꽃가루 소나기라는 말이 꽤히 있는 게 아니다. 꽃가루는 바람과 물에 의해 퍼지거나 동물의 가죽이나 발바닥에 들러붙어 돌아다닌다. 꽃가루는 어디에나 있다고 보아도 좋다.

곰팡이 포자, 곤충 껍질, 매연 입자처럼 작고 내구성 있는 입자들과 함께 꽃가루가 과거의 세상을 그려내고 오늘날 보전 활동의 잣대로 사용되는 이유가 여기에 있다. 이를 전문적으로 연구하는 학문을 포자학Palynology이라고 하는데, 그리스어로 '먼지를 연구하는 학문'이라는 뜻이다.

한 가지 예를 들어보자. 인간이 침입하기 전, 유럽의 원시림은 어떤 모습이었을까? 오늘날 폴란드와 벨라루스의 비아워비에자 보호림처럼 식생이 빼곡하고 숲의 상층부는 닫혀서 어두웠을까? 아니면 영국의 사슴 공원이나 스웨덴 린셰핑 근처의 참나무가 지배하는 풍경처럼 대형 초식동물 때문에 작은 나무들이 제대로 성장하지 못한 열린 산림지대였을까?

이를 알아보기 위해 과학자들은 수렁이나 호수 밑바닥에 천공기로 구멍을 뚫고 코어 샘플을 채취했다. 코어의 각 층은 책의 한 페이지에 해당하고 꽃가루 알갱이와 그 밖의 '흩어진 먼지 입자들'은 글자다. 인간이 대형 초식동물을 깡그리 말살하기 전 숲은 과거 간빙기 시절보다 개방된 상태였지만, 그 이후로 숲의 상층부가 닫히고 숲은 조밀해졌다. 그러나 꽃가루 역사책은 읽기가 힘들고 다양한 해석의 여지가 있다. 유럽 원시림에 대한 논쟁은 아직 확실한 결론에 도달하지 못했다.

꽃가루와 기타 유기 '먼지 입자'들은 특정 사물과 사람이 있던 장소를 알려주기 때문에 위조와 절도에서 폭행과 살인에 이르기까지 범죄를 밝히는 데에도 사용된다.

2008년 뉴질랜드에서 한 성매매 여성이 잔인하게 살해된 사건이 있었다. 광범위한 조사와 수백 건의 취조에도 불구하고 몇 달 동안 경찰은 단서조차 찾지 못했다. 당시 사체가 발견된 지점에서 멀지 않은 곳에 본거지를 둔 악명 높은 조직 폭력배가 용의선상에 올랐지만 범죄와 연결 지을 증거가 없었다. 그러던 차에 꽃가루 전문가가 투입되었다. 그는 피해자의 코에서 채취한 잔디 꽃가루의 표면에서 (아마도 제초제에 의해 발생했을) 돌연변이의 결과로밖에 나타날 수 없는 독특한 구멍을 추가로 발견했다. 마침 용의자의 본거지 바깥에 심어놓은 새귀리에 제초제를 뿌린 적이 있었다. 살해 현장으로 추정되는 다른 장소에서 수집한 꽃가루와 비교해보니 유일하게 이 풀밭에서 온 꽃가루만이 피해자의 코에서 나온 것과 완벽하게 일치했다. 경찰이 추궁한 결과 조직원 한 사람이 자백했고, 그는 살인죄로 종신형을 선고받았다.

화분학을 활용한 덜 섬뜩한 예는 선박으로 운송된 스카치위스키 화물 이야기다. 화물이 도착해서 열어보니 스카치위스키가 아닌 회색의 돌덩어리, 정확히 말하면 석회암이 들어 있었다. 분명 누군가 고가의 술과 바꿔치기한 것이었다. 대체 어디에서 벌어진 일일까? 석회암은 화물을 보낸 곳과 도착한 곳 양쪽에서 모두 흔했다. 하지만 암석에 박혀 있던 미세 화석을 분석했더니 화물을 실은 항구 근처의 기반암과 일치한다는 결과가 나왔고, 경찰은 그곳에서부터 저 목마른 도둑을 찾기 시작했다.

살아 있던 시절의 고리

> '정말로 많은 삶을,'
> '그 비밀스러운 삶을 나이테가 에워싸고 있었어!
> 바라보고 있는 눈의 동공 같다고나 할까.'
>
> – 한스 뵈를리Hans Børli, '어느 나무꾼의 일기'

노르웨이 작가인 한스 뵈를리는 100년에 걸친 인고의 성장이 '강철 체인톱의 1분짜리 으르렁거림'에 굴복할 수밖에 없는 상황을 우울하게 썼다. 그루터기에 남아 있는 동그라미 속 동그라미, 그 비밀스러운 삶의 흔적을 바라보면서. 현대적 기법을 사용해 우리는 나무가 살아 있던 시절에 새겨놓은 삶의 고리들을 보관소 문서의 단어처럼 읽을 수 있다. 살아 있는 나무와 죽은 나무의 나이테는 로마의 몰락에 기여한 기후 배경이 무엇인지, 도굴자들이 오세베르그호* 가 묻힌 언덕을 배회하던 때가 언제인지 말해준다. 이런 나이테 분석이 세계적으로 유명한 콘트라베이스의 기원을 밝혀냈고, 뢰스트 교회 제단

---

*   1,000여 년 전에 만들어진 바이킹 선박.
바이킹의 왕족들은 배를 관으로 삼아
함께 매장하는 풍습이 있었다.

이 1500년대에 베어진 발틱 참나무에서 왔다고 말해주었다.

나무줄기는 죽은 세포로 구성되었다. 이 세포는 나무를 수직으로 세우고 뿌리와 잎 사이에서 물을 운반한다. 줄기의 살아 있는 부분은 목질부와 수피 사이에 있다. 매년 생장철이면 이 생장층에 새로운 세포가 형성된다. 바깥쪽으로 새로 형성되는 세포는 광합성으로 생산한 수액을 운반한다. 그러다 세포들은 마침내 붕괴한다. 이런 과정을 거치기 때문에 수피 안쪽의 세포층은 전체 줄기에 비해 얇다. 나무의 둘레를 늘리는 건 안쪽을 향해 자라는 목질세포다.

계절 변화가 뚜렷한 온대 지방 나무는 대부분 봄과 초여름에 잘 자라고 늦여름에서 가을까지는 성장이 둔해진다. 이런 방식으로 나이테가 형성된다. 여름철의 연하고 넓은 고리와 가을 목재의 더 좁고 진한 고리가 번갈아 이어진다. 이 고리들은 침엽수나 참나무 같은 특정 활엽수에서 가장 쉽게 구분된다.

나이테 폭은 생장철 안에서도 변화할 뿐 아니라 다양한 기후 변이에 영향을 받는다. 건조하거나 춥고 짧은 여름에는 생장이 둔해져 나이테가 좁다. 그러므로 같은 시기에 같은 지역에서 자라는 나무들은 나이테가 좁거나 넓게 번갈아 나타나는 패턴이 비슷하다. 우리는 이 특징을 이용해 특정 나무가 언제 어디에서 자랐는지 알아낼 수 있다. 나이테를 연구하는 학문을 연륜연대학이라고 부르는데 직역하면 '나무의 시간을

210
211

연구하는 학문'이라는 뜻이다.

송스완의 국립기록보관소처럼, 살았든 죽었든 모든 나무는 시간을 써내려간 언어에 접근하는 자들에게 들려줄 이야기를 품고 있다. 오세베르그호의 도굴을 예로 들어보자. 이 무덤 깊숙한 곳에 권력이 막강했던 한 여인이 누워 있다. 서기 834년에 바이킹 선박과 특권층의 무덤에 바치는 선물로 말 15마리, 개 4마리, 도끼 2개, 그리고 여인의 여종이었을지도 모르는 사람이 함께 묻혔다.

여인이 매장된 직후부터 중세시대까지 도굴꾼이 기승을 부렸다. 도굴꾼들이 무덤을 파내어 만든 통로에서 삽 6개와 들것 4개가 발견되었다. 이 도구는 참나무로 만들었기 때문에 나이테를 분석해 무덤에 침입한 시기를 알 수 있었다. 유일한 문제라면 통상 나이테를 분석할 때는 나무를 잘라 단면을 봐야 한다는 것이다. 그런 식으로 유물을 손상하는 건 당연히 말도 안 된다. 그래서 분석가들은 병원에서 3D 이미지를 촬영할 때 쓰는 장비와 비슷한 CT 스캐너를 동원했다. 이런 특별한 스캐너는 보통 암석 시료를 분석할 때 사용한다. 나이테 분석 결과로 정확한 침입 연도까지 밝히진 못했지만, 적어도 들것이 서기 953년에 숲에서 생장하던 참나무에서 왔다는 사실은 알 수 있었다. 바이킹은 참나무를 벌목하면 바로 그 목재로 작업하는 습성이 있었으므로—그러지 않으면 시간이 갈수록 목질이 단단해져서 도구를 제작하기가 어렵다—침입 시기는

953년 이후에서 970년 사이로 좁혀졌다.

나이테 해석은 여러 분야에서 응용할 수 있다. 세르게이 쿠세비츠키Sergey Koussevitzky는 세계적으로 유명한 러시아 태생 음악가이자 지휘자로 수년간 보스턴 교향악단을 이끌었다. 쿠세비츠키는 세르게이 프로코피예프의 음악 동화 '피터와 늑대'를 처음으로 번역한 사람이다(엘레노어 루스벨트, 소피아 로렌, 데이비드 보위 등 여러 유명 인사가 이 작품의 내레이션을 맡았다).

쿠세비츠키가 가장 좋아했던 악기 중 하나가 콘트라베이스였는데, 그중에 경이적인 이탈리아 현악기 장인 가문의 안토니오 아마티와 지롤라모 아마티 형제가 만들었다고 알려진 작품이 있다. 2004년 이 콘트라베이스의 나이테를 조사했더니 꼭대기 부분을 만든 가문비나무의 수령이 많아야 317년으로 최소한 1761년에는 오스트리아 알프스산맥의 수목한계선 가까이에서 자라고 있었음이 밝혀졌다. 두 형제는 1630년 전에 세상을 떠났으므로 이들이 이 유명한 악기를 만들었을 가능성은 없다. 이 러시아인의 아주 특별한 콘트라베이스는 18세기 후반 프랑스 악기 제작자들의 손에서 탄생한 것 같다.

고고학 유물, 건물, 악기, 예술품들의 연대를 밝히는 일도 흥미진진하지만, 나이테 분석은 역사 자료가 부족한 지역에서 인간과 자연의 관계를 규명하는 가치 있는 정보를 제공한다. 산불, 눈사태, 산사태와 같은 극적인 사건들도 나무에 흔적을 남기기 때문이다.

　오슬로에서 북동쪽으로 약 80킬로미터 떨어진 노르웨이의 가장 큰 산림보호구역이자 내가 가장 좋아하는 하이킹 장소인 트릴레마카에서 노르웨이 생물경제연구소NIBIO 동료들이 이 지역 산불 역사를 연구하기 위해 화흔이 있는 소나무를 400그루 가까이 조사했다. 화흔은 화염이 숲을 지날 때 바람이 부는 쪽에서 줄기 밑동에 생긴 상처를 말한다. 이 상처는 나무가 계속 자라더라도 나이테에 상흔으로 남는다. 소나무는 기후와 인간을 모두 말해준다. 1600년대 초까지 산불은 크고 강렬했고 주로 날씨에 의해, 즉 뜨겁고 건조한 여름에 번개가 내리치면서 시작되었다. 그러나 그 후 200년 동안은 인구 증가와 화전식 경작 결과로 산불 빈도가 잦아진 대신 규모는 작아졌다. 목재의 가치가 높아지면서 화전식 농업이 중단된 1800년대 이후로 최근에 이르기까지 산불 빈도가 다시 떨어져 거의 사라졌다고 말할 수 있는 수준이 되었다.

　이렇게 우리는 나무의 고유한 나이테 언어를 읽어 어떻게 현재의 숲 구조가 형성되었는지는 물론이고, 인간이 사슬톱과 벌목 장비를 들고 나타나기 전에 숲이 어떤 과정을 거쳐 만들어졌는지를 더 잘 알 수 있다. 그리고 나이테를 통해 알아낸 역사로부터 배운다. 유럽의 목재 유물 9,000점 이상의 나이테 패턴을 조사하고 문헌 자료와 비교해 과학자들은 지난 2,500년간 강수량과 기온 변동이 산업혁명 이전 사회에서 격

변이 일어난 시기와 어떤 식으로 겹치는지 보여주었다. 예를 들어 로마제국의 황금기와 중세(서기 약 1000~1200년)의 번영기 동안 여름에는 강수량이 충분하고 따뜻했다. 반면 서기 250~600년 사이에 서로마제국이 몰락하고 게르만족이 이동하던 시기는 기후 변동성이 커지던 때였다.

현대 사회는 단기간의 기후 변화에 과거보다 잘 버틸 수 있겠지만, 우리 사회도 심한 동요에는 면역이 되지 않았다. 나이테가 간직한 비밀 언어는 사회가 안정되고 번영하는 데 기후가 중요한 요소였다고 말한다. 아마도 이런 기록보관소에 적혀 있는 이야기들이 인간에 의한 기후 변화를 억제할 동기를 부추길지도 모르겠다.

새똥이 하는 말

캐나다에는 굴뚝이 바닥에서부터 지붕까지 죽 이어지는 5층짜리 벽돌 건물이 있다. 처마 밑에 둥지를 짓는 유럽칼새의 친척인 굴뚝칼새가 이 건물 꼭대기 가까이 집을 짓는다. 칼새는 참 인상적인 새다. 쉬지 않고 날면서 공중에서 먹고 잠자고 짝짓기까지 한다. 그러나 적어도 그 짝짓기의 결과물인 새끼에게는 둥지가 필요하다. 이 특별한 종은 보통 굴뚝에 집을 짓는다. 굴뚝칼새가 짓는 집은 단순하다. 잔가지 몇 개를 모아 해먹 같은 구조물을 만들고 침을 발라 벽에 붙이면 끝이다. 이곳에 알을 낳으면 새끼가 부화해 몇 주 동안 그저 먹고 싸는 게 일이고 응가를 하려면 둥지 가장자리로 등을 돌린 다음 힘을 주면 그만이다.

이 5층짜리 캐나다 굴뚝에서는 1930년경 사용이 정지되고 이후 굴뚝 뚜껑을 닫아버린 1990년대 초까지 그 과정이 계속되었다. 그러다 보니 굴뚝 바닥에서부터 새똥이 수 미터나 겹겹이 쌓여 올라왔다. 이 똥 더미가 숨겨진 보물창고로 둔갑하는 데는 꽤나 창의적인 사고가 필요하다. 칼새 똥 지층은 50년간 새의 식단은 물론이고 먹이에 들어 있는 DDT 등 살충제 함량까지 말해주는 시계열을 제공했다.

과학자들은 굴뚝 아래에 달린 작은 문으로 기어 들어가 고역스러운 작업을 시작했다. 똥이 들어찬 벽을 이틀 동안 220센티미터나 파고 올라간 다음, 똑바로 세울 수 있을 만큼 똥을 옮겨다가 층별로 샘플을 취했다. 다행히 곤충의 내구성 있는 외골격 덕분에 똥 속에 잔해가 남아 있었고, 이를 통해 새의 배 속에서 생을 마감한 곤충들을 하나하나 식별할 수 있었다. 층별 연대는 핵폭발로 생성된 방사성 동위원소 수치로 측정했다.

분석 결과 1940년대 말에 새들의 식단에 놀라운 변화가 있었음이 밝혀졌다. 이는 정확히 캐나다에서 DDT가 사용되기 시작한 시점이다. 배설물에서 딱정벌레가 차지하는 비율이 급속도로 줄어들고 진딧물, 매미 등 노린재목 곤충들의 비중이 늘었다. 실제로 딱정벌레는 영양가가 더 높지만 노린재목보다 DDT에 취약하다는 다른 연구 결과가 있다. 식단이 강제적으로 변하사 그로 인해 한 번의 사냥으로 얻는 열량이 줄어들면서 충분한 영양을 얻기가 힘들어졌다. 전체 곤충의 수가 감소한 것으로 보이지만 다른 국가와 마찬가지로 캐나다에서도 사람들이 굳이 번거롭게 곤충 수를 모니터하지 않았으므로 확실히 알 수는 없다.

확실한 것은 굴뚝칼새의 수가 줄었다는 사실이다. 캐나다에서 처음 굴뚝칼새의 수를 파악하기 시작한 1968년부터 2005년까지 개체 수가 95퍼센트 감소했고, 1970년부터 오늘날까지 67퍼센트가 줄어 적색목록에 취약종으로 이름을 올렸다. 굴뚝의 새똥 기록보관소는 굴뚝칼새가 급격히 감소한 이유를 제시한다. DDT를 금지한 이후에 딱정벌레가 새들의 식단에서 차지하는 비율이 조금 높아졌다고는 해도, 영양가 있는 이 곤충의 수가 1940년대 초반으로는 다시 돌아가지 않았다는 게 그 이유다. 새똥 무더기가 아니었다면 찾기 어려웠을 지식이다. 이것이 자연 보관소의 방식이다. 비록 종이에 적힌 글씨와는 다른 요소로 구성되었지만, 거기에 보관된 자료는 여전히 많은 이야기를 한다. 그 비밀의 문자를 읽을 수만 있다면 분명 새로운 사실들을 더 많이 알게 될 것이다.

9 　자연이라는 아이디어뱅크

나는 자연을 모방하려는 게 아니다.

자연이 사용한 원리를 찾아내려는 거지.

- R. 버크민스터 풀러Buckminster Fuller

아버지가 전투기 조종사여서 나는 노르웨이 곳곳의 공군 기
지 근처에서 자랐다. 몇 톤이나 되는 강철 덩어리가 우렁찬 포
효와 함께 몸뚱이를 들어 올리는 부자연스러운 광경이 어린
나를 사로잡았고 지금까지도 비행기가 하늘에 뜨는 모습을
보면 마냥 신기하다. 나만이 그런 건 아니다. 마침내 하늘에
몸을 띄우는 방법을 알게 되기 전까지 수천 년 동안 인간은 새
들을 동경 어린 눈으로 바라보았다.

　날개 달린 존재들은 여러 문화에서 신화와 종교의 중심이

었다. 하늘을 나는 말 페가수스, 천사, 용은 그 일부일 뿐이다. 우리는 새를 보고 감탄하고 새들이 나는 법을 배우려고 애썼지만, 날기 위해서는 날개를 위아래로 퍼덕거려야 한다는 생각에 몇백 년이나 갇혀 있었다. 15세기 말, 예술가이자 발명가인 레오나르도 다빈치는 '오니숍터ornithopter'를 스케치했다(그리스어로 'ornithos'는 새, 'pteron'은 날개라는 뜻이다). 오니숍터는 근육의 힘으로 움직이는 일종의 기계 새 의상이었고, 다른 사람들도 수 세기 동안 비슷한 장치로 자신의 운을 시험했다.

그러나 아무리 퍼덕여도 소용이 없었다. 인간의 몸은 너무 무겁고 근육은 너무 약했기 때문이다. 그러다 1890년 무렵 독일의 비행 선구자인 오토 릴리엔탈Otto Lilienthal이 신천옹을 오랜 시간 관찰한 끝에 이들이 날갯짓 한 번 하지 않고 몇 시간씩 하늘을 나는 것을 보고 마침내 활공 비행 원리를 깨우치게 되었다. 그리고 1903년 12월 17일, 미국 노스캐롤라이나주의 바람이 강한 모래톱 위에서 인간은 마침내 공식적으로 새와 박쥐와 곤충의 세계로 진입하게 되었다. 라이트 형제의 날틀은 고작 12초 비행에 성공했고, 이동 거리는 현대 점보제트기의 날개 길이보다도 짧았지만 이는 우리가 재기와 지혜를 총동원해 자연의 해법을 모방했을 때 달성할 수 있는 위업을 보여주었다.

최근에도 새들은 열차 설계자, 비행, 데이터 기술자들에게 영감을 주고 있다. 어떤 종은 스마트 소재나 교통체증을 덜어주는 길로 우리를 안내한다. 평상시나 전시에 개, 비둘기, 박쥐 등을 기상천외한 방식으로 이용한 예들도 있다.

세계의 수백만 종들이 아직 탐구되지 않은 영리한 해결책을 보유하고 있다. 자연이 수십억 년을 들여 개발한 것들이다. 자연에서 유기적 과정이 일어나는 일부 기본 원리는 인간의 기술적 해결책보다 뛰어나다. 예를 들어 자연의 유기물질은 일상적인 온도와 압력에서 생성된다. 또한 자연은 최소한의 자원과 에너지를 사용해 어떤 폐기물이라도 재사용하는 진정한 순환 시스템이다. 자연의 과정, 재료, 형태에서 착안해 우리에게 닥친 어려움을 극복할 더 훌륭하고 지속 가능한 해결책을 찾을 수 있을 것이다.

신성한 연꽃의 자동 세척 시스템

덧없는 세상 먼지
맑게 녹아내린 이슬로 씻어내리
- 마쓰오 바쇼

갑자기 비가 내린다. 가볍고 상냥하게 내리는 비가 아니라 끈질기게 퍼붓는 소나기다. 우리 식구는 나, 남편, 그리고 사춘기 애들 셋 이렇게 다섯인데 우산은 네 개뿐이다. 식물원에 가

자고 한 건 나니까 내가 우산을 양보하는 게 맞다. 여름 원피스가 면으로 된 꽃무늬 잠수복처럼 몸에 들러붙는다. 하지만 비는 예상치 못한 선물을 주었다. 우리는 카메라의 방수 능력을 최대치로 시험하며 이 재밌는 현상을 찍었다.

우리는 연꽃이 핀 교토 식물원의 연못가에 서 있었다. 얕게 차오른 웅덩이다. 수련을 닮은 꽃이 연못의 진흙 바닥에서 부드러운 녹색 줄기를 올리지만 수련과 달리 수면에 잎을 띄우는 걸로는 만족하지 못하고 더 높은 곳을 향한다. 생장 속도를 최대로 끌어올린 돌연변이 터보 수련처럼 줄기가 물 밖으로 뻗어나와 쏟아지는 비를 향해 잎과 연분홍색 꽃들을 50센티미터 위로 들어 올린다. 셔우드에선 찾아볼 수 없는 수상 버전의 동화 속 숲이 생겨났다. 매표소에서 받은 안내 지도(기발하게 접히는 이 지도가 비를 맞아 글씨를 알아볼 수 없는 셀룰로스 곤죽이 되었지만)에서 왜 이 연못을 "『이상한 나라의 앨리스』에서 만날 법한 숲"이라고 적어놨는지 이해가 갔다.

앨리스의 발자취는 찾을 수 없었지만 상상력을 자극하는 다른 게 눈에 띄었다. 잎과 꽃에 떨어지는 빗방울이 표면에 닿는 족족 튕겨 나가는 게 아닌가. 광채가 나는 은빛 구체처럼 잎 주위에서 춤을 추다 가장자리로 흘러버리기도 하고, 잎의 중심에 모여 반짝이는 웅덩이가 되기도 했다. 그 길에 먼지와 흙을 쓸어가 연분홍 꽃봉오리와 잎을 깨끗하고 순수하게 빛내준다.

이것이 여러 동양 문화에서 연꽃이 신성한 꽃으로 추앙받는 이유 중 하나다. 불교에서 연꽃은 욕망의 늪 위로 떠올려진 몸과 영혼, 말의 순수함을 상징한다. 전설에 따르면 불교의 창시자인 고타마 싯다르타는 태어나자마자 걷기 시작했는데 발걸음을 옮길 때마다 연꽃이 피어났다고 한다. 부처와 일부 동양 신들은 종종 연꽃 왕좌에 앉아 있는 형상으로 그려진다. 이 식물은 인류가 알고 있는 씨앗 중에 가장 오래된 것이라는 점에서도 존경의 대상이다. 1982년에 미국 식물학자들은 1,288년 된 연꽃 씨를 발아하는 데 성공했다. 그건 그렇고 연잎의 자동세척 원리는 무엇일까? 어떻게 해서 먼지를 그렇게 효과적으로 씻어낼까? 어떻게 하면 우리가 그 재주를 흉내 낼 수 있을까?

독일의 본 식물원 계통생물학 및 생물다양성 교수인 빌헬름 바르틀로트Wilhelm Barthlott도 같은 궁금증을 가졌던 모양이다. 이미 1970년대에 바르틀로트는 어떤 식물의 잎은 현미경 아래에서 봤을 때 항상 깨끗하다는 사실에 주목했다. 유달리 매끄러워서 그런가? 바르틀로트는 여러 식물의 잎을 주사전자현미경으로 비교했다. 엄청난 확대력과 극도로 선명한 이미지를 제공하는 이 현미경 아래에서 연잎을 보았더니 표면이 전혀 매끄럽지 않았다. 사실 그 반대였다. 계란판을 연상시키는 미세한 돌기들이 솟아 있었고, 돌기 자체도 고르지 못했다.

연잎의 자동세척 원리가 바로 여기에 있다. 이 돌기들 때문에 잎에 떨어지는 빗방울이 잎의 왁스질 표면과 직접 닿지 않는다. 대신 돌기 꼭대기에 앉아 공기 쿠션으로부터 추가로 힘을 받아 떠오른다. 못을 잔뜩 꽂아둔 침대 위에 태연히 누워 있는 이슬람 수행자를 생각하면 이해가 쉬울지 모르겠다. 몸 무게가 1,000개의 못에 골고루 분산되기 때문에 어느 못 하나도 살갗을 뚫지 못하는 것이다. 잎의 표면과 접촉하지 않으므로 물방울은 쉽게 굴러 가고, 먼지 또한 잎의 표면과 닿지 않고 물방울에 들러붙은 채 함께 흘러내린다.

바르틀로트가 자가세척 표면이라는 발상을 구현해 상업용으로 판매하기까지 오랜 시간이 걸렸다. 1990년대에 들어서야 '연잎 효과'가 상표로 등록되고 특허도 받고 논문에 실렸다. 그 결과 현재 우리는 자가세척 페인트나 창문을 살 수 있다. 현재 과학자들은 계속해서 더 내구성 있는 구조를 만들기 위한 방법을 연구하고(창문은 연잎보다 수명이 길어야 하니까) 이 기술을 새로 적용할 수 있는 분야를 찾고 있다.

과학자들은 또한 '우비 성질'을 가진 다른 식물로부터 배울 점을 찾아 자연의 아이디어 뱅크를 깊이 파헤치고 있다. 아침 이슬을 잎의 기부에 모아두는 알케밀라*Alchemilla*라는 식물이 그중 하나다. 초원의 다른 풀에서 이슬이 사라진 후에도 이 식물에는 오랫동안 물방울이 남아 있기 때문에 옛날 사람들은 이 물에 신비한 능력이 있다고 믿었다. 알케밀라에서 떨어지는 천상의 물방울은 금을 만들려는 연금술사들에게 필수적인 재료였다. 이는 '작은 연금술사'라는 뜻을 가진 이 식물의 속명 '알케밀라*Alchemilla*'에도 반영된다. 사람들은 이 물이 아픈 눈을 치유한다고 생각해서 잎에 고인 물을 직접 눈에 넣으려고 했다. 그게 결코 쉽지 않았던 이유를 이젠 잘 알 수 있다.

알케밀라 잎을 크게 확대해보면 물이 모이는 잎의 기부에 털이 무성하게 자라 있고 그 끝에 돌기가 솟아 마치 손잡이 끝에 강침 박힌 강철 공이 달린 철퇴와 비슷하다. 이 구조 때문에 물방울이 실제 잎의 표면보다 살짝 위에 머물고, 그 결과 잎에 햇빛이 비쳐도 쉽게 달궈지지 않아 물이 오래 남아 있는 것이다. 이런 성질이 식물에게 어떤 의미가 있는지는 모르지만, 적어도 잎에 고인 물을 아픈 눈 속에 집어넣기가 왜 그리 어려운지는 설명할 수 있다.

많은 식물이 이처럼 물을 내치거나 끌어당기는 표면 구조를 가진다. 콩과 식물인 루피너스, 붉은토끼풀, 유포르비아 폴리크로마*Euphorbia polychroma* 등이 지금까지 연구된 것들이다. 식물계에서 보이는 이런 영리한 미세 특징들을 잘 알게 된다면, 재료공학자들은 태양 전지판이나 그 밖의 장치 표면에서도 원하는 대로 물을 다루고 통제하게끔 설계할 수 있을 것이다.

새의 부리를 닮은 고속 열차

일본에서는 버스를 탈 때가 아닌 내릴 때 돈을 낸다는 사실만 기억하면 대중교통으로 여행하기가 쉽다. 시간 하나는 기가 막히게 지키는 고속 신칸센 열차를 타고 도시와 도시 사이를 달리다 보면 속도가 너무 빨라서 철로 가까이 자라는 풀과 나무에 집중할 수가 없다. 이 열차는 시속 300킬로미터라는 엄청난 속도로 달린다. 주머니에서 휴대전화를 꺼내 비디오를 켜기도 전에 지나가버리는 바람에 몇 번 만에 겨우 승강장을 지나는 열차를 찍을 수 있었다.

이 속도가 문제였다. 초기 신칸센 모델은 앞이 뭉툭하고 둥글었다. 그러다 보니 터널을 지날 때면 열차 앞쪽의 공기가 극도로 압축되면서 터널 끝으로 밀려 나올 때 엄청나게 큰 소음이 발생하는데, 제트 전투기가 소리의 벽을 깰 때 나는 수준을 방불케 한다. 이 소음이 철길을 따라 서식하는 생물에게는 극도의 불쾌감을 유발한다.

다행히 열차의 재디자인을 맡은 기술자 한 사람이 열렬한 탐조가였다. 그는 물총새의 부리에서 새로운 디자인을 착안했다. 멋쟁이새 크기의 이 아름다운 파랑-주황색 새는 노르웨이에도 가끔 방문하는 이국적인 손님인데 강이나 호수에 잠수해 작은 물고기나 수생 곤충을 잡는다. 물총새의 길고 강력한 부리는 끝으로 갈수록 좁아져 첨벙거리지 않고 부드럽게 물속으로 미끄러져 들어간다. 다양한 디자인을 시험한 끝에 기술자들은 물총새 부리를 모방했을 때 공기 저항과 연료 소비는 물론이고 터널 소음까지 최대로 줄일 수 있음을 알게 되었다.

2030년부터 운행하게 될 신칸센 신모델 알파 X는 한 단계 더 발전했다. 최대 시속 400킬로미터에 가까운 속도로 달리게 될 이 열차는 앞서 공기역학적으로 설계한 물총새 스타일보다 앞부분이 22미터나 더 길어질 계획이다. 이렇게 자연에서 얻은 교훈으로 설계자들은 이 빠른 기차가 누구의 귀에도 거슬리는 일 없이 운행되길 바란다.

새, 구체적으로 올빼미는 비행기를 덜 시끄럽게 설계하는 데 도움을 준다. 날카로운 부리에 밤이면 소리 없이 날아다니는 올빼미는 신비에 싸인 신화 같은 존재다. 『이솝 우화』에서 『곰돌이 푸』에 이르기까지 유럽 문화에서는 지혜를 상징하지만 북아메리카 토착 민족들 사이에서는 망자의 세계에서 온 전령으로 취급된다. 그도 그럴 것이 올빼미들은 밤이 찾아온 세상을 하도 기척 없이 다녀서 어둠의 화신처럼 보이기 때문이다.

올빼미는 어떻게 그렇게 조용히 날 수 있을까? 몸집에 비해 날개 길이가 길어서 날갯짓을 줄이기도 하지만, 그보다는 깃털 구조의 작지만 중요한 디테일에 비결이 있다. 날갯짓 앞쪽 가장자리에 볏처럼 생긴 이빨 또는 점이 있어서 소음의 원인인 난류를 흩뜨린다. 뒤쪽 가장자리의 부드러운 주름은 소리를 한층 더 죽인다. 몸 전체가 아주 부드럽고 소리를 잘 흡수하는 깃털로 덮여 있어서 만지면 굉장히 기분이 좋다. 몇 년 전 늦가을에 올빼미 가락지 부착 조사단과 동행할 기회가 있었다. 잠깐이었지만 북방올빼미를 손으로 잡고 있다가 놔주었을 때 조용히 날개짓하며 밤 속으로 사라지는 장면은 마법 같았다.

오늘날 올빼미 깃털에서 착안해 소음을 제거하는 기술이 선풍기 날개에 적용되었고, 현재 연구자들은 규모를 키워 풍력 터빈이나 비행기에 적용하는 작업을 진행 중이다. 새에서 영감을 받은 디자인은 항공 교통의 소음뿐 아니라 연료 소비를 함께 줄일 수 있다. 몇 년 뒤 다시 일본에 가게 된다면 어쩌면 깃털 달린 전기 항공기를 타고 여행하게 될지도 모르겠다.

꿈은 꿔볼 수 있는 거니까.

바래지 않는 색

2018년 7월의 어느 날, 연휴가 한창일 때 학교 계정으로 이메일 한 통이 왔다. 반짝거리는 거대한 푸른 나비 사진 3장이 크기를 가늠하는 자와 함께 찍혀 첨부되었다. 보낸 이는 노르웨이 동남부 외스트폴주에 사는 한 여성이었다. 이 여성은 사진 속 나비가 무슨 종인지 알고 싶어 했다. 시어머니의 침실로 날아 들어와 밖으로 내보내려고 애썼지만 결국 바닥에 죽어 있는 걸 나중에 발견했다고 했다. 이 자체만도 굉장히 드문 사건이다. 그런데 더 신기한 건 첨부된 사진을 보니 사진 속 나비가 남아메리카와 중앙아메리카에 서식하는 모르포나비*Morpho* 수컷이었다는 점이다. 그해 노르웨이 여름이 꽤나 더웠다고는 하나 그렇다고 해서 열대지방 나비가 갑자기 대양의 반대편에 나타날 이유는 못 된다.

모르포나비는 경이로운 존재다. 이 속에 있는 종들은 날개를 편 길이가 20센티미터에 달하는 가장 큰 대형 나비에 속한다. 그러나 그보다 더 특별한 건 날개 윗면의 환상적인 금속성 푸른 광택인데, 보는 각도에 따라 미묘하게 색이 변한다. 날개의 밑면도 아름답긴 마찬가지다. 거기에는 마치 눈처럼 보이는 커다란 갈색 동그라미가 있다.

날개의 푸른 표면이 진짜 파란색은 아니다. 거기에 파란색 색소는 없다. 이 색깔은 날개 비늘 표면의 미세한 구조물 때문에 만들어졌다. 이런 걸 나노 구조라고 하는데 크기가 1밀리미터의 백만 분의 1 정도 된다. 이 비늘을 확대해서 자세히 들여다보면 표면에 작은 이랑이 솟아 있다. 잘라서 단면을 보면 이 이랑이 크리스마스트리처럼 양옆으로 가지를 뻗고 있다. 이 나노 구조체가 빛을 쪼개어 특별한 방식으로 반사하기 때문에 날개 표면이 반짝이는 금속성 푸른색으로 보이는 것이다. 덧붙여 이 비늘 구조체 위에 반투명한 다른 비늘이 깔려 있어서 색깔이 퍼지는 걸 돕는다.

모르포나비가 푸른색으로 보이는 방식에는 흥미로운 측면이 한둘이 아니다. 이 색은 강렬하고 빛이 나며 변색할 염려가 없다. 왜냐하면 색소가 없기 때문이다. 그래서 영원히 지속된다. 바래거나 퇴색하지 않는다는 뜻이다. 이 천상의 푸른색을 모방하려는 연구가 많이 진행되고 있다. 섬유업계는 흥미로운 특성을 가진 원단을 생산하려는 목적으로 관심을 보인다. 이런 색을 사용하면 유독한 염료에 의존하는 산업에서 문제를 줄일 수 있다. 인쇄 및 보안업계도 촉각을 곤두세우긴 마찬가지다. 이 기술로 지폐에 색깔 부호를 입힌다면 위조가 불가능할 테니까. 이 기술은 효율이 높은 태양 전지판이나 정밀도가 뛰어난 화학 센서를 생산하는 데에도 사용할 수 있다.

이미 적용한 사례도 있다. 2008년 프랑스 화장품 기업 랑콤은 루씨LUCI, 즉 '빛을 이용한 무색소 색상Luminous Colorless Color Intelligence Collection' 라인을 출시했다. 특허등록까지 마친 이 발명은 구조색을 가진 무색의 입자들을 화장품에 섞은 것이다. 이 때문에 제조사가 '순수하고 강렬한 색상의 후광'이라고 묘사한 '극적인 변화'를 일으킨다. 내가 아는 한 이 제품은 단종되었다. 가격이 만만치 않았던 것 같다.

모르포텍스Morphotex라는 이름으로 개발한 광발색 섬유도 있다. 이 섬유는 나노 수준의 얇은 나일론과 폴리에스터 십여 층으로 구성되어 염료 한 방울 넣지 않고도 빨강, 초록, 파랑, 보라색을 낼 수 있다. 그러나 현재는 구조발색섬유를 값싸고 효율적으로 대량 생산하는 게 과제이다. 계속해서 새로운 특허가 등록되고 있지만 경쟁 때문에 대부분의 개발은 비공개로 이루어진다.

아마존 우림에서 모르포나비는 자신들의 독창적이고 똑똑한 해결책이 특허계에 일으킨 충격 따위는 전혀 알지 못한 채 평소처럼 날고 있을 것이다. 이 색깔은 나비가 제 작은 영역을 돌아보며 자신 있게 나무 위로 올라갈 때 적들에게 거리를 유지하라고 알리는 경고 신호로 기능하는 것 같다. 많은 사람이 모르포나비를 노르웨이 작가 게르트 뉘고르스헤우Gert Nygårdshaug의 소설 『멩겔레 동물원Mengele Zoo』에서 처음 접했을 것이다. 소설 속 주인공 미노는 우림에 살면서 나비를 수집하는 어린 소년이다. 이 책은 대형 석유 회사의 음모로 초토화된 마을에서 혼자 살아남은 미노의 모험을 그린다.

실제 아마존에서 모르포나비는 서식지 파괴와 불법 채집으로 위협을 받고 있다. 이 생물은 전 세계 어느 나비관에서나 발견되고, 수많은 사람들이 장식용으로 이 하늘의 패치를 갖고 싶어 한다. 수요를 맞추기 위해 대규모 번식 사업이 추진 중이다.

이제 외스트폴주에 출현한 신비한 모르포나비의 정체를 설명할 때가 되었다. 알고 보니 근처 별장의 이웃이 코스타리카에서 온 손님을 맞았는데, 그가 이 이국적인 선물을 가져온 것이었다. 열대 나비 번데기 3마리. 이 번데기가 우화해 성체 모르포나비가 되었고, 그중 이 아름다운 푸른 수컷이 노르웨이의 여름을 만끽하러 길을 나섰다가 이웃 오두막까지 가게 된 것이다. 신기한 우연으로 마침 의뢰인의 아들이『멩겔레 동물원』을 한창 읽고 있었다고 했다. 외스트폴주의 모르포나비는 그 집 할머니 침실에서 짧은 생을 마쳤다. 그리고 긴 여정과 기이한 인연을 기념하며 액자 속 핀에 잘 고정되었다.

특별한 밤눈을 가진 나방

밤에 찍은 사진에 등장하는 빨간 눈은 별로 환영받지 못하는 현상이다. 저 거슬리는 붉은 점은 안구 뒤쪽의 혈관에 반사된 섬광 때문에 생긴다. 카메라 플래시가 생기 가득한 초상화 대신 공포 영화 분위기를 연출한다. 그러나 나방 입장에서 이는 못생겨 보이는 건 둘째치고 생사가 달린 문제다. 꺼져가는 황혼의 태양이 눈에서 반사된다면 포식자에게 '어서 날 잡아 잡수' 하고 안내하는 등대의 불빛이 될 테니. 그래서 나방은 눈의 표면에 특별한 반사 방지막을 설치했다. 이 기능을 모방하면 모바일 화면, 카메라 렌즈, 태양 전지판을 개선할 수 있다.

　나방 눈의 반사 차단 효과는 이미 1960년대부터 알려졌지만 복제하기가 만만치 않았다. 이번에도 나노 구조다. 가시광선보다도 파장이 짧은 아주 미세한 돌기들이 눈의 표면을 덮고 있다. 이 나노 돌기 때문에 눈에 들어온 빛이 반사되지 않고 공기와 눈 사이를 유유히 이동하는 것이다. 이 원리를 적용하면 컴퓨터 화면을 찍어도 자신의 모습이 반사되지 않는다. 그리고 휴대전화 화면, 자동차 GPS, 공항의 대형 안내판을 더 쉽게 읽을 수 있다.

나노 구조에 대한 지식을 기반으로 최소한 두 아시아 회사가 반사 방지 필름을 생산했다. 이 필름은 원하는 부분에 갖다 붙이기만 하면 된다. 회사의 홍보에 따르면 투명한 유리나 플라스틱 표면에 필름을 붙이면 빛이 100퍼센트 통과한다고 한다(필름을 붙이지 않은 경우에 92퍼센트). 이 물질은 또한 연잎을 닮은 방수재를 사용해 표면의 내구성까지 높였다고 제조사는 자부한다.

이런 상업용 나노 필름은 물속에서도 시험되었다. 문어나 상어 같은 바다 동물의 피부 표면에는 미세한 구조체가 있다고 밝혀졌다. 이 해양 동물의 나노 구조체가 어떤 역할을 하는지는 아직 알려지지 않았다. 물속에서 빛이 반사하지 못하게 하거나 헤엄칠 때 물의 저항을 줄여줄지도 모른다. 아니면 다른 생물이 몸에 들러붙지 못하게 막아줄 수도 있다. 작고 끈적거리는 바다 생물이나 세균까지도 일반적인 매끄러운 표면보다 이 나노 돌기에 덜 들러붙는다.

그렇다면 아주 잘됐다. 이런 재질이라면 선박에서 물이 닿는 부분에 들러붙어 자라는 것들을 불쾌한 화학 물질을 쓰지 않고도 제거할 수 있다. 인체에도 유용하긴 마찬가지다. 현재 생물에서 착안한 표면 재료로 소변 배출관이나 치아, 뼈 이식물 등에서 세균 번식을 줄일 수 있는지 실험하고 있다.

점균류 같은 하등동물이 똑똑하다면

현대 첨단 기술 사회의 문제들은 해결 가능한 방식이 복잡하고 여러 가지인 경우가 많다. 예를 들어 물류 업체는 수많은 택배 상자들을 트럭에 나눠 싣고 배송지까지 가는 경로를 선택해야 한다. 이럴 땐 컴퓨터의 계산 능력이 쓸모가 있겠지만, 유사한 문제를 자연이 어떻게 해결했는지 살펴보는 것도 유용한 발상을 얻는 데 도움이 된다.

개미를 보자. 개미의 세계에서는 교통체증이란 게 없다. 주어진 공간의 80퍼센트를 채우고 있을 때조차 개미들은 충돌하거나 멈추지 않고 효율적으로 움직인다. 비슷한 밀도에서 인간은 감히 흉내 낼 수 없는 능력이다. 아르헨티나 개미 수십만 마리가 사는 개미집 총 35군데를 대상으로 과학자들은 양방향으로 건널 수 있는 다양한 너비의 작은 다리를 설치하고 개미의 이동을 관찰하기 위해 슬로모션 촬영이 가능한 감시카메라를 설치했다. 녹화 영상을 보면 개미들은 다리 근처에서 주변 교통 상황에 맞춰 움직임을 조정했는데, 그 방식은 밀도에 따라 달랐다. 복잡도가 심하지 않을 때는 속도를 냈지만, 많이 붐빌 때는 속도를 낮추고 서로 인사를 한 다음 유턴했다. 신호등이나 회전 교차로 하나 없이 우리가 부러워할 만한 교통 흐름을 만들어낸 것이다. 이런 능력의 일부라도 모방할 수 있다면 앞으로 개발할 무인자동차 시스템에 적용하여 인간이 개미처럼 거리에서 똑똑하게 이동할 수 있지 않을까 희망해본다.

사실 자연과 생물종에 기반한 알고리즘은 많다. 새들이 무리 지어 날아가고 물고기 떼가 하나의 유기체처럼 행동하는 움직임이 그러하다. 데이터 엔지니어가 되려고 공부 중인 아들이 최근에 초파리 알고리즘을 언급해 내 관심을 끌었다. 초파리 알고리즘은 이 귀여운 빨간 눈 생물이 먹이를 찾아 탐색하는 방식에 기반한 모델이다. 꿀벌 알고리즘은 또 어떤가. 이 알고리즘은 벌이 춤을 통해 제 자매와 함께 자신이 방금 왔던 장소로 돌아가 먹이를 더 수확할지 아니면 혼자 들어갈지를 결정하는 방식에서 착안했다.

자연은 수백만 년에 걸쳐 복잡한 문제들을 해결해왔고, 그 아이디어와 지식은 전혀 기대하지 않은 지점에서 우리를 기다릴지도 모른다. 심지어 점균류 같은 단순한 생물체에서조차 말이다. 나는 어려서부터 점균류에 애정을 품어왔다. 처음엔 숲속에서 강렬한 색상과 '트롤 버터' 또는 '마녀의 우유'처럼 멋진 노르웨이식 이름('트롤 버터'의 영어명은 '개 토사물 점균류'라는 전혀 신비롭지 않은 이름이다)을 가진 녀석들이 너무 사랑스러워 보였다. 학생 때는 어느 점균류 학자 이야기에 홀딱 반한 적이 있다. 점균을 페트리접시에 안전하게 넣어놓고 퇴근했는데 다음 날 실험실에 돌아와 보니 어디론가 도망친 걸 보고 경악했다는 얘기였다.

점균류가 곰팡이처럼 몸 밖에서 먹이를 소화하는 분해자이긴 하지만 균류는 아니다. 움직이고 모이고 분리할 수 있기는 해도 동물은 아니다. 또한 식물도 아니다. 비록 꽃처럼 생긴 부위를 만들긴 하지만 말이다.

따돌리기를 좋아하는 분류학의 희생자로서 점균류는 균류, 식물, 동물 어디에도 속하지 못하고 해조류와 단세포 종을 포함하는 생물계로 추방되어 해초나 아메바와 강제로 어울려야 한다. 어찌 보면 불공평한 일이다. 점균류는 뇌가 없지만—하지만 수백 가지의 성, 정확히 말하면 교배형이 있다—놀라울 정도로 발달된 행동을 한다고 밝혀졌기 때문이다. 예를 들어 피사룸 폴리케팔룸*Physarum polycephalum*은 밝은 노란색에 끈적거리는 점균류인데, 이 종을 미로 한가운데에 두고 출구에 이 종이 좋아하는 오트밀 같은 간식을 두면 먹이를 찾아 모든 통로에 점사를 보낸 다음, 몇 시간 만에 먹이가 있는 접시로 가는 최단 거리를 파악한다. 그리고 점사들을 거두어들이고 에너지 효율이 가장 높은 경로로 이동한다.

2010년에 일본 점균류 과학자들은 점균류의 계획 능력이 인간 공학자들과 견줄 만한 수준임을 밝혔다. 이들은 도쿄 인근 지역을 축소한 소형 지도를 만든 다음, 가장 큰 도심 몇 군데에 오트밀을 두었다. 지도에 다양한 각도로 조명을 비추어 큰 도로 주변에 산, 호수 및 기타 물리적 장애물의 위치를 복제했다(점균류는 밝은 빛을 싫어해서 피하기 때문이다). 그런 다음, 마지막으로 수도의 위치에 점균류를 놔두고 기다렸다. 24시간이 채 못 되어 점균류는 과제를 완수했다. 가장 효율적인 네트워크를 형성해 오트밀 타운들을 연결한 것이다. 네트워크의 형태는 실제 도쿄의 철도 시스템과 놀라울 정도로 비슷했다.

이후에도 점균류는 여러 가지 비슷한 과제를 수행했다. '점균류의 눈에 인간의 고속도로는 효율적인가?'라는 다소 무뚝뚝한 제목의 논문에서 점균류들은 최소 14개 오트밀 지도로 각국의 엔지니어들과 경쟁했다. 벨기에, 캐나다, 중국의 경우 점균류의 해결책이 실제 고속도로 네트워크와 가장 근접했다. 물론 누가 건설한 것이 최적의 경로인가에 대해서는 대답하기가 힘들다.

내 아들이 공부를 마치더라도 점균류, 벌, 개미한테 엔지니어라는 직업을 빼앗기는 일은 없겠지만, 이 생물들로부터 약간의 수학 기술을 배운다면 보다 효율적이고 에너지를 절약하는 네트워크를 만드는 데 적용할 수 있을 것이다.

은둔꽃무지와 사냥개

깨어난 남자가 말했다.

"이 야생 개가 여기에서 뭘 하고 있습니까?"

그러자 여자가 답했다.

"이 짐승은 더 이상 야생 개가 아니라 최초의 친구입니다.

왜냐하면 언제까지나 우리의 친구로 남을 테니까요.

사냥할 때 데려가세요."

– 러디어드 키플링, 『혼자 다니는 고양이The Cat That Walked By Himself』

자연의 아이디어 뱅크에는 반려동물과의 상호작용, 그리고 인간이 동물을 활용하는 갖가지 방법이 포함된다. 나 자신도 행복한 개 주인이다. 그리 훌륭한 보호자는 아니지만. 나는 안내견 학교에서 훈련받은 개를 데려와 함께 지내며 가족의 상황과 일상에 익숙해지게 돕는다. 가끔 아직 어린 개를 데려와 시험하고 훈련받을 수 있는 나이가 될 때까지 함께 지낼 때도 있다. 훈련 중인 개를 명절 때 맡아주기도 한다.

　　반려동물은 우리를 행복하고 건강하게 한다. 부드러운 털에 꼬리를 흔드는 골든레트리버나 애정이 넘치는 푸시캣은 스트레스를 줄이고 정신을 건강하게 유지하는 데 도움이 된다. 반려동물을 통해 새로운 사회관계를 형성할 수도 있고, 어쩔 수 없이 산책하러 나가게 된다. 헌데 동물은 꽤나 별난 방식으로 유용한 존재이기도 하다. 평화로울 때나 전쟁 중일 때나.

나는 개인적으로 곤충 다음으로 가장 멋진 생물이 개라고 생각한다. 참으로 영리하고 참을성 있고 유머 감각이 넘치는 동물이 아닐 수 없다. 게다가 환상적인 후각까지. 방금 누군가 지나간 길에 개 한 마리를 직각으로 놔두면, 다섯 발자국만 걸으며 냄새를 맡아도 그 사람이 어느 방향으로 갔는지 바로 알아낸다.

이 능력 때문에 개는 상처 입은 사냥감이나 밀수한 약물, 사람의 질병을 찾는 데 이용된다. 그 정도는 나도 익히 알고 있었지만, 개들이 보전 활동에 이용된다는 건 처음 들었다. 딱정벌레 사냥개에 대한 논문을 보고 알게 된 사실이다. 이 개들은 오래되어 구멍 난 나무에서 희귀하고 멸종위기에 처한 딱정벌레를 찾는 데 투입된다. 이보다 더 좋을 수 있을까? 곤충, 오래된 나무, 그리고 개까지. 이 이야기에는 내가 좋아하는 것들이 모두 들어 있다.

이탈리아인들은 '오스모독osmodog'을 훈련했다. 이 개는 세계적으로 멸종위기종인 은둔꽃무지hermit beetle가 살고 있는 나무를 냄새로 찾는다. 보통 은둔꽃무지 유충은 구멍 뚫린 나무 안에 썩은 목재와 곰팡이가 부드럽게 뒤섞인 나무곰팡이를 찾으면 발견할 수 있다. 실제로 유충은 구멍 뚫린 노목의 나무곰팡이와 썩은 벽을 갉아먹고 길을 낸다.

옛날 수색 방식의 단점은 시간이 걸리고 찾는 과정에서 유충을 해칠 위험이 있다는 것이다. 그러나 전문 훈련을 받은 딱정벌레 사냥개 오스모독은 정말로 속도가 빠르다. 그저 나무 주위에서 몇 번 킁킁거렸을 뿐인데, 나무 곰팡이를 체로 일일이 걸러내는 작업에 드는 시간의 10분의 1도 안 돼서 희귀한 딱정벌레를 찾아낸다. 공기 중에 은둔꽃무지 딱정벌레 유충의 냄새가 나면 개는 얌전히 앉아서 짖는다.

사실 노르웨이에서는 은둔꽃무지를 찾기 위해 굳이 네발 달린 친구를 훈련시킬 필요가 없다. 이 종을 찾을 수 있는 장소는 노르웨이 남쪽의 퇸스베르그라는 작은 도시 한 곳뿐이기 때문이다. 멸종한 줄 알았던 은둔꽃무지가 어느 날 교회 경내에서 다시 모습을 드러냈고 현재는 노르웨이 자연다양성법* 아래 우선적으로 보호받아야 할 종으로 등재되었다.

우리 인간도 안쓰러울 정도로 미약한 후각으로나마 성체 은둔꽃무지의 냄새를 맡을 수 있다는 게 위로가 될지도 모르겠다. 여름이 끝날 무렵 퇸스베르그의 오래된 교회 묘지를 걸어 다니다 희미하게 복숭아 향기를 맡았다면, 그건 은둔꽃무지의 사랑이 한창이라는 뜻이다. 성체 은둔꽃무지는 감마-데칼락톤이라는 방향성 물질을 분비해 짝을 찾고 교미하기 때문이다. 감마-데칼락톤은 복숭아나 살구가 연상되는 달콤한 과일 향을 풍기는데, 이 물질을 화장품과 음식에 사용하기도 한다.

---

*   생물학적·지질학적 및 경관상
    다양성 관리에 관한 법률이다.

당신의 개가 생물 보전에 기여했으면 좋겠다면 방법은 널려 있다. 노르웨이에는 위험에 처한 곤충들이 1,000종 이상이고 그중 대다수가 개를 훈련시켜 인지하고 수색할 수 있는 종 특이적인 냄새를 풍긴다. 개는 또한 희귀종의 배설물을 추적하고, 외래종의 위치를 찾고, 풍력발전용 터빈에 치여 죽은 박쥐나 새를 찾는 데 동원된다. 칠레에서는 영리한 보더 콜리들이 화재 피해 지역에서 종자를 쉽게 퍼트릴 수 있게 제작한 주머니를 달고 뛰어다닌다. 그러면 싹이 더 빨리 올라올 것이다. 그리고 아이오와에서는 사람의 가장 친한 친구가 멸종위기에 처한 늪거북 냄새를 맡는다. 다 별로라면 그냥 숲속에서 개와 함께 하이킹하는 건 어떨까?

지옥불 속으로 뛰어든 박쥐

내가 어려서 제일 좋아했던 책은 『사자왕 형제의 모험』이었다. 권력에 대한 욕망, 악, 용과 맞서는 형제의 사랑, 충성과 용기가 마법처럼 뒤섞인 아스트리드 린드그렌의 어린이 판타지 소설이다. 조나단이 체리 계곡과 야생 장미 계곡 사이로 보낸 전령 비둘기를 기억하는가? 비둘기를 비롯한 여러 생물이 현실 세계의 충돌 상황에서 도움을 주었다.

NPS.42.31066라고 불렸던 구스타프 이야기를 해보자. 구스타프는 연합군이 노르망디에 무사히 상륙했다는 메시지를 처음으로 영국 기지에 전달한 회색 전령비둘기다. 이 영웅적인 업적으로 구스타프는 디킨 훈장을 받았다. 이는 전쟁에서 공을 세운 동물이 받을 수 있는 최고의 영예다. "우리도 복무한다WE ALSO SERVE"라는 글귀가 대문자로 새겨진 청동 메달이 전령비둘기 32마리, 개 34마리, 말 4마리, 고양이 1마리에게 수여되었다. 가장 최근인 2018년에는 2011년 아프가니스탄 매복 공격에서 팀 전체의 생명을 구한 오스트레일리아 군견인 쿠가에게 디킨 훈장이 주어졌다.

제2차 세계대전 중에 비둘기를 이용해 폭탄을 운반하는 계획도 진행되었다. 한 미국 행동생태학자가 미사일 앞쪽에 비둘기를 위한 조종석을 달자고 제안했다. 비둘기는 폭탄의 표적이 표시된 화면을 쪼도록 훈련받고, 머리에는 케이블이 부착되어 폭탄을 목표물로 이끌 것이다. 결국 비둘기 프로젝트는 실행되지 않았지만, 현대에 동물을 기용한 또 다른 전쟁 프로젝트는 거의 성공할 뻔했다. 이번에는 박쥐였다.

몇 년 전 히로시마에 간 적이 있다. 여전히 '그라운드 제로'* 가까이 기념물로 서 있는 상공회의소의 잔해만 빼면 도시의 중심은 여느 일본 도시와 다를 바 없다. 높은 건물과 공원의 나무들 속에서 70년 전에 이곳 사람들이 겪었을 고통을 상상하기는 쉽지 않다. 정장 바지에 흰 와이셔츠를 입은 남성들이 사무실을 오간다. 주민들은 공원 가장자리에서 작은 반려견을 산

---

* 원자폭탄의 폭격 지점.

책시키고, 여기저기에서 관광객이 셀카봉을 휘두른다. 그러나 이곳 공기에는 어딘가 무거운 기운이 감돈다. 다른 곳과는 다르게 한층 억제되고 내부로 침잠되는 기분이 든다. 마치 모두가 억지로 받아들이려고 애쓰는 것처럼.

공원 끝에 평화박물관이 있다. 여기에서는 차마 받아들이기 힘든 사실을 발견할 것이다. 말없이 이야기꾼 노릇을 하는 물건들이 있다. 신이라는 어린아이의 세발자전거도 그중 하나다. 신은 폭탄이 떨어졌을 때 집밖에서 놀고 있었는데 아버지가 폐허 밑에서 그를 찾아냈을 때 여전히 세발자전거의 빨간 플라스틱 핸들을 붙잡고 있었다. 나는 열기에 녹아버린 찻잔을 보고서 노르웨이 시인 타리에이 베소스Tarjei Vesaas의 시, '히로시마의 비'가 떠올랐다. "그녀가 찻주전자를 향해 / 손을 뻗었을 때 / 불빛에 눈이 부셨다 / 이젠 아무것도 없다 / 모든 것이 사라졌다 / 사라져버렸다"

히로시마를 방문하는 사람들은 이렇게 자문할 것이다. 미국이 핵폭탄을 떨어뜨리지 않았다면 어떻게 됐을까? 실제로 핵폭탄을 대신할 다른 계획이 있었다는 걸 아는 사람은 별로 없다. 정신 나간 소리처럼 들릴지 모르지만 실행 가능한 대안으로 진지하게 검토하고 시험 단계까지 갔던, 아마 실행되었다면 민간의 손실을 줄이며 혼란을 확산했을지도 모를 기상천외한 계획이 있었다. 이 계획의 중심에는 박쥐 수천 마리와 자신의 발상을 확고하게 믿었던 한 치과의사가 있다.

라이틀 S. 애덤스Lytle S. Adams는 펜실베이니아에서 태어난 치과의사다. 그는 1941년 12월, 뉴멕시코에 휴가를 갔다가 칼스배드동굴을 방문했다. 그곳은 멕시코자유꼬리박쥐가 대단위로 서식하는 곳으로 해 질 무렵이면 수백만 마리 박쥐가 동굴을 떠나는 장관을 볼 수 있다.

몇 시간 후, 일본이 진주만을 공격했다는 뉴스를 들은 애덤스는 놀라운 정신적 도약을 하기에 이른다. 이 수천 마리의 박쥐에게 자기점화가 가능한 소이탄을 장착하고 일본 상공에 투하하면 어떻게 될까?

놀랍게도 이 치과의사의 터무니없는 발상은 정식 군 연구 프로젝트로 채택되었다. 아마도 영부인 엘리너 루스벨트와의 인맥이 도움이 되었을 것이다. 애덤스로부터 프로젝트 개요를 받은 지 일주일도 안 돼서 루스벨트 대통령은 다음 메모와 함께 이 프로젝트를 군 당국에 보냈다. "이 남성은 미치지 않았소. 엉뚱하게 들릴지 모르지만 검토해볼 가치가 있소."

이 '기술'을 개발하는 데 200만 달러의 비용과 몇 년이 소비되었다. 박쥐가 6,000마리나 희생되었지만 이 치과의사는 동물복지에 별로 신경 쓰지 않았다. 신이 이 프로젝트를 위해 박쥐를 창조했다는 확고한 믿음이 있었기 때문이다. "동물 중에서도 가장 열등한 형태가 박쥐로서, 역사 속에서 지하세계나 어둠, 악과 연관되었다. 이 생물이 남아 있는 이유는 지금까지 설명되지 않았다. 그러나 종탑과 터널, 동굴에서 살아온

이 수많은 박쥐는 지금까지 신의 명령으로 그곳에서 기다린 것이다. 인간의 자유를 수호하고 감히 우리의 삶을 훼손하려는 자들의 시도를 좌절시키기 위해서."

연구 끝에 미군은 다음과 같은 계획을 세웠다. 박쥐 1,000마리를 잡아다 냉각해서 동면 상태로 만든다. 네이팜으로 만든 초소형 소이탄과 시한식 발화 장치를 박쥐 가슴의 늘어진 피부에 부착한다. 잠자는 박쥐들을 골판지 상자에 담아 일반적인 폭탄 형태의 1.5미터짜리 금속 상자에 차곡차곡 쌓는다. 전투기에서 투하한 금속 상자가 낙하산을 타고 내려오며 열린다. 이때 박쥐가 깨어나 날기 시작하고 이로부터 15시간 후에 네이팜탄이 점화된다. 그때까지 박쥐 수천 마리가 가옥의 짚과 대나무 지붕 아래에 구석구석 침투한다.

이 계획이 정말로 실행 가능했다는 사실은 무기를 장착한 박쥐 일부가 탈출해 실험이 진행 중이던 공군 기지 격납고에 불을 지르면서 증명되었다. 그러나 결국 박쥐 폭탄 프로젝트는 미완으로 남았다. 1944년 5월로 일정이 잡혔던 백만 마리 폭탄 박쥐 제작이 불과 몇 달 전에 보류되었던 것이다. 대신 미군은 핵폭탄을 완성하는 데 총력을 기울이기로 전략을 바꾸었다.

히로시마 평화박물관의 폐관 시간이다. 나는 증인들의 비디오 기록이 있는 방에서 제일 마지막에 나왔다. 해가 지는 밖으로 나와 갑자기 무심한 도시의 네온사인과 차들로 복잡한 거리를 마주하려니 뭔가 이상하고 잘못된 느낌이 들었다. 죽어간 이들, 고통받은 이들을 대수롭지 않게 생각하는 세상에 대한 어떤 서운함이랄까.

박쥐로 세계대전을 종식하겠다는 애덤스의 무모한 계획이 실행됐다면 성공했을지, 그것은 알 수 없다. 적어도 그는 박쥐들이었다면 핵폭탄처럼 막대한 민간 사상자를 내지 않고도 일본을 항복시켰을 거라고 죽는 날까지 주장했다고 한다.

10

자연이라는 성당
— 위대한 사고의 원천

아주 오래전

아무것도 없던 시절

모래도 바다도

차가운 파도도 없었다

땅도 없고

하늘도 없었다

그곳엔 긴눙가가프*가 있었지만

풀은 어디에도 없었다

– 노르드인의 신화적 시가 '볼루스파VOLUSPÁ'. 기원전
1200년경.

2019년 가을에 나는 책과 자연에 관해 강연하기 위해 미국에

---

* 북유럽 신화에서 황량한 허공을
표현한 말.

갔다. 일정 마지막 주 주말에 뉴욕 북부로 여행을 떠났는데, 뉴욕의 호텔에도, 작은 마을의 여관에도 침대 옆 탁자에 자연의 소리가 나는 기계가 있었다. 시계가 달린 라디오였다. 방송 채널 외에도 '졸졸 흐르는 산속 개울물', '숲속의 새소리' 같은 다양한 자연의 소리를 선택할 수 있었다.

빅애플*에서는 산속의 개울을 보기 어렵다는 걸 알지만, 놀라운 역설은 여전히 존재한다. 자연의 그 무엇이 우리에게 감동을 주길래 사람들은 녹음된 자연의 소리를 들으며 잠이 들고 깨길 원하는 걸까? 바깥에 엄연히 존재하는 진짜 자연은 돌아보지도 않으면서 말이다.

우리는 자연이 삶에 환희를 불러오고 삶의 질을 높이며 영감과 소속감을 준다는 걸 안다. 이것은 두 블록 떨어진 도시의 녹지 공간에서부터 가까운 도로에서 수 킬로미터나 떨어진 산속 고원에 이르기까지 자연의 전 스펙트럼에 적용된다. 아이들의 놀이터로서, 훈련장으로서, 빡빡한 일상에서 도피할 야외 공간으로서는 물론이고, 수확 기계의 유압장치가 아닌 자연의 법칙에 따라 재생과 노화가 진행되는 야생의 숲이 저기 어딘가 있다는 사실을 인지하는 것과도 관련된다.

자연에서 시간을 보내다 보면 자신이 굉장히 큰 무언가의 일부라는 느낌이 든다. 무에서부터 시작된 모든 것의 일부. 누군가는 이런 느낌을 신앙과 결부하고, 또 누군가는 생명에 대한 깊은 숭배심으로 경험한다. 위대한 소통을 끌어내는 자

* 뉴욕시의 별명.

연의 복잡하고도 세밀한 것을 향한 강한 끌림과 존경. 그것이 내가 자연을 성당이라고 부를 때 갖는 느낌이다.

2019년 4월, 파리의 노트르담 대성당에 불이 났을 때 전 세계가 눈물을 흘렸다. 이 웅장한 성당은 현재의 아름다운 사물이자 지나간 세월에 대한 경외를 불러오는 유산이기 때문이다. 많은 이들이 그곳에 추억을 가지고 있다. 나도 독일 켈에서 열린 국제 청소년 여름 캠프에 참가했다가 주말에 파리로 여행 갔을 때의 기억이 있다. 몇몇이 허락도 받지 않고 숙소에서 몰래 빠져나와 부드러운 밤비를 맞으며 운하 옆의 벽에 기대앉았다. 그러고는 장미가 그려진 창문과 부조를 바라보며 노래 불렀다.

우리가 문화유산을 보전하려고 애쓰고 화재로 붕괴된 노트르담을 복원하는 것처럼, 자연유산 역시 보전하고 망가뜨린 부분은 복원해야 한다. 그건 자연이 유용해서만은 아니다. 자연에는 측정하거나 값을 매길 수 없는 소중한 비물질적 가치가 있기 때문이다.

그건 윤리의 문제이자 종의 본질적 가치의 문제이기도 하다. 우리는 자연을 돌볼 책임이 있다. 다른 종들도 생명의 잠재력을 실현할 독립적인 권리가 있기 때문이다. 딱정벌레, 버터철쭉버섯, 비버가 모두 그렇다. 크건 작건, 못났건 아름답건, 유용하건 그렇지 않건 간에 말이다.

숲속의 삶, 삶 속의 숲 —자연과 정체성

때로 자연에서 강렬한 기쁨을 경험한다. 가슴속 깊은 곳에 자리 잡아 존재의 모든 섬유 가닥으로 발산되어, 환호하고 눈물을 흘리게 만드는 강렬하고 집중된 희열. 이런 감정은 언제나 숲속에 있을 때 찾아온다. 미안하지만 나무들이 모두 열 맞춰서 있고 키도 너비도 똑같이 잘 정비된 경제림은 예외다. 물론 가을 햇살 아래 밀밭이 아름다운 것처럼 그런 숲도 그곳만의 아름다움이 있다. 그러나 길들지 않은 야성적인 기쁨은 다른 종류의 숲에 숨어 있다. 쓰러진 통나무와 은빛으로 닳아버린 죽은 소나무 사이에, 너덜해진 수관을 하늘 높이 치켜세운 고대의 가문비나무 아래에.

그럼에도 이곳 역시 진정한 원시림은 아니라는 것쯤은 알 정도로 나는 숲을 안다. 우리 인간은 노르웨이 자연 구석구석에 지문을 남겨놓았고, 그게 뭔지 아는 사람이라면 이곳에서도 쉽게 찾을 수 있다. 그건 미래에도 그럴 것이다. 노르웨이 숲 대부분이 목재 생산을 위해 베어질 터다. 그렇더라도 이 보호받는 작은 천연림은 내게 많은 의미가 있다. 내가 알고 있는 나, 그리고 내 정체성에. 많은 사람들이 영혼의 작은 조각을 품은 장소를 자연 속에 가지고 있다.

천연림에 있을 때 느끼는 즐거움은 지적일 뿐 아니라 감각적이기도 하다. 숲은 초록 스펙트럼을 따라 펼쳐지는 빛과 그림자의 놀이터다. 부츠 밑의 부드러운 이끼, 소나무의 거친 나무껍질과 너도밤나무의 매끄러운 나무줄기 감촉, 그리고 색깔과 냄새와 소리. 오래된 천연림에는 특별한 소리가 있다. 삶과 죽음의 화음, 석탄기 이후로 수백만 년 동안 숲속에 울려 퍼졌던 선율. 죽은 나무가 산 나무에 기대어 줄기와 가지가 서로 비비고 긁어대고, 뒤틀린 수관에서 바스락대는 바람의 리듬에 맞춰 삐걱거리는 소리다.

미국 몬태나주에서 온 한 동료 과학자는 이곳에 이사를 오고 몇 년간 스칸디나비아 지역의 숲에서 뭔가 잘못되었다는 느낌을 받았다고 했다. 그게 뭔지 정확히 말할 수는 없지만 뭔가 빠져 있었다. 그리고 어느 날 그는 깨달았다. 사라진 요소는 바로 소리였다! 그에게 익숙한 미국 원시 보호림의 야생 숲과 비교해 노르웨이의 경제림은 고요하다. 숲 플랜테이션에는 죽은 나무가 있을 곳이 없다. 들리는 거라곤 목재의 가격과 미래에 투입될 양이 숨죽여 속삭이는 소리뿐이다.

숲에서는 향기도 난다. 개벌된 곳에는 나뭇진과 뭉개진 침엽수의 잎과 차량 타이어가 지나갈 때 갈라져 열린 검은 토양에서 나는 날카롭고 알싸한 향이 있다. 성숙한 천연림에서 그 향기는 둥글어지고 부드럽고 걸을 때마다 계속해서 달라진다. 삶이 죽음이 되고 죽음이 삶이 되는 찰나의 순간과 희망, 그 밑바닥 선율 위에 짙은 녹색 이끼의 날 냄새가 태양이 데워놓은 수피의 매콤한 향기와 번갈아 나타난다. 어쩌면 죽은 가문비나무의 아직은 쌩쌩한 나무껍질에서 코코넛 향을 느낄지도 모른다. 그 냄새를 따라가다 보면 근원이 키스토스테레움 무라이*Cystostereum murrayi*라는 희귀한 곰팡이였음을 알게 될 것이다.

한때 세상은 온통 숲이었다. 거대하고 어둡고 위험했고, 야생 동물과 무서운 것들이 공포를 심어주었다. 숲을 베어내고 빛이 들어오는 공터를 만들어 살면서 농사를 짓고 안심하게 되고서야 비로소 경계를 늦출 수 있었다. 수천 년 동안 숲을 길들이고 통제하는 게 우리의 꿈이었다.

우리는 대체로 성공했다. 오늘날 노르웨이 숲 대부분이 합리적이고 효율적인 방식으로 개벌, 수확된다. 그러나 숲이 줄어들고 인구가 늘어나면서 인류에게 다른 꿈이 생겼다. 야생으로 돌아가는 꿈. 누구도 손대지 않은 원시림으로, 자신의 기원이자 정체성인 곳으로.

이런 숲에서는 강렬한 기쁨 같은 자극만큼이나 어두운 발톱이 경고 없이 밝음을 낚아채 갑자기 숨이 멎을지도 모른다. 하지만 그런 숲은 이제 거의 존재하지 않기 때문에 나는 마음 깊은 곳에서부터 슬픔을 느낀다. 남아 있는 작은 조각조차 경제 성장, 자원 수요, 발전이라는 미명 아래 지속적으로 위협을 받기 때문이다. 누군가는 이것을 '생태학적 비애'라고 부른다. 인간이 자신이 사는 지구를 얼마나 총체적으로 바꿔놨는지를 인정하는 말이다.

많은 이들이 자연 속에서 가장 좋아하는 장소가 있다. 그곳은 자신의 정체성을 형성한 곳이다. 그곳을 보존하는 것은 대단히 중요하다. 그런 곳을 잃는 건 자신의 일부를 잃는 거나 마찬가지니까.

호모 인도루스—자연과 건강

사람이 백 살까지 산다고 가정해보자. 평균적인 유럽인이라면 그중 90년을 실내에서 보낼 것이다. 30만 년 전, 최초로 원시 형태의 집을 지은 이후로 우리는 끝없이 실내 공간을 확장해왔다. 예컨대 오늘날 맨해튼에서 실내의 넓이는 맨해튼 자체 면적보다 3배 이상 크다.

생태학ecology라는 말은 '오이코스oikos', 즉 집이라는 말에서 왔다. 생태학은 바로 우리들의 집을 연구하는 학문이다. 그러나 거실 디자인이나 최신 유행하는 부엌 스타일을 말하는 게 아니다. 창밖으로 생명이 우글거리는 초록(때로는 흰색) 공간, 자신이 살고 있는 오이코스에 관해 우리는 얼마나 알고 있는가? 주변의 자연에 대해서는? 영국 과학자들이 조사한 결과 영국의 성인 2,000명 중 절반이 참새를 알아보지 못했다. 8~11살 아이들에게 영국의 흔한 동식물이 그려진 카드와 포켓몬 캐릭터가 그려진 카드를 함께 보여주었더니 참나무나

오소리처럼 실제로 존재하는 종보다 포켓몬 '종'을 더 잘 식별했다. 일본 판타지 캐릭터는 80퍼센트나 이름까지 정확하게 댔지만, 진짜 종은 절반밖에 맞히지 못했다.

아이들의 바깥 생활과 놀이에 일어난 변화를 고려하면 그리 놀랄 일은 아닐지도 모른다. 이 사실은 영국의 타블로이드 신문인 '데일리 메일The Daily Mail'이 2008년에 낸 기사에 잘 나와 있다. 이 기사에서는 한 가족의 4세대에 걸쳐 여덟 살 어린이가 밖에서 방황할 권리의 변화를 살펴보았다. 증조할아버지 조지는 1926년에 태어나 1934년에 여덟 살이었다. 그의 가족은 비좁은 집에서 살았고 조지는 정해진 활동이나 어른의 감독 없이 대부분의 자유 시간을 집 밖에서 보냈다. 그는 종종 좋아하는 연못에 가서 낚시를 했는데, 집에서 10킬로미터나 떨어진 곳이었다. 할아버지 잭은 1950년에 여덟 살이었다. 몇 킬로미터 떨어진 동네 숲속에 가서 놀기도 하고, 매일 혼자 걸어서 학교에 갔다. 엄마 비키가 1979년에 여덟 살이었을 때는 공원이나 동네에서 놀았고, 필요하면 800미터 떨어진 동네 수영장까지 걸어갔다. 오늘날 비키의 아들 에드워드는 집 뒷마당에서 논다. 학교에 혼자 걸어가면 안 되고 엄마가 차로 학교까지 태워다준다. 자전거를 타고 싶으면 엄마가 자전거를 차에 싣고 안전한 곳으로 가서 함께 탄다.

유치원에서도 상황은 다르지 않다. 오슬로에서 1975년 이전에 지어진 탁아시설과 2006년에 지어진 신설 유치원 200

군데를 비교했더니 아이당 허락된 면적이 거의 13제곱미터 감소했다. 소실된 면적의 54퍼센트가 실외 공간이었고, 주차장이나 접대공간은 불과 2퍼센트 줄었다. 보통 주차장 면적은 법으로 규제되지만, 최소 놀이 공간의 필요요건은 2006년에 삭제되었다는 아이러니한 사실로 이 결과가 설명된다.

어른들도 전보다 바깥에서 보내는 시간이 줄었다. 낮에는 키보드를 두드리고 마우스를 클릭하는 사무실 드론처럼 살고, 밤에는 화면에 얼굴을 고정한 카우치 포테이토*가 되었다. 그렇다면 인간은 원래의 집인 자연을 버리고 마룻바닥과 주름진 블라인드 속 실내로 들어갔다고 봐야 하지 않을까? 우리 대부분은 자신이 뭘 잃어버리고 있는지 의식하지 못한 채 실내 생활을 한다. 호모 인도루스*Homo indoorus*‡로서 우리의 새로운 삶은 중요한 결과를 낳을 것이다. 생활 속 자연의 부재는 우리를 병들게 할 수 있다. 여기에는 몇 가지 메커니즘이 작용한다.

일상에서 토양, 식물, 동물의 형태로 자연과 접촉하면서 면역계가 형성된다는 점이 그중 하나다. 건강의 생물다양성 가설로 알려진 이 연관성은 생물다양성 소실과 비감염성 만성 질환 증가 사이에 분명한 상관관계가 있음을 뜻한다. 문제의 질병들은 다발성 경화증, 류마티스 관절염, 천식, 알레르기, 셀리악병(만성 소화 장애증), 염증성 장 질환, 제1형 당뇨병 등 우리 면역계를 제멋대로 날뛰게 만든다.

---

* 소파에 누워 감자칩을 먹는 사람. 즉 실내에 틀어박혀 지내는 생활습관을 말한다.

‡ 실내 인간이라는 뜻.

이 파노라마에서 미생물이 중요한 역할을 한다. 생물다양성 소실은 단지 나그네비둘기나 코뿔소에 국한되지 않는다. 우리 몸 안팎에 사는 미생물에도 해당한다. 우리 몸은 수십억 마리의 세균이 서식하는 걸어 다니는 동물원이기 때문이다. 최신 추정치에 따르면 평균 체중 남성의 경우 미생물이 약 200그램을 차지한다. 하지만 우리가 토양, 동물, 녹색 자연 등에 충분히 노출되지 못하여 미생물을 만날 기회가 줄면 면역계가 약해져서 병에 걸리기 쉬워진다. 건강의 생물다양성 가설을 지지하는 새로운 연구 결과가 잇따라 대거 보고될 예정이다.

전혀 다른 분야지만 자연과 정신 건강의 관계를 탐구하는 연구도 증가하고 있다. 통계에 따르면 노르웨이 전체 성인의 약 4분의 1이 정신 건강에 문제를 겪고 있다. 자연이 이에 대한 해결책을 가지고 있다. 녹색 환경에서 활동적으로 지내는 것이 간단하지만 효과적인 치료법이 될 수 있다. 건강에 좋고, 그러므로 사회에도 좋다.

산림욕이라는 말을 많이들 들어봤을 것이다. 이 용어는 1998년에 처음 과학 문헌에 등장했는데, 논문에 따르면 산책이 당뇨 환자들의 혈당 수치를 줄여주었다. 당장 검색해보아도 학술 논문 인터넷 데이터베이스인 웹 오브 사이언스Web of Science에 100개 이상 결과가 나온다(구글에서는 100만 건 이상). 검색된 논문들을 보면 숲을 찾는 것이 뇌 활동, 스트레스

호르몬, 맥박과 혈압에서부터 기분, 수면, 집중에 이르기까지 모든 것에 긍정적인 영향을 준다고 한다.

꼭 숲일 필요는 없다. 다른 자연도 충분하다. 2019년에 출간된 한 연구 논문에서는 '자연에 대한 노출과 건강 사이의 연관성을 나타내는 강력한 증거가 있다'라고 결론을 내린다. 비록 이런 효과의 원인을 이해할 지식은 아직 한참 부족하다고 덧붙이긴 했지만. 그러나 자연 속을 산책하는 건 간단하고 자유로우면서 부작용이 없기 때문에 깊이 생각할 게 없다. 운동화 끈을 매고 밖으로 나가기만 하면 되는 문제다. 코로나19 위기로 많은 노르웨이 사람들이 그런 것처럼, 2020년 봄 오슬로 주변의 숲에는 어딜 가나 사람들이 있고, 한 나무 걸러 하나씩 해먹이 걸려 있었다.

마지막으로 전하고 싶은 핵심은 자연을 돌보려면 자연을 잘 알아야 한다는 사실이다. 어린 시절 자연과 많이 접촉하고 자연에서 긍정적인 경험을 한 아이가 커서 환경 문제를 더 많이 염려하게 될 것이다. 가까운 어른과 바깥에서 함께 시간을 보내고, 자연을 보여주고 자연이 많은 의미가 있다고 알려주는 게 중요한 역할을 한다. 그래서 밖으로 나가야 한다. 나가서 보고 만지고 듣고 냄새를 맡아야 한다. 숨 쉬고 맛보고 느껴야 한다. 바깥에 있다는 즐거움을 만끽해야 한다. 가까운 숲에서, 공원, 바다, 겨울 산에서. 잘 알지 못하고 친숙하지 않은데 어떻게 돌볼 마음이 들겠는가? 함께 사는 생물을 사랑하라고 가르치지 않는데 어떻게 우리 아이들이 기후와 자연을 구하는 일을 하리라고 기대하겠는가?

녹색분칠, 화이트워싱—장식용 잔디밭과 야생 정원

왜 우리는 잔디밭처럼 인간이 잘 손질해놓은 자연을 좋아할까? 생물학 지식은 '못생겼다' '예쁘다'라는 우리의 견해에 어떻게 영향을 줄까? 몇 년 전 한여름에 캘리포니아를 여행한 적이 있다. 센트럴밸리에는 끝도 없이 아몬드나무가 서 있었다. 참고로 아몬드나무는 재배할 때 물이 극도로 많이 필요한 수종이다. 당시는 가뭄이 들어 물 사용 제한 조치가 내려졌다. 도시 근교의 집집마다 시들고 누렇게 마른 잔디가 사태의 심각성을 증명했지만, 전형적인 미국인들은 이런 상황에서도 사업 기회를 찾았다. 한 회사가 전화번호와 함께 커다란 간판을 내걸었다. '잔디가 다 죽었다고요? 잔디밭이 갈색으로 변했나요? 그럼 색칠을 하세요!'

차창 밖으로 슬쩍 그 간판을 찍으면서, 나는 야생에 대한 인류의 꿈이 끝나는 지점을 보았다. 정원의 시든 잔디 위에 녹색 페인트를 뿌려 가짜로 살아 있는 자연을 만드는 행위에 진심으로 실망했고 가슴이 아팠다. 진짜 잔디밭을 가지는 건 나쁜 일이 아닌 것인양.

잔디밭은 생물다양성이 극도로 제한된 초록색 아스팔트

다. 꽃 한 송이 피지 않는 '완벽한' 잔디밭을 창조하려는 편집 증적 열정으로 온갖 살충제에 기댈 때는 더더욱 그렇다. 미국에서 잔디밭은 노르웨이 면적의 절반에 해당하고, 여기에 매년 3만 4,000톤의 살충제를 뿌린다. 그 바람에, 죽은 식물을 새로운 영양분으로 재순환하게 하는 자연적인 토양 동물상이 감소, 변화했다. 그 결과 미국인들은 그 위에 4만 1,000톤의 비료를 주어야 한다.

도대체 왜 그러는 걸까? 왜 그렇게 잔디밭을 좋아할까? 왜 형형색색의 꽃들이 풍성하게 피어나고 냄새와 소리와 곤충이 그득한 풀밭을 만들지 않을까? 잔디밭은 프랑스와 영국의 정원에서 장식적 요소로 처음 등장한 문화 현상이다. 그리고 르네상스를 거치면서 넓은 풀밭을 장식용으로 삼았고, 가축이 풀을 뜯게 하지 않고 놀릴 수 있을 정도의 부를 나타내는 귀족과 상류층의 상징이 되었다. 그런데 그것으로 오늘날의 세계적인 잔디 사랑과 잔디가 녹색 공간을 절대적으로 지배하는 현상을 설명할 수 있을까?

현재 잔디밭은 전 세계에서 도시의 녹색 공간을 최대 70퍼센트까지 차지한다. 스웨덴에서 잔디가 덮은 땅은 50년간 두 배로 늘었다. 그와 동시에 꽃들이 만발하는 자연적인 초원 지역은 지난 150년 동안 급격히 줄었다. 초원을 개간하고 그 자리에 건물을 짓거나 아니면 풀이 지나치게 자라도록 방치해서 숲이 되었다. 그건 노르웨이도 마찬가지다. 오슬로 피오르 지역만 해도 1950년대 이후로 꽃이 풍성하던 공간의 절반 정도가 사라졌다.

정돈되고 세심하게 계획된 공원 스타일의 자연을 더 많이 접하면서 우리는 결벽증에 걸리고 여려졌다. 그래서 지극히 정상적인 자연 현상에도 주의를 기울이게 되었다. 몇 년 전 독일의 하스브루흐 자연보호구역에 들어가는 길에 커다란 적색 표지판을 보았다. 지금 진입하는 보호된 천연림에는 죽은 나뭇가지가 나무에서 제거되지 않아 언제든 떨어질 수 있고, 최악의 경우 머리에 떨어질 수도 있다는 설명이었다(떨어진 나뭇가지에 깔린 남성 그림까지 그려져 있었다). 나는 위험을 각오하고 숲에 들어갔는데 경고문은 계속 이어져 있었다.

그러나 정돈된 미에 대한 대안이 있다. 이 심미안으로 세상을 보면 예쁘다는 게 획일성과 동일하지 않고 자연스러운 변이가 위험으로 여겨지지 않는다. 공원과 정원, 그리고 숲이 좀 더 야성적으로 자라게 됐을 때 얻게 될 이점을 말함으로써 우리는 이러한 경향을 되돌릴 수 있다. 색과 냄새와 곤충이 풍부한 야생화 초원은 다리가 두 개인 동물이나 여섯 개인 동물에게나 똑같이 즐거움을 줄 것이다. 고사목은 자연 고유의 곤충 호텔이고 수천 종을 한 번에 수용할 수 있는 반면, 가게에서 구입한 곤충 호텔은 기껏해야 십여 종의 고객밖에 받지 못한다. 저택 정원의 아름답고 지저분한 한구석이 다양한 포식성 곤충들, 심지어 고슴도치에게까지 공간을 제공하며 도시의 생물다양성을 개선하는 데 중요하게 이바지할 것이다.

식물처럼 똑똑하게

인간의 관점에서 벗어나 세상을 보는 건 그다지 쉬운 일이 아니다. 우리에게는 없는 감각을 상상하는 일도 그렇다. 토마토나 미모사의 눈에 세상이 어떻게 보일지 어찌 알 수 있겠는가. 우리는 지각의 한계에 갇혀 있고 심지어 삶의 난제를 해결하는 '인간의 방식'이 유일하고 최선이라는 자만심에 사로잡혀 있다. 그래서 어떤 식물은 곤충이 윙윙대는 소리에 반응해 고작 3분 만에 꿀물의 당도를 증가시킨다는 걸 알았을 때 화들짝 놀란다. 그러나 식물은 생각보다 우리와 비슷하다.

　모든 생물이 근본적으로 공유하는 과정이 있다. 먹이와 에너지를 얻고, 생장하고 노폐물을 분비하고 돌아다니고 번식하는 일이다. 추가로 주위 환경을 감지하거나 환경에 반응할 수 있어야 한다. 식물도 마찬가지다. 적어도 식물이 중력을 느끼는 건 확실하다. 왜냐하면 뿌리는 아래로, 줄기는 위로 자라니까. 하지만 식물에는 더 많은 감각이 있다. 눈이나 귀나 코 같은 전문적인 감각기관이 없을 뿐이다.

　식물이 보고 듣고 냄새 맡고 촉각을 느끼는 능력에 대한 논의는 첫단추를 잘못 끼웠다. 1970년대에 식물한테 클래식을 들려주면 더 빨리 자란다고 주장한 책 때문이다. 별다른 증거도 없이 제기된 이 신화는 식물의 감각에 대한 다른 연구의 평판까지 오랫동안 더럽혔다. 위키피디아에서 '식물 지각'을 검색하면 여전히 두 가지 참고문헌이 나온다. 하나는 생리학 지식을 토대로 한 것이고 다른 하나는 사이비 과학의 주장에 기반한 것이다.

식물의 음악 취향을 연구하는 건 의미 없는 일이다. 모차르트든 메탈리카든 민들레에게는 생태학적으로 상관이 없기 때문이다. 그러나 최근에 식물이 사람의 아이들과 비슷하다는 생각을 뒷받침하는 연구 결과가 많이 나왔다. 다시 말해 식물도 자기가 듣고 싶은 걸 듣는다는 것이다. 예를 들어 애기장대는 제 잎을 갉아먹는 줄흰나비 애벌레 소리와 바람 소리, 그리고 다른 곤충의 소리를 구분한다. 불길한 애벌레 소리를 들은 식물은 방어 물질을 더 많이 생산한다. 바늘꽃과의 한 식물은 윙윙대는 벌의 날갯짓, 또는 같은 주파수대로 합성된 소리를 들려줬을 때 꿀물을 더 만들었다.

식물은 어떻게 소리를 들을까? 자세한 내용까지는 아직 밝혀지지 않았지만, 꽃 자체가 외이外耳로 기능하는 것 같다. 꽃잎을 제거하면 반응도 사라지기 때문이다. 그렇다면 시끄러운 도시에서 자라는 식물들은 어떤 영향을 받을까? 우리는 이제 겨우 추측을 시작했다.

식물이 빛, 특히 붉은빛과 푸른빛에 반응하는 것만 봐도 식물이 볼 수 있다는 점을 받아들이기는 쉽다. 그럴 수밖에 없는 게 설탕을 만들려면 빛이 필요하기 때문이다. 식물에게 빛은 곧 식량이다. 우리는 식물의 새싹이 광원을 향해 몸을 뻗는 걸 보아왔다. 싹의 꼭대기에 있는 감광성 수용체가 보낸 신호가 그늘진 쪽의 세포를 늘이고 더 길게 자라게 해 식물이 빛을 향해 몸을 굽히기 때문이다. 또한 식물은 잎 달린 이웃들도 '볼' 수 있다. 빛이 다른 식물을 투과하거나 반사될 때 붉은빛의 파장이 다양하게 변하기 때문이다.

후각, 또는 기체 형태의 화학 물질을 지각하는 능력도 식물에 중요하다. 냉장고에 사과와 다른 과일을 함께 보관하지 말아야 한다. 사과가 다량의 에틸렌을 분비하기 때문이다. 에틸렌은 숙성 과정을 촉진하는 물질인데, 자연의 많은 열매들이 이웃 열매에서 발산하는 이 후각 물질에 반응해 에틸렌을 생산한다. 이런 식으로 열매들이 서로 익는 시기를 조절하는데, 이는 과일을 먹고 씨를 퍼뜨려줄 생물을 끌어들이는 중요한 방식이다. 하지만 부엌에서는 사과 가까이 있는 과일이 너무 빨리 농익어버린다. 당장 익지 않은 바나나 두 개를 비닐봉투에 하나씩 담고 한 봉투에만 사과를 넣어 실험해 보아라. 사과가 있는 봉투 속 바나나가 더 빨리 익을 것이다.

식물은 다른 방식으로도 냄새를 맡는다. 고전 연구에 따르면 새삼이라는 미국의 기생성 덩굴이 이웃 식물의 방향 물질을 포착해 불운한 희생자에게 덩굴손을 뻗는 모습을 보였다. 새삼은 자기가 좋아하는 토마토와 별로 좋아하지 않는 밀의 향기를 구분한다. 이 장면을 초고속으로 촬영한 영상을 본다면 '식물은 느린 동물'이라는 우스갯소리에도 많은 진실이 담겨 있음을 알게 될 것이다.

또한 토마토는 이웃이 애벌레의 공격을 받을 때 분비하는 냄새에 반응해 방어 물질 생산을 늘린다. 덕분에 애벌레가 도착했을 때 더 잘 방어할 수 있다. 이 현상을 묘사할 때는 표현에 신경 써야 한다. 이웃하는 식물이 발산하는 냄새에 반응한다는 말은 공격받은 식물이 '경고한다'는 표현과는 엄연히 다르다. 앞에 있는 것은 진화적 맥락에서 논리적이지만, 뒤에 있는 것은 (뒷받침할 증거가 없는) 소통에 대한 의식적 욕망을 암시한다.

맛은 냄새와 밀접하게 연결되었다. 코가 막혀 냄새를 맡지 못할 때 음식이 얼마나 맛없어지는지 생각해보라. 식물에게도 이 감각은 두 영역의 경계를 넘나든다. 같은 물질이라도 기체 형태로 냄새를 맡기도 하고, 물에 녹으면 맛을 볼 수도 있기도 하다. 그래서 우리는 식물의 뿌리가 토양의 화학 물질을 지각하고 반응할 때 그걸 '맛을 느낀다'라고 할 수 있다. 식물도 맛을 보아 물이나 양분이 많은 쪽으로 자라고 또 다른 식물의 뿌리를 인지한다.

식물의 감지 능력을 보여주는 가장 좋은 예는 식충식물이나 미모사다. 워낙 민감해서 '나를 건드리지 말아요'라는 별명으로도 잘 알려진 미모사는 재밌는 식물이다. 이 별명에서 알 수 있듯이 미모사 잎은 동물에게 뜯어 먹히지 않도록 촉감에 반응한다. 내가 생물학자 엄마라는 사실이 빛났던 순간이 여럿 있다. 그중에 어린아이들을 데리고 열대의 숲을 걷다 미모사를 만났던 때가 기억난다. 당시 네 살이었던 우리 아이는 포동포동한 검지손가락으로 잎을 쓰다듬으면 잎이 닫히는 게 재밌어서 질리지도 않고 잎을 계속 만져댔다.

미모사는 식물이 배우고 기억한다는 걸 보여주는 혁명적인 식물 중 하나다. 그러나 여전히 논란이 되는 많은 실험에 사용되기도 했다. 미모사를 반복해서 떨어뜨리면—마치 식물용 번지점프처럼—거기에 익숙해져서 잎을 닫지 않는다. 물론 다른 자극을 주면 반응해서 닫힌다. 그걸로도 모자라 미모사는 번지점프에 대한 기억을 한 달이나 간직한다.

이런 발상이 아예 새로운 것은 아니다. 영국의 박물학자 찰스 다윈은 식물의 감각 지각에 관해 썼고, 식물의 작은 뿌리와 뿌리 끝은 '하등동물의 뇌'와 다르지 않다고 주장했다. 그의 아들인 식물학자 프란시스 다윈은 1908년에 영국과학진흥협회에서 이 주제로 강연했다. 사진까지 갖춰서 페이지 가득 '채소 심리학'을 다룬 '뉴욕타임스'에 따르면, 이런 발상은 강연에 참석한 수염 난 과학자들에게 상당한 실망을 주었다고 한다.

그게 문제의 핵심이다. 인간을 자신이 기원한 곳으로 데려가는 것. 인간은 식물맹이 되어버렸다. 엽록체로 채워진 먼

266
267

친척을 보지 못하는 무능력, 그리고 초록 세포벽 뒤에 숨은 것을 이해하고 싶지 않은 마음. 어느 식물학자가 얼마 전에 그나마 관대하게 지적했듯, 우리는 식물뿐만 아니라 '척추동물을 제외한 모든 것에' 눈이 멀었다. 식물(무게로 따지면 모든 생물의 80퍼센트를 차지하는), 그리고 벌레(알려진 동식물 종의 75퍼센트를 차지하는)가 지배하는 행성에서 우리 인간이 이토록 근시안적이고 자기 집착 속에 살아가는 걸 자랑스러워해야 할까?

미묘한 상호작용

'본질적 가치'라는 용어를 자연에 적용해보자. 이는 자연을 유용함과 무관하게 그 자체로 가치가 있다고 생각한다는 뜻이다. 그런데 어떻게 하면 그 의미를 좀 더 구체적으로 표현할 수 있을까? 노르웨이의 자연다양성법에 이런 조항이 있다. "자연의 본질적 가치를 인정한다는 것은 자연에게 이상적인 권리가 있다고 인정하는 것이다. 예를 들어, 다른 형태의 생물에게도 인간에게 유용한지 여부와 상관없이 존재할 자명한 권리와 피해로부터 보호받을 권리가 있다. 그 안에는 자연 속에서의 상호작용을 존중하는 요소가 있다. 그 상호관계가 생물과 무생물이 결합해 자연을 구성하는 복잡하고 '촘촘한' 태피스트리를 형성한다."

부담스러운 말들이다. 불분명하고 이해하기도 쉽지 않다. 자연의 본질적 가치를 논한다는 건 철학자가 아닌 우리들에게는 쉽지 않은 일이다. 이런 언어는 한쪽엔 소외감을 주는 전문용어의 가시덤불과 클리셰의 모래늪 사이에 난 좁은 길을 걷는다. 생태학, 경제학, 철학에 사용하는 전문용어가 있긴 하지만, 우리는 자연의 근본적인 의미를 보다 일상적인 언어로 표현하기 위해 애쓴다. 인간을 일방적인 수혜자, 자연을 일방적인 서비스 제공자의 틀에 집어넣지 않고 말이다. 어쩌면 우리가 자연이라고 부르는 이 복잡한 태피스트리를 하나로 묶는, 무수한 독창적인 상호작용의 하나를 설명하는 게 더 쉬울지도 모르겠다.

살면서 친구의 도움이 필요할 때가 있다. 자신이 조산아로 태어나 인큐베이터에서 삶을 시작해야 한다고 해보자. 우리가 아는 어떤 아름다운 꽃들도 이렇게 생을 시작한다. 바로 난초다. 많은 난초의 씨앗이 먼지나 티끌 수준으로 매우 작다. 다른 식물들의 씨와 달리 그 안에 도시락이 없기 때문이다. 난초의 씨앗에는 새싹이 뿌리를 내릴 때까지 버틸 식량이 하나도 없다. 그래서 착한 친구들로부터 도움을 받아야만 살 수 있다. 그 친구는 균근균인데, 식물의 뿌리 주위(부분적으로는 안까지)를 둘러싸는 장갑처럼 꼭 맞는다. 지구상의 식물 대부분이 완전히 자라고 나면 뿌리에 이런 곰팡이 장갑—또는 발가락 양말이라고 불러도 좋다—을 끼고 있다.

난초와 곰팡이의 친구 관계에 특별한 점이 있다면 우정이 아주 일찌감치 시작된다는 사실이다. 이 균류는 깃털처럼 가벼운 난초의 씨앗을 데려다가 부드러운 균사로 만든 일종의 인큐베이터 안에 집어넣는다. 무력한 작은 씨앗은 그 안에서 뿌리와 줄기와 잎이 자랄 때까지 처음부터 식량과 물을 제공받는다. 이 상호작용을 통해서만 씨앗은 아름다운 난초로 완전히 발달할 수 있다.

알려진 것만 2만 8,000종인 난초과는 식물계에서 가장 큰 분류군이다. 사실 지구에 있는 식물 종 중 열에 하나가 난초다. 난초는 희한하고 경이롭고 아름답고 극도로 다양하다. 아마 난초를 꽃집에서 가장 흔하게 봤을 텐데, 저 먼 열대지방에서 온 하얗고 보라색이 도는 종을 15파운드(한화 약 2만 4,000원)에 살 수 있다. 난초 대부분이 열대지방에 살지만, 노르웨이의 황무지에도 40가지나 되는 종들이 희박한 숲과 칼슘이 풍부한 작은 언덕에 가까스로 발을 붙이고 산다. 어떤 것들은 애기사철란이나 네오티아 오바타*Neottia ovata*처럼 온통 연한 녹색으로 작고 보잘것없다. 서양복주머니란이나 손바닥난초처럼 노란색 또는 진분홍 색조의 크고 대단히 아름다운 난초도 있다.

그러나 그들의 땅속 절친은 반지를 낀 프로도*처럼 눈에 보이지 않는다. 균류는 자실체를 만드는데(자실체는 균류의 '꽃'으로 꾀꼬리버섯처럼 우리가 지상에서 보는 부분을 말한

---

*   소설 『반지의 제왕』에 나오는
    등장인물.

다), 이를 종 목록에 올리려면 토양의 DNA를 분석해야 한다. 이들은 부족한 신체적 매력을 진짜 공주에게나 어울릴 법한 툴라스넬라*Tulasnella*와 투멘텔라*Tomentella*라는 속genus 이름으로 보완한다. 전 세계적으로 난초는 서식처 파괴, 기후 변화, 난초의 아름다움을 양심 없이 탐색하는 사람들에 의해 위협받고 있다. 난초 약 1,000종의 멸종 위험도를 분석한 전문가들은 무려 57퍼센트나 되는 난초가 세계적으로, 그리고 대부분은 치명적으로 위협받는 상태에 있다고 밝혔다. 누군가는 이렇게 말할지도 모른다. 그래서 뭐가 어떻다는 말인지? 세상에 난초가 2만 8,000종 있다는 게 무슨 의미가 있는가? 우리한테 쓸모가 있긴 한가? 바닐라 향도 다른 방식(139쪽 참조)으로 생산할 수 있고, 플라스틱으로 장식용 조화를 만들 수 있는 세상인데?

그렇다면 기생 생물의 본질적 가치는 어떨까? 수가 워낙 많을 뿐 아니라 우리를 위험에 빠뜨리거나 아프게도 할 수 있는데? 생김도 혐오스럽고 생활방식도 기괴한 종들을 사랑할 수 있을까? 쥐며느리처럼 생겨서 흰동가리('니모를 찾아서'에 나오는 흰색과 주황색 줄무늬의 영웅) 같은 물고기에 기생하는 작은 해양 갑각류 키모토아 엑시구아*Cymothoa exigua*는 어떤가?

키모토아 엑시구아는 어린 수컷일 때(사실 이 종의 어린 개체는 모두 수컷이다) 아가미를 통해 새로운 물고기 몸속으로 들어간다. 이 물고기의 턱 안에 이미 키모토아 엑시구아 암컷이 자리 잡고 있지 않다면, 이 수컷은 성별을 암컷으로 바꾸고 집게발을 더 길게 발달시킨 다음, 물고기의 혀 크기만큼 자란다. 긴 집게발은 꽤 쓸모가 있다. 생활사의 다음 단계에서 암컷이 니모의 혀에 이 집게발을 박아 넣고 혈액 공급을 막아버리는데, 그러면 조직이 죽어서 혀가 떨어져 나가기 때문이다.

하지만 너무 절망하지 않아도 된다. 혀를 끊어낸 자가 잃어버린 혀를 대체해줄 테니. 이 암컷은 다리를 혀뿌리에 단단히 고정하고 물고기의 새로운 혀로 거듭난다. 마치 살아 있는 인공 기관처럼 물고기 입안에서 밖을 쳐다보는 이 갑각류는 우리에게 본질적 가치라는 문제가 결코 단순하지 않음을 일깨워준다.

나는 자연과 종의 본질적 가치를 논의하는 일이 흥미로우면서도 어려운 일이라고 생각한다. 다음 주장에 내포된 원칙에 동의하기는 쉽다. '모든 생물은 가치 창출과 유용성의 의무가 없이 제 삶을 영위할 자명한 권리가 있다.' 그러나 이 주제에 어떤 식으로 접근하든 우리는 인간이고, 우리의 지식, 옳고 그름에 대한 판단, 윤리 규범은 모두 인간이 지각하고 바라는 것에 제한된 관점을 통해 걸러져 나온다는 사실에서 벗어날 수는 없다.

내가 균류와 난초의 복잡한 상호작용을 존중하다 못해 경외한다면, 그래서 우림에는 완벽하게 쓸모없는 데다 내 평생 보지도 못할 꽃들이 수천 종이나 있다는 걸 아는 게 중요하다 말하고 싶다면? 그렇다면 기능하는 개체이자 수혜자로서 나는 그것이 가지는 가치와는 전혀 관계가 없어지는 걸까? 우리는 자연이 언제나 중심을 차지하는 환경 중심 관점을 얼마나 확장할 수 있을까? 우리가 진화의 원리를 떨치고 다른 종을 인간보다 앞세우는 것이 가능할 거라고 생각한다면 너무 순진한 걸까? 다른 방도가 없다면, 우리는 언제나 필연적으로 자신, 그리고 자신과 가장 가깝고 사랑하는 사람을 먼저 선택하지 않을까?

이런 생각들은 자연철학자들에게 맡겨야겠다. 그리고 다음번 캠프파이어 명상에서는 오래된 숲속에서 데카르트가 태어나기 전에 싹트고 자란 소나무 줄기에 기대어 한참을 앉아 있어볼까 한다.

잃어버린 야생과 새로운 자연 — 앞으로 나아갈 길

내가 숲으로 들어간 것은 삶의 본질만을 마주하고
살아보기 위해서였다. 그리고 삶이 가르치는 것들을 배울
수 있을지 알아보고, 그렇지 않다면 죽음을 앞두고 나는
제대로 살지 않았구나 하고 깨닫게 될지 알고 싶었다.

삶은 지극히 소중하므로 나는 삶이 아닌 걸 살고 싶지
않았다. 또한 되도록 체념하지 않는 삶을 살고 싶었다.
나는 깊게 살면서 삶의 정수를 온전히 빨아들이고, 삶이
아닌 것은 모두 파괴하고 낫으로 굵게 휘둘러 짧게
베어낸 다음 극한으로 몰아가 최소한의 조건만을 갖춘 채
스파르타인처럼 강인하게 살고 싶었다.

– 헨리 데이비드 소로, 『월든』

하와이 오아후섬에 있는 열대림에 서 있다고 상상해보자. 주
위는 온통 축축한 초록색으로 무성하다. 나무줄기는 생명을
주는 광선을 포획하고자 서로 먼저 하늘에 닿으려고 분투한
다. 잎은 부지런히 광합성을 해서 생물량을 축적하고 탄소는
줄기와 토양에 저장된다. 바닥에선 썩어가는 낙엽의 역한 냄
새가 날지도 모른다. 곰팡이와 곤충들이 관리사무소를 운영
중이니까. 나무 꼭대기에서는 오후 소나기가 남기고 간 빗방
울이 아직까지 땅으로 흘러내린다. 어디선가 새소리도 들린
다. 새들은 나뭇가지 사이를 살며시 움직이며 농익은 과일을
먹고 씨앗을 퍼뜨린다. 이렇게 우리는 주위의 자연 재화와 서
비스를 보고 듣고 냄새 맡는다.

　분명 독자는 이 숲이 근사한 야생이라고 생각할 것이다.
아마 실제로 본 적은 없을지도 모른다. 그러나 지금 독자를 둘
러싼 숲은 야생이 아니라는 데에 진실이 있다. 그 숲은 전적으

로 외부에서 도입된 나무와 풀로 구성되었다. 그곳에서 발견한 새들 역시 대부분 외래종이다. 자연의 관점에서 보면 모두 하와이의 것이 아니다. 이 모든 식물과 새들을 이 섬으로 데려온 건 인간이다.

이를 어떻게 생각해야 할까? 누군가는 이렇게 말할 것이다. '그래도 숲은 문제없이 돌아가잖아요. 안 그래요?' 숲은 마치 내일이란 없는 것처럼 생태계 서비스를 창출한다. 여기 오아후 숲에서는 최근에 만난 종들 사이에서 복잡한 상호작용이 일어난다. 자연은 언제나처럼 역동적이고, 적응하고 더욱 진화함으로써 우리가 만든 변화에 대응한다. 토종과 도입종이 그렇게나 다를까? 어떤 숲이 다른 숲보다 더 좋다고 말할 수 있긴 한 걸까? 그저 서로 다른 것 아닐까?

다른 사람들은 사라지는 것들에 주목해야 한다고 생각한다. 우리는 이미 너무 많은 것을 잃었다. 하와이에서 수백 종의 토종 생물들이 죽어나갔다. 대부분 매우 고유하고 세계의 다른 어디서도 찾아볼 수 없는 종들이었다. 우리는 진화의 가지를 잔인하게 쳐냈다. 기후가 바뀌는 상황에서도 숲이 유연하게 대처하고 활력을 유지하게 도울 종들을 제거했다. 어쩌면 그곳은 새로운 암 치료제가, 또는 새로운 항생제가 되었을 곤충이 살았던 곳인지도 모른다. 그러나 진실은 끝내 알 수 없게 되었다.

미래의 가능성을 조금이나마 유지하고 싶다면 인간이 손

대지 않은 자연을 최대한 많이 확보해야 한다. 유명한 미국의 자연 작가 알도 레오폴드Aldo Leopold가 말했듯이 "모든 수레바퀴와 그 축을 제대로 보존하는 것이 가장 중요한 급선무"이기 때문이다. 그러니까 모든 종을 구해야 한다는 뜻이다.

물론 인간이 설치한 새로운 자연이 하와이에만 있는 건 아니다. 빙하가 뒤덮지 않은 지구 표면의 3분의 1이 자연에는 없는 완전히 새로운 생태계로 덮여버렸다. 동시에 '인간의 영향력이 미치지 않는 넓은 대지나 바다'로 정의되는 야생이 사라지고 있다. 1993년에서 2009년까지 16년 만에 인도보다 넓은, 또는 알래스카 면적의 두 배에 달하는 야생이 사라졌다. 남극을 제외하고 육지의 77퍼센트와 바다의 87퍼센트가 인간의 활동으로 변화를 겪었다. 오스트레일리아, 미국, 브라질, 러시아, 캐나다 등 5개 국가가 육지와 해상에 남아 있는 야생 지역의 70퍼센트를 차지한다. 노르웨이는 바다 때문에 여섯 번째에 올라가 있다.

내 전문 분야인 보전생물학계에서는 최근 몇 년 동안 야생, 그리고 인간이 자연에 미친 영향력의 결과로 나타난 새로운 생태계에 관해 서로 다른 견해를 가진 생물학자들 사이에서 논쟁이 격하게 벌어지고 있다. 스펙트럼의 한쪽에는 '야생론자' 또는 '전통 보전론자'라고 불리는 사람들이 있다. 이들은 자연이 주축이고 인간은 수많은 종의 하나에 불과하다는 자연관을 갖고 있다. 이들은 19세기 북아메리카에서 기원한 고전 보전론자들의 견해를 지지하며, 작가 헨리 소로와 같은 야생 애호가들이 옹호한다(1989년 영화 '죽은 시인의 사회'에서 독서 클럽의 모든 회합은 소로의 책 『월든』의 유명한 구절로 시작한다. "나는 삶의 본질만을 마주하고 살고자 숲으로 갔다.").

야생론자들은 도구로서 보호 구역에 큰 무게를 둔다. 여기에 반대하는 사람들은 이들이 자연을 인간보다 우위에 놓는다고 주장한다. 새로 지정된 보호 구역 안에 살던 주민들을 내쫓는다든지, 인간이 아예 접근조차 할 수 없는 엄격한 보호 구역을 설정하는 일에 찬성하기 때문이다.

스펙트럼의 다른 쪽에는 '복지 우선주의자'라고 부르는 '신 보전주의' 주창자들이 있다. 이들은 야생이란 순진한 꿈에 불과하며 부적절한 목표라고 믿는다. 아직 인간이 손대지 않은 자연을 보호하려는 시도는 이미 오래전에 패배한 싸움이다. 슬프지만 지구상에 직간접적으로 인간의 영향을 받지 않은 땅이 없다는 게 현실이다. 신 보전생물학자들은 잃어버린 야생의 꿈, 멸종한 포유류와 사라진 큰바다쇠오리에 대한 애도를 멈춰야 할 때가 왔다고 생각한다. 이제는 눈물을 닦고 남아 있는 것들을 구하는 데 총력을 기울여야 한다. 그래야 앞으로 다가올 세대의 안녕을 보장하고 재화와 서비스를 공정하게 분배할 수 있다.

이 과학자들에 따르면 이런 목적을 위한 수단에는 인간

과 인간의 행복을 먼저 고려하는 보다 실용적인 보전 관념이 포함된다. 그렇다고 자연이 필요하지 않다는 뜻은 아니다. 그 것은 불가피한 진리다. 그러나 인간에게 이롭다면 대륙 사이에서 생물종들을 이동시킬 수 있다는 진보적 태도를 보이며 종의 보전에 대한 편익적 접근을 한다. 유럽에서 데려온 집고 양이들이 날지 못하는 뉴질랜드 조류들에 접근하지 못하게 하는 일이 번거롭고 돈이 많이 든다면, 차라리 그 새들을 고양 이가 없는 어느 낯설고 고립된 태평양 섬으로 옮겨버리는 게 낫다는 식이다. 또한 인간에게 별 효용 가치가 없는 새라면, 그냥 죽게 내버려두고 그 돈으로 우리와 자연에게 보다 유용 한 일에 쓰는 편이 낫다고 말한다.

보전에 대한 이런 상반된 시각이 뜨거운 감자가 되었다. 아마 현실에서는 야생론자와 복지 우선주의자라는 극단의 문 제는 아닐 것이다. 나를 포함해 대부분의 보전생물학자들은 천진난만한 낭만과 지나친 실용주의 사이에서 현실적인 타협 점을 찾아야 한다고 생각한다. 이렇듯 보전생물학은 영원히 끝나지 않을 일련의 딜레마를 다루는 학문이다.

앞으로 우리는 수십 년 동안 인간이 활동하고 자연에 전 반적으로 개입한 결과를 직면할 것이다. 그리고 이 축을 따라 점점 더 자주 중요한 선택과 결정을 내려야 한다. 이 쟁점에 대 해 더 많이 이야기하고 여기에 확실한 정답이 없다는 걸 인지 해야 한다고 생각하는 이유가 여기에 있다. 논의는 생각을 다

듣고 한 번 더 생각하고 가치를 선택하게 만들기 때문에 그 자체로 중요하다.

어떻게 되더라도 우리가 아무 탈 없이 빠져나오기는 힘들다. 세상은 이미 인간에 의해 돌이킬 수 없이 변화되었다. 이제부터라도 우리는 함께 나아갈 길을 찾아야 한다.

다른 세상은 가능할 뿐 아니라 지금 다가오는 중이다.

고요한 날이면, 나는 그 숨소리를 듣는다.

– 아룬다티 로이

애리조나 소노란 사막(공교롭게도 우리의 슈퍼히어로인 아메리카독도마뱀의 고향)에 희한한 건물들이 모여 있다. 유리와 강철을 사용해 다양한 크기와 형태로 지은 돔형 지붕을 보면 '스타워즈'의 영웅 루크 스카이워커가 어린 시절에 살았던 가상의 행성 타투인의 집이 떠오른다. 이 이중 연결고리가 전혀 뜬금없는 건 아니다. 왜냐하면 이 건물들은 '제2생물권'이기 때문이다. 이곳은 사람이 살 수 있는 닫힌 생태계를 시험하기 위해 지은 미니어처 세계다. 바이오스피어biosphere2 프로젝트의 목적은 인류가 지구를 떠나 우주의 다른 곳을 터전으로 삼아 살 수 있는지 알아내는 것이다.

결론부터 말하자면 성공하지 못했다. 1991년, 생태학 버전의 2년짜리 빅 브라더* 실험을 위해 남녀가 각각 4명씩 그곳에 갇힌 직후부터 문제는 시작됐다. 척추동물과 꽃가루받이를 하는 곤충 대부분이 상당히 빠른 시간 안에 죽었다. 대신 계획에 없이 어쩌다 딸려온 개미 한 종이 바퀴벌레와 함께 참가자 명단을 장악하게 되었다. 덩굴식물인 메꽃류가 미친 듯이 자라면서 농작물을 포함한 다른 식물이 사용할 햇빛을 차단했다. 8명의 거주자들은 굶주림을 견디지 못해 결국 재배용 종자까지 먹었다. 그것은 기본 전제를 어기는 행동이었다. 게다가 산소 수치가 위험 수준 이하로 떨어지는 바람에 연구팀이 두 번이나 봉쇄를 깨고 신선한 산소를 주입해야 했다.

왜 이 실험을 바이오스피어2라고 부르게 되었을까? 바이오스피어1은 우리의 고향 행성인 지구이기 때문이다. 자연 속에 상상을 초월할 정도로 많으면서도 눈에는 보이지 않은 종들이 느리고도 역동적인 관계 속에 서로 얽혀 있는 가운데 생명 시스템이 실제로 작동하는 곳. 이 관계는 수많은 종들이 인간의 생존을 위해 필요한 자연 재화와 서비스를 전달하는 방식이다. 바이오스피어2에 들어간 8명의 인간처럼 고작 2년을 가까스로 살아남기 위해서가 아니라 수천, 수십만 년 동안 세계 인구가 지금처럼 상당히 안락한 삶을 계속 살아갈 수 있

* 다수의 참가자가 격리된 큰 집에 함께 살며 살아남아야 하는 TV 프로그램.

도록 말이다. 바이오스피어 실험은 우리에게 온전하고 종이 풍부한 생태계는 결핍되고 종이 부족한 시스템보다 훨씬 풍요로울 뿐 아니라 재화와 서비스를 더 잘 전달한다고 말한다.

세상은 많이 좋아졌다. 현재 세계 인구의 다수가 중산층 사회에 살아가고, 극도의 빈곤을 겪는 사람들의 비율은 1990년의 3분의 1 이상에서 오늘날 10분의 1 이하로 떨어졌다. 영아 사망률이 급감하고, 말라리아에 걸려 죽는 사람이 15년 만에 절반으로 줄었으며 기대수명은 1900년대 이후로 두 배가 늘어 이제는 70세가 넘었다. 내가 이 책을 1800년경에 출간했다면 지구인 10명 중 9명은 아예 이 글을 읽지도 못했을 것이다. 오늘날에는 거꾸로 10명 중 9명이 글을 읽는다.

그러나 인간은 수가 워낙 많다. 그리고 살아가는 방식이 자연에 엄청난 타격을 주었다. 내가 태어난 1966년과 현재 사이에 인구는 두 배로 늘었고, 우리가 소비하는 천연자원은 1980년 이후에만도 두 배가 되었다. 우리의 목숨을 구하는 수백만 종들 가운데 8종 중의 하나가 멸종위기에 처했다. 그리고 도로 우리에게 영향을 준다. 지구 표면의 4분의 1가량이 나쁘게 변형되었고 생산량도 줄어들었으며 이런 변질의 결과로 매년 연간 총생산량의 10퍼센트가 소실되었다.

이 그림 속 세부사항에 대해 반박하고 동의하지 않는 사람들도 있을 것이다. 그것은 바람직한 변화를 일으키기 위해 수치나 가장 효과적인 정치적 조치를 예측하는 가장 좋은 방법일 테니 말이다. 그러나 유한한 자원을 가진 행성 안에서는 자원 사용량을 한없이 늘리고 영원히 성장할 수 없다는 게 가장 기본적인 전제다. 생물다양성과학기구는 이 사실을 다음과 같이 명확히 표현했다. "우리는 근본적인 사회적 변혁을 일으켜야 한다. 혁신적으로, 그리고 과거와는 다르게 생각해야 한다."

우리는 그렇게 할 수 있고, 그렇게 해야만 한다. 코로나19 위기는 위태로운 상황을 인지했을 때 우리가 극적인 조치를 신속하게 시행할 수 있음을 보여주었다. 국가와 국가가 서로 협력하고, 경제 운영 방식을 바꾸고, 과학자들은 실시간으로 데이터를 공유하고, 전 세계 사람들은 일상의 변화를 감내하며 협조했다. 우리가 아는 세상, 우리가 유지하려는 세상을 구하는 데 필요한 일이기 때문이다. 이는 곧 투표할 때 환경을 고려해야 함은 물론이고, 일상에서 행동을 바꾸어야 한다는 뜻이기도 하다.

세계경제포럼은 앞으로 10년간 인류에게 가장 큰 영향을 미칠 위협을 주제로 자세한 연간 보고서를 발행한다. 2020년 보고서에는 최초로 최상위 5개 쟁점이 모두 환경과 관련되었다. 극한의 날씨, 기후 변화 완화와 적응 실패, 인간이 야기한 환경 파괴와 재해, 생태계에서 생물다양성 소실과 붕괴, 그리고 자연재해. 이 위협들을 통제할 기회의 창이 아직은 열려 있지만 이제 닫히는 중이다.

그러나 나는 희망이 있다고 믿는다. 눈을 질끈 감았다 뜨면 지나가 있지 않을까 하는 순진한 희망이 아니라, 생명에 대한 존중, 잃고 싶지 않은 모든 것에 대한 사랑이 바탕된 행동을 향한 희망이다.

이 책의 노르웨이 원제인 『På naturens skuldre』은 '자연의 어깨 위에서'라는 뜻이다. 이 구절에 내가 절실히 전달하고픈 말들이 들어 있다. 자연은 우리를 먹여 살린다는 자명하지만 여전히 간과된 사실 말이다. 자연은 인간 행복의 전부이자 전적인 근간이라는 것. 자연이 받쳐주지 않으면 문명은 무너진다는 점.

'자연의 어깨 위에서'가 주는 이미지는 상대적인 크기와 호혜에 관해서도 말한다. 다른 모든 종과 개체의 합은 사람의 수에 비할 바 없이 무한히 크다. 어려서 어른의 큰 어깨 위에 앉아 있던 순간이 얼마나 멋졌었는지 생각해보길 바란다. 나에게 검은가슴물떼새와 머위를 가르쳐주셨던 할아버지가 키 작은 아이의 발걸음으로는 등산이 버거우리라 생각해서 나를 번쩍 들어 목말을 태워주셨을 때처럼. 그러나 어깨를 빌려준 사람의 목을 너무 조이면 숨을 쉴 수 없을 것이다. 가끔은 균형을 잡으려고 머리카락을 쥘 수도 있지만, 그럴 때도 살살 잡아야 한다.

그렇게 앉아 있으면 얼마나 편하게 멋진 풍경을 보겠는가. 자연의 어깨에 올라앉은 호모 사피엔스라는 영리한 인간의 자리를 우리 아이들과 손주들이 살아갈 먼 미래를 내다보는 데 이용하자. 오늘의 내 행동 위에 쌓일 미래를 내다보는 데 이용하자.

감사의 말

노르웨이판 편집자 솔베이크 외위에Solveig Øye에게 고맙다고 말하고 싶다. 또한 도움을 주신 카게Kagge 출판사의 모든 분들에게 감사한다. 초고를 보고 의견을 나누어준 내 딸 투바 스베르드루프-튀게손Tuva Sverdrup-Thygeson에게도 고마움을 전한다. 공동 편집자이자 해외 에이전트인 스틸턴 리터러리 에이전시Stilton Literary Agency의 한스 페터 박케테이Hans Petter Bakketeig는 이 책을 쓰는 동안 꾸준히 함께 논의하고 중요한 조언을 많이 해주었다. 또한 격려를 아끼지 않은 하퍼콜린스의 리디아 굿Lydia Good과 조엘 시몬스Joel Simons에게도 진심을 담아 감사한다. 영문판을 번역해준 뛰어난 번역가 루시 모팻과 이 책을 전 세계 사람들이 읽을 수 있게 해준 모든 번역가와 출판사에도 감사한다.

이 책에 나온 생물종의 영어 일반명과 라틴 학명

가문비나무 spruce
· 독일가문비나무 Norway spruce – *Picea abies*
· 시트카가문비나무 Sitka spruce – *Picea sitchensis*
가죽나무 tree of heaven – *Ailanthus altissima*
개 dog – *Canis familiaris*
개똥쑥 sweet wormwood – *Artemisia annua*
개미 ant – 개밋과
· 아르헨티나개미 Argentine ant – *Linepithema humile*
· 곰팡이를 재배하는 개미 fungus-farming ant – *Trachymymex turrifex*
거머리 leech – 거머리아강
거삼나무 giant sequoia – *Sequoiadendron giganteum*
검독수리 golden eagle – *Aquila chrysaetos*
검은가슴물떼새 golden plover – *Pluvialis apricaria*
검은시로미 crowberry – *Empetrum nigrum*
검치호랑이 sabre-toothed tiger – *Smilodon*속
겨우살이 European mistletoe – *Viscum album*
고래 whale
· 대왕고래 blue whale – *Balaenoptera musculus*
· 혹등고래 humpback whale – *Megaptera novaeangliae*
· 북방쇠정어리고래 northern minke whale – *Balaenoptera acutorostrata*
· 향고래 sperm whale – *Physeter macrocephalus*
고슴도치 hedgehog – 고슴도치아과
관동화 coltsfoot – *Tussilago farfara*
균류 fungus
· 자작나무버섯 birch polypore – *Fomitopsis betulina*
· 꿀버섯(뽕나무버섯) honey fungus – *Armillaria*속
· 페니실린 penicillin – *Penicillium*속
· 소나무잔나비버섯 red-belted conk – *Fomitopsis pinicola*
· 말굽버섯 tinder – *Fomes fomentarius*
글로우웜. 반딧불이 참조
기린 giraffe – *Giraffa camelopardalis*
나비 Butterfly
· 줄흰나비 green-veined white – *Pieris napi*
· 모르포나비 Morpho butterfly – *Morpho*속

난초orchid – 난초과
  ·손바닥난초chalk fragrant – *Gymnadenia conopsea*
  ·애기사철란dwarf rattlesnake plantain – *Goodyera repens*
  ·네오티아 오바타eggleaf twayblade – *Neottia ovata*
  ·서양복주머니란lady's slipper – 복주머니란아과
  ·바닐라vanilla – *Vanilla planifolia*
노르웨이 랍스터scampi – *Nephrops norvegicus*
늑대wolf – *Canis lupus*
늪거북pond turtle – 늪거북과
단풍버즘나무London plane – *Platanus × acerifolia*
닭chicken – *Gallus gallus domesticus*
담수진주홍합freshwater pearl mussel – *Margaritifera margaritifera*
대구cod – *Gadus*속
대나무bamboo – 대나무아과
돼지pig – *Sus*속
디기탈리스foxglove – *Digitalis*속
딱따구리woodpecker – 딱따구리과
딱정벌레Beetle
  ·나무좀bark beetle – 나무좀아과
  ·오울레마 멜라노푸스cereal leaf beetle – *Oulema melanopus*
  ·딱정벌레ground beetle – 딱정벌렛과
  ·운둔꽃무지hermit beetle – *Osmoderma eremita*
  ·잎벌레leaf beetle – 잎벌렛과
  ·하늘소longhorn beetle – 하늘솟과
  ·송장벌레sexton beetle – *Nicrophorus*속
  ·사슴벌레stag beetle – 사슴벌렛과
땃쥐shrew – 땃쥣과
땅늘보giant sloth – *Megatherium americanum*
루피너스lupine – *Lupinus*속
  ·알래스카루피너스Alaskan lupine – *Lupinus nootkatensis*
마스토돈mastodon – *Mammut*속
말라리아모기malaria mosquito – *Anopheles*속
말미잘sea anemone – 해변말미잘목
말벌European hornet – *Vespa crabro*
매가오리stingray – 매가오리아목
매머드mammoth – *Mammuthus*속
매미cicada – 매미상과

맨드레이크mandrake – *Bryoniaalba; Mandrogora*속

맹그로브mangrove – *Rhizophora*속

머그워트mugwort – *Artemisia*속

멧돼지wild boar – *Sus scrofa*

목련magnolia – *Magnolia*속

목화cotton plant – *Gossypium*속

몰약나무myrrh – *Commiphora*속

무화과나무fig tree – *Ficus*속

무화과말벌fig wasp – 무화과말벌과

문어octopus – 문어목

물총새kingfisher – 물총샛과

미모사mimosa – *Mimosa*속

민들레dandelion – *Taraxacum*속

밀wheat – *Tritium aestivum*

바늘꽃evening primrose – 바늘꽃과

바퀴벌레cockroach – 바퀴목

바른스토르피아 플루이탄스Floatinghook-moss – *Warnstorfia fluitans*

박쥐bat – 박쥐목

　　·과일박쥐fruit bat – 큰박쥐과

　　·멕시코자유꼬리박쥐Mexican free-tailed bat – *Tadarida brasiliensis*

반딧불이firefly – 반딧불잇과

버드나무willow – *Salix*속

버섯mushroom

　　·버터철쭉버섯butter cap mushroom – *Rhodocollybia butyracea*

　　·꾀꼬리버섯chanterelle mushroom – *Cantharellus*속

　　·턱수염버섯hedgehog mushroom – *Hydnum repandum*

　　·그물버섯porcini mushroom – *Boletus edulis*

버지니아주머니쥐Virginia opossum – *Didelphis virginiana*

벌Bee

　　·뻐꾸기호박벌cuckoo bumblebee – *Psithyrus*속

　　·꿀벌 honeybee –*Apis*속

　　·난초벌orchid bee – Euglossini족

벌잡이벌beewolf – *Philanthus*속

벼rice – *Oryza glaberrima; Oryza sativa*

벼룩flea – 벼룩목

볏과 식물grass

　　·새귀리brome – *Bromus*속

·레이무스 아레나리우스lyme – *Leymus arenarius*
·플렉수오사좀새풀wavy hair – *Deschampsia flexuosa*
붉은가슴도요red knot – *Calidris canutus rufa*
붉은토끼풀red clover – *Trifolium pratense*
브라질너트Brazil nut – *Bertholletia excelsa*
비둘기pigeon – 비둘깃과
·나그네비둘기passenger pigeon – *Ectopistes migratorius*
비버beaver – *Castor*속
뼈벌레(좀비벌레)bone worm(zombie) – *Osedax*속
사과apple – *Malus domestica*
사리풀henbane – *Hyoscyamus niger*
사슴 deer
·큰뿔사슴Irish deer – *Megaloceros giganteus*
·말사슴red deer – *Cervus elaphus*
사슴쥐deer mouse – *Peromyscus*속
사시나무aspen – *Populus*속
산딸기raspberry – *Rubus idaeus; Rubus strigosus*
산호coral – 산호충강
삼hemp – *Cannabis sativa*
상어shark – 상어상목
새삼dodder – *Cuscuta*속
세쿼이아coast redwood – *Sequoia sempervirens*
소cow – *Bos taurus*
소나무pine – *Pinus*속
·로지폴소나무lodgepole(twisted) – *Pinus contorta*
소태나무bitterwood – 소태나뭇과
수련water lily – 수련과
순록reindeer – *Rangifer tarandus*
스페인민달팽이Spanish slug – *Arion vulgaris*
시모토아 엑시구아tongue-eating louse – *Cymothoa exigua*
신천옹albatross – 신천옹과
아마flax – *Linum usitatissimum*
아메리카사자American cave lion – *Panthera atrox*
아몬드almond – *Prunus dulcis*
아보카도avocado – *Persea americana*
아욱mallow – 아욱과
알케미아lady's mantle – *Alchemilla*속

애기사철란, 난초참조

애기장대thale cress – *Arabidopsis thaliana*

애벌레caterpillar – 나비목

야생딸기wild strawberry – *Fragaria vesca*

양sheep – *Ovis aries*

양귀비poppy – *Papaver*속

양조효모brewer's yeast – *Saccharomyces cerevisiae*

어제의 낙타yesterdays'camel – *Camelops hesternus*

에우포르비아 에피티모이데스cushion spurge – *Euphorbia epithymoides*

여우fox

　　　·북극여우arctic fox – *Vulpes lagopus*

　　　·붉은여우red fox – *Vulpes vulpes*

연꽃sacred lotus – *Nelumbo nucifera*

연어salmon

　　　·대서양연어Atlantic – *Salmo salar*

　　　·태평양연어Pacific – *Oncorhynchus*속

염소goat – *Capra aegagrus hircus*

옥수수corn – *Zea mays*

올빼미owl – 올빼미목

　　　·북방올빼미boreal owl – *Aegolius funereus*

울버린wolverine – *Gulo gulo*

월귤lingonberry – *Vaccinium vitis-idaea*

위부화개구리gastric-brooding frog – *Rheobatrachus*속

유럽너도밤나무European beech – *Fagus sylvatica*

인디고indigo – *Indigofera tinctoria*

잎갈나무larch – *Larix*속

자작나무birch – *Betula*속

　　　·난쟁이자작나무dwarf birch – *Betula nana*

자주범의귀purple saxifrage – *Saxifraga oppositifolia*

점균류, 개 토사물slime mould, dog's vomit – *Fuligo septica*

정향나무clove – *Syzygium aromaticum*

주목yew – *Taxus*속

　　　·유럽주목European yew – *Taxus baccata*

　　　·미국주목Pacific yew – *Taxus brevifolia*

지렁이earthworm – Opisthopora목

진드기tick – 참진드기목

진딧물aphid – 진딧물상과

참나무oak – *Quercus*속

참새sparrow – *Passer*속

천산갑pangolin – *Manis; Phataginus; Smutsia*속

카카오cacao – *Theobroma cacao*

칼새swift
- 굴뚝칼새chimney swift – *Chaetura pelagica*
- 유럽칼새common swift – *Apus apus*

캐나다기러기Canada goose – *Branta canadensis*

커피나무coffee – *Coffea arabica*

코끼리elephant
- 아프리카코끼리African savannah elephant – *Loxodonta africana*
- 난쟁이코끼리dwarf elephant – 장비목

코뿔소rhinoceros – *Ceratotherium; Dicerorhinus; Diceros; Rhinoceros*속
- 털코뿔소woolly rhinoceros – *Coelodonta antiquitatis*

콩soya – *Glycine max*

쿠아시아 아마라bitterwood – *Quassia amara*

크릴krill – 난바다곤쟁이목

큰까마귀raven – *Corvus*속

큰바다쇠오리great auk – *Pinguinus impennis*

토마토tomato – *Solanum lycopersicum*

투구게horseshoe crab – *Carcinoscorpius rotundicauda; Limulus polyphemus; Tachypleus gigas; Tachypleus tridentatus*

파리fly
- 검정파리blow fly – 검정파릿과
- 사슴파리deer fly – *Chrysops*속
- 쇠파리flesh fly – 쇠파릿과
- 꽃등에flower/hover fly – 꽃등엣과
- 초파리fruit fly – 초파릿과
- 집파리house fly – *Musca domestica*

퍼치perch – *Perca*속

펭귄penguin – *Aptenodytes; Eudyptes; Eudyptula; Megadyptes; Pygoscelis; Spheniscus*속

편충whipworm – *Trichuris trichiura*

포도grape – *Vitis*속

헤더common heather – *Calluna vulgaris*

헬레보어hellebore – *Helleborus*속

호랑이tiger – *Panthera tigris*

호장근Japanese knotweed – *Reynoutria japonica*
홍해파리immortal jellyfish – *Turritopsis dohrnii*
황새치swordfish – *Xiphias gladius*
황새풀cotton grass – *Eriophorum*속
흰개미termite – 흰개미고과
흰동가리clownfish – 흰동가리아과
힐라몬스터Gila monster – *Heloderma suspectum*

참고문헌

서문 도입부에서 레이첼 카슨이 『침묵의 봄』을 쓰게 된 계기를 설명한 인용구의 출처는 다음과 같다. *Always, Rachel: The Letters of Rachel Carson and Dorothy Freeman, 1952–1964 – The Story of a Remarkable Friendship*, published in 1996.

서문

Bar-On, Y.M. et al. 'The biomass distribution on Earth', *PNAS* 115: 6506-6511 (2018)

1장 생명의 물

뉴욕시의 수돗물 샴페인

Appleton, A.F. 'How New York City used an ecosystem services strategy' (2002)
    https://www.cbd.int/financial/pes/usa-pesnewyork.pdf

Hanlon, J.W. 'Watershed protection to secure ecosystem services', *The New York City Watershed Governance Arrangement* 1: 1-6 (2017)

Sagoff, M. 'On the value of natural ecosystems: The Catskills parable', *Politics and the Life Sciences* 21: 19-25 (2002)

연방의 새로운 규정: https://www.nytimes.com/2018/01/18nyregion/new-york-city-water-filtration.html

담수진주홍합의 수난

Jakobsen, P. *Samlerapport om kultivering og utsetting av elvemusling* 2018, Universitetet I Bergen (read 2019)

Jakobsen, P. et al. *Rapport 2013 for prosjektet: Storskala Kultivering av elvemusling som bevaringstiltak*, Universitetet I Bergen (red. 2014)

Larsen, B.M. Elvemusling (*Margaritifera margeritifera* L.) *Litteraturstudie med oppsummering av nasjonal og internasjonalkunnskapsstatus*, NINA-Fagrapport 28 (1997)

Larsen, B.M. *Handlingsplan for elvemusling (Margaritifera margaritifera L.) 2019-2028*. Miljødirektoratet Rapport M-1107 (2018)

Larsen, B.M. et al. *Overvåking av elvemusling I Norge. Årsrapport for 2018*, NINA Rapport 1686 (2019)

Lopes-Lima, M. et al. 'Conservation status of freshwater mussels in Europe: state of the art and future challenges', *Biol Rev Camb Philos Soc* 92: 572-607 (2016)

Vaughn, C.C. 'Ecosystem services provided by freshwater mussels', *Hydrobiologia* 810: 15-27 (2018)

노르웨이에서의 진주 수확에 관하여: https://www.jaermuseet.no/samlingar/wp-content/uploads/sites/16/2011/06/2004.07-D%C3%A5-perlefangsten-i-H%C3%A5elva-var-kongeleg-privilegium-2.pdf

독살범, 그리고 해독 이끼

Gerhardt, K.E. et al. 'Opinion: Taking phytoremediation from proven technology to accepted practice', *Plant Science* 256: 170-185 (2017)

Sandhi, A. et al. 'Phytofiltration of arsenic by aquatic moss (Warnstorfia fluitans)', Environmental Pollution 237: 1098-1105 (2018)

소피 요하네스도터의 사형: https://www.nb.no/items/URN:NBN:no-nb_digavis_fredriksstadtilskuer_null_null_18760219_12_21_1

Uppal, J.S. et al. 'Arsenic in drinking water - recent examples and updates from Southeast Asia', *Current Opinion in Environmental Science & Health* 7: 126-135 (2019)

2장 자연이라는 대형 식자재 마트

음식에 대한 인용구의 출처는 다음과 같다: Taittiríya Upanishads 10 III 6, drawn from *Sixty UpaniṢads of the Veda, Part 1*, by Paul Deussen and V.M. Bedekar (1980)

와인에 관한 의외의 진실—말벌과 효모

오리건주의 공식 미생물에 대한 출처: https://gov.oregonlive.com/bill/2013/HCR12/

McGovern, P.E. et al. 'Fermented beverages of pre- and protohistoric China', *PNAS* 101: 17593-17598 (2004)

Stefanini, I. et al. 'Role of social wasps in *Saccharomyces cerevisiae* ecology and evolution', PNAS 109: 13398 (2012)

위의 책. 'Social wasps are a *Saccharomyces* mating nest', *PNAS* 113: 2247 (2016)

통계치 출처 http://www.fao.org/statistics/en/

잉거 하게루프 인용문의 출처는 다음과 같다. 'The Wasp' in Little Parsley, translated by Becky L. Crook and published by Enchanted Lion Books (2019)

내가 먹는 것이 곧 나라면 나는 걸어다니는 풀이다

IPBES. Chapter 2.3. 'Status and Trends' - *NCP: The Global Assessment Report on BIODIVERSITY AND ECOSYSTEM SERVICES* (draft) (2019)

Milesi, C. et al. 'Mapping and modeling the biogeochemical cycling of turf grasses in the United States', *Environ Manage* 36:426-38 (2005)

조이스 시드먼의 시 "풀"의 출처는 다음과 같다. *Ubiquitous: Celebrating Nature's Survivors*, Houghton Mifflin Harcourt, 2010

멸종의 쓰나미—사라진 대형 동물들

아보카도에 대하여: https://www.smithsonianmag.com/arts-culture/why-the-avocado-should-have-gone-the-way-of-the-dodo-4976527/

Doughty, C.E. et al. 'The impact of the megafauna extinctions on savanna woody cover in South America', *Ecography* 39: 213-222 (2016)

Faurby, S. et al. 'Historic and prehistoric human-driven extinctions have reshaped global mammal diversity patterns', *Diversity and Distributions* 21: 1155-1166 (2015)

Galetti, M. et al. 'Ecological and evolutionary legacy of megafauna extinctions', *Biological Reviews* 93: 845-862 (2018)

Janzen,D.H. et al. 'Neotropical anachronisms: the fruits gomphotheres ate', *Science* 215: 19-27 (1982)

Keesing, F. et al. 'Cascading consequences of the loss of large mammals in an African savanna', *BioScience* 64: 487-495 (2014)

Malhi, Y. et al. 'Megafauna and ecosystem function from the Pleistocene to the Anthropocene', *PNAS* 113: 838-846 (2016)

Pires, M.M. et al. 'Reconstructing past ecological networks: the reconfiguration of seed-dispersal interactions after megafaunal extinction', *Oecologia* 175: 1247-1256 (2014)

Sandom, C. et al. 'Global late Quaternary megafauna extinctions linked to humans, not climate change', *Proc. Royal Soc.* B: 281: 20133254 (2014)

Smith, F.A. et al. 'Megafauna in the Earth system', *Ecography* 39: 99-108 (2016)
인용구 "최근에야 비로소 우리는…"의 출처이다.

Smith, F.A. et al. 'Body size downgrading of mammals over the late Quaternary', *Science* 360: 310-313 (2018)

Steadman, D.W. et al. 'Asynchronous extinction of late Quaternary sloths on continents and islands', *PNAS*, 102:11763-11768 (2005)

Surobell, T. et al. 'Global archaeological evidence for proboscidean overkill', *PNAS* 102: 6231-6236 (2005)

Van Der Geer, A.A.E. et al. 'The effect of area and isolation on insular dwarf proboscideans', *Journal of Biogeography*, 43:1656- 1666 (2016)

고기에 굶주린 사람들—과거와 현재

Bar-On, Y.M. et al. 'The biomass distribution on Earth', *PNAS* 115: 6506-6511 (2018)

Chaboo, C. et al. 'Beetle and plant arrow poisons of the Ju|'hoan and Haillom San peoples of Namibia (*Insecta, Coleoptera, Chrysomelidae; Plantae, Anacardiaceae, Apocynaceae, Burseraceae*)', *Zookeys* 558: 9-54 (2016)

통계 수치의 출처는 다음과 같다. https://ourworldindata.org/meat-production and https://www.nationalgeographic.com/what-the-world-eats/

바다—병든 세계에 마지막으로 남은 건강한 땅

FAO. *The State of World Fisheries and Aquaculture* 2018 (2018)

FAO. *FAO Yearbook. Fishery and Aquaculture Statistics* 2017 (2019) Pauly, D. et al. 'Fishing down marine food webs', *Science* 279:860 (1998)

인용구 "바다를 신뢰할 수 없다는 말은…"의 출처는 다음과 같다. Garman & Worse by Alexander L. Kielland (1880)

Thurstan, R.H. et al. 'The effects of 118 years of industrial fishing on UK bottom trawl fisheries', *Nature Communications* 1: 1-6 (2010).
또한 http://www.fao.org/fishery/static/Yearbook/YB2017_USBcard/root/aquaculture/yearbook_aquaculture.pdf

왜 나빠지고 있다는 걸 눈치채지 못할까

McClenachan L. 'Documenting loss of large trophy fish from the Florida Keys with historical photographs', *Conservation Biology* 23:636-643 (2009)

Pauly, D. et al. 'Fishing down marine food webs', *Science* 279:860 (1998)

'나비의 탈바꿈'에서 인용한 시의 출처는 다음과 같다. 'Metamorphosis' by Anja Konig, from the collection *Animal Experiments*, Bad Betty Press, 2020

3장 세상에서 가장 가치 있는 소리

꽃과 벌

Biesmeijer, J.C. et al. 'Parallel declines in pollinators and insect-pollinated plants in Britain and the Netherlands', *Science* 313:351-354 (2006)

Carvalheiro, L.G. et al. 'Species richness declines and biotic homogenisation have slowed down for NW-European pollinators and plants', *Ecology Letters* 16: 870-878 (2013)

Garibaldi, L.A. et al. 'Wild pollinators enhance fruit set of crops regardless of honey bee abundance', *Science* 339: 1608-1611 (2013)

Hallmann, C.A. et al. 'More than 75 percent decline over 27 years in total flying insect biomass in protected areas', *PLOS ONE* 12:e0185809 (2017)

IPBES, *The Global Assessment Report on Biodiversity and Ecosystem Services*. Complete draft version (2019)

Klein, A.-M. et al. 'Importance of pollinators in changing landscapes for world crops', *Proceedings of the Royal Society B: Biological Sciences* 274: 303-313 (2007)

Lister, B.C. et al. 'Climate-driven declines in arthropod abundance restructure a rainforest food web', *PNAS* 115:E10397-E10406 (2018)

Mallinger, R.E. et al. 'Species richness of wild bees, but not the use of managed honeybees, increases fruit set of a pollinator dependent crop', *Journal of Applied Ecology* 52: 323-330 (2015)

Piotrowska, K. 'Pollen production in selected species of plants', *Acta Agrobotanica* 61: 41-52 (2012)

Potts, S.G. et al. 'Global pollinator declines: trends, impacts and drivers', *Trends in Ecology & Evolution* 25: 345-353 (2010)

Powney, G.D. et al. 'Widespread losses of pollinating insects in Britain', *Nature Communications* 10: 1018 (2019)

Rader, R. et al. 'Non-bee insects are important contributors to crop pollination', *PNAS* 113: 146-151 (2016)

Sánchez-Bayo, F. et al. 'Worldwide decline of the entomofauna: A review of its drivers', *Biological Conservation* 232: 8-27 (2019)

Seibold, S. et al. 'Arthropod decline in grasslands and forests is associated with landscape-level drivers', *Nature* 574: 671-674 (2019)

Van Klink, R. et al. 'Meta-analysis reveals declines in terrestrial increases in freshwater insect abundances', *Science* 368: 417 (2020)

푸른 꿀 때문에 성난 양봉가들

http://honeycouncil/ca/archive/chc_poundofhoney.php
https://www.reuters.com/article/us-france-bees/and-green-honey-makes-french-beekeepers-see-red-idUSBRE8930MQ20121004

일석이조

Dunn, L. et al. 'Dual ecosystem services of syrphid flies (*Diptera: Syrphidae*): pollinators and biological control agents', *Pest Management Science* 76: 1973-1979 (2020)

Hu, G. et al. 'Mass seasonal bioflows of high-flying insect migrants', *Science* 354: 1584-1587 (2016)

Lázaro, A. et al. 'The relationships between floral traits and specificity of pollination systems in three Scandinavian plant communities', *Oecologia* 157: 249-257 (2008)

Maier, C.T. et al. 'Dual mate-seeking strategies in male syrphid flies (*Diptera: Syrphidae*)', *Annals of the Entomological Society of America*, 72: 54-61 (1979)

Wotton, K.R. et al. 'Mass seasonal migrations of hoverflies provide extensive pollination and crop protection services', *Current Biology* 29: 2167-2173. e5 (2019)

브라질너트와 날개 달린 향수병

Dressler, R.L. 'Biology of the orchid bees (*Euglossini*)', *Annual Review of Ecology Evolution, and Systematics*. 13: 373-394 (1982)

Humboldt, A. et al. *Personal Narrative of Travels to the Equinoctial Regions of America, During the Year 1799-1804-Volume 2*, George Bell & Sons, 1907

Maues, M. 'Reproductive phenology and pollination of the Brazil nut tree (*Bertholletia excelsa*) in eastern Amazonia', (1998)

Peres, C.A. 'Demographic threats to the sustainability of Brazil nut exploitation', *Science* 302: 2112-2114 (2003)

Sazima, M. et al. 'The perfume flowers of *Cyphomandra* (Solanaceae): Pollination by euglossine bees, bellows mechanism, osmophores, and volatiles', *Plant Systematics and Evolution* 187:51-88 (1993)

무화과와 무화과말벌—의리와 배신의 역사

Barling, N. et al. 'A new parasitoid wasp (*Hymenoptera: Chalcidoidea*) from the Lower Cretaceous Crato Formation of Brazil: The first Mesozoic Pteromalidae', *Cretaceous Research* 45:258-264 (2013)

Compton, S.G. et al. 'Ancient fig wasps indicate at least 34 Myr of stasis in their mutualism with fig trees', *Biology Letters* 6:838-842 (2010)

Denham, T. 'Early fig domestication, or gathering of wild parthenocarpic figs?' *Antiquity* 81: 457-461 (2007)

Hossaert-McKey, M. et al. 'How to be a dioecious fig: Chemical mimicry

between sexes matters only when both sexes flower synchronously',
Scientific Reports 6: 21236 (2016)

Janzen, D.H. 'How to be a fig', *Annual Review of Ecology and Systematics* 10: 13-51 (1979)

Kuaraksa, C. et al. 'The use of Asian ficus species for restoring tropical forest ecosystems', *Restoration Ecology* 21: 86-95 (2013)

Shanahan, M. et al. 'Fig-eating by vertebrate frugivores: a global review', *Biological Reviews, Cambridge Philosophical Society* 76: 529-572 (2001)

Thornton, I., W.B. et al. 'The role of animals in the colonization of the Krakatau Islands by fig trees (*Ficus species*)', *Journal of Biogeography* 23: 577-592 (1996)

Zahawi, R.A. et al. 'Tropical secondary forest enrichment using giant stakes of keystone figs', *Perspectives in Ecology and Conservation* 16: 133-138 (2018)

4장 모든 가능성을 열어둔 약국

Alves, R.R. et al. 'Biodiversity, traditional medicine and public health: where do they meet?' *Journal of Ethnobiology and Ethnomedicine* 3: 14 (2007)

Calixto, J.B. 'The role of natural products in modern drug discovery', *Anais da Academia Brasileira de Ciências* 91 (2019)

의약품 매출: https://www.statista.com/ topics/1764/global-pharmaceutical-industry/

개똥쑥 대 말라리아

Cachet, N. et al. 'Antimalarial activity of simalikalactone E, a new quassinoid from *Quassia amara* L. (Simaroubaceae)', *Antimicrobial Agents and Chemotherapy* 53: 4393-4398 (2009)

Carter, G.T. 'Natural products and Pharma 2011: strategic changes spur new opportunities', *Natural Product Reports* 28: 1783-1789 (2011)

Gavin, M.C. 'Conservation implications of rainforest use patterns: mature forests provide more resources but secondary forests supply more medicine', *Journal of Applied Ecology* 46:1275-1282 (2009)

Kung, S.H. et al. 'Approaches and recent developments for the commercial production of semi-synthetic artemisinin', *Frontiers in Plant Science* 9: 87-87 (2018)

Newman, D.J. et al. 'Natural products as sources of new drugs over the 30 years from 1981 to 2010', *Journal of Natural Products* 75: 311-335 (2012)

Su, X.-Z. et al. 'The discovery of artemisinin and the Nobel Prize in Physiology or Medicine. Science China', *Life Sciences* 58:1175-1179 (2015)

프랑스의 생물 해적질 사례: https://www.sciencemag.org/ news/2016/02/french-institute-agrees-share-patent-benefits-after- biopiracy-accusations

Vigneron, M. et al. 'Antimalarial remedies in French Guiana: A knowledge attitudes and practices study', *Journal of Ethnopharmacology* 98: 351-360 (2005)

약용 버섯을 품고 있는 전령

Capasso, L. '5300 years ago, the Ice Man used natural laxatives and antibiotics', *The Lancet* 352: 1864 (1998)

Hassan, M.M. et al. 'Cyclosporin', *Analytical Profiles of Drug Substances* 16: 145-206 (1987)

Pleszyńska, M. et al. '*Fomitopsis betulina* (formerly *Piptoporus betulinus*): the Iceman's polypore fungus with modern biotechnological potential', *World Journal of Microbiology and Biotechnology* 33: 83 (2017)

주목이 속삭이는 지혜

Allington-Jones, L. 'The Clacton spear: The last one hundred years', *Archaeological Journal* 172: 273-296 (2015)

Holtan, D. 'Barlinda *Taxus baccata* L. i Møre og Romsdal-på veg ut?' *Blyttia* 59: 197-205 (2001)

'Ash Wednesday', T.S. Eliot, Faber & Faber, originally published in 1930

주목 활을 이용한 밍크고래 포경: https://www.kyst-norge.no/?k=2909&id=16004&aid=8396&daid=2604

스코틀랜드의 오래된 주목: https://www.woodlandtrust.org.uk/ blog/2018/01/ancient-yew-trees/

식물에 기반한 최고의 항암제 중 한 가지: https:// www.cancer.gov/research/progress/discovery/taxol

파클리탁셀로 시장에서 벌어들인 수입: https://www.reportsweb.com/reports/global-paclitaxel-market-growth-2019-2024

Rao, K.V. 'Taxol and related taxanes. I. Taxanes of *Taxus brevifolia* bark', *Pharmaceutical Research* 10: 521-4 (1993)

Suffness, M. Taxol: *Science and Applications*, CRC Press, Boca Raton, FL, red. 1995

Żwawiak, J. et al. 'A brief history of taxol', *Journal of Medical Sciences* 1: 47 (2014)

괴물의 침이 당뇨병을 죽이다

여기에 등장하는 과학자: https://www.nia.nih.gov/news/ exendin-4-lizard-laboratory-and-beyond, https://www. goldengooseaward.org/awardees/diabetes-medication

DeFronzo, R.A. et al. 'Effects of exenatide (exendin-4) on glycemic control and weight over 30 weeks in metformin-treated patients with type 2 diabetes', *Diabetes Care* 28: 1092-1100 (2005)

Drucker, D.J. et al. 'The incretin system: glucagon-like peptide-1 receptor agonists and dipeptidyl peptidase-4 inhibitors in type 2 diabetes', *Lancet* 368: 1696-1705 (2006)

Eng, J. et al. 'Isolation and characterization of exendin-4, an exendin-3 analog, from Heloderma-suspectum venom - further evidence for an exendin receptor on dispersed acini from guinea-pig pancreas', *Journal of Biological Chemistry* 267:7402- 7405 (1992)

엑세나타이드. 2020년에 미국에서 자주 처방된 1,635,146가지 약물 중에 260위를 차지했다: https://clincalc.com/DrugStats/Top300Drugs.aspx

Fedele, E. et al. 'Glucagon-like peptide 1, neuroprotection and neurodegenerative disorders', *Journal of Biomolecular Research & Therapeutics* 5 (2016)

Fry, B.G. et al. 'Early evolution of the venom system in lizards and snakes', *Nature* 439: 584-588 (2006)

Goke, R. et al. 'Exendin-4 is a high potency agonist and truncated exendin-(9-39)-amide an antagonist at the glucagon-like peptide 1-(7-36)-amide receptor of insulin-secreting beta-cells', *Journal of Biological Chemistry* 268: 19650-19655 (1993)

Grieco, M. et al. 'Glucagon-like peptide-1: A focus on neurodegenerative diseases', *Frontiers in Neuroscience* 13 (2019)

Holscher, C. 'Central effects of GLP-1: new opportunities for treatments of neurodegenerative diseases', *Journal of Endocrinology* 221: T31-T41 (2014)

Kamei, N. et al. 'Effective nose-to-brain delivery of exendin-4 via coadministration with cell-penetrating peptides for improving progressive cognitive dysfunction', *Scientific Reports* 8: 17641 (2018)

Meier, J.J. 'GLP-1 receptor agonists for individualized treatment of type 2 diabetes mellitus', *Nature Reviews Endocrinology* 8: 728-742 (2012)

Ohshima, R. et al. 'Age-related decrease in glucagon-like peptide-1 in mouse prefrontal cortex but not in hippocampus despite the preservation of its receptor', *American Journal of BioScience* 3: 11-27 (2015)

Strimple, P.D. et al. 'Report on envenomation by a Gila monster (*Heloderma suspectum*) with a discussion of venom apparatus, clinical findings, and treatment', *Wilderness & Environmental Medicine* 8:111-116 (1997)

"뜨거운 용암이 핏줄을 타고…"의 출처는 다음과 같다: https://?v=swlozUKuvFI

영화 '자이언트 힐라몬스터'는 여기에서 볼 수 있다. https://www.youtube.com/?v=Jdn-OCWEN00

푸른 피가 구한 생명

두 과학자의 발견 스토리: https://www.goldengooseaward.org/awardees/horseshoe-crab-blood

Bolden, J. et al. 'Application of Recombinant Factor C reagent the detection of bacterial endotoxins in pharmaceutical products', *PDA Journal of Pharmaceutical Science and Technology* 71: 405-412 (2017)

Ding, J.L. et al. 'A new era in pyrogen testing', *Trends in Biotechnology* 19: 277-81 (2001)

John, A. et al. 'A review on fisheries and conservation status of Asian horseshoe crabs', *Biodiversity and Conservation*: 1-26 (2018)

Maloney, T. et al. 'Saving the horseshoe crab: A synthetic alternative to horseshoe crab blood for endotoxin detection', *PLOS Biology* 16: e2006607 (2018)

투구게 혈액의 가격: https://www.theguardian.com/environment/2018/nov/03/horseshoe-crab-population-at-risk-blood-big-pharma

붉은가슴도요 아종 개체군 감소: https://fws.gov/northeast/red-knot/

rFC 분석법이 유럽 약전에 등록되다: https://www.cleanroomtechnology.com/news/article_page/Recombinant_Factor_C_assay_to_aid_demand_for_LAL_endotoxin_testing/163099

적색목록 상에서 투구게 4종의 멸종위기 수준: https://www.iucnredlist.org/search?query=Horseshoe%20Crab&searchType=species

벌레로 만든 약—새로운 항생제 원료

Bibb, M.J. 'Understanding and manipulating antibiotic production in actinomycetes', *Biochemical Society Transactions* 41: 1355-64 (2013)

Cassini A. et al. 'Attributable deaths and disability-adjusted life years caused by infections with antibiotic-resistant bacteria in the EU and the European Economic Area in 2015: A population-level modelling analysis', *The Lancet Infectious Diseases* 19:56-66 (2019)

Chevrette, M.G. et al. 'The antimicrobial potential of Streptomyces from insect microbiomes', *Nature Communications* 10: 516 (2019)

Costa-Neto, E.M. 'Entomotherapy, or the medicinal use of insects', *Journal of Ethnobiology* 25: 93-114 (2005)

Goettler, W. et al. 'Morphology and ultrastructure of a bacteria cultivation organ: The antennal glands of female European beewolves, *Philanthus triangulum* (Hymenoptera, Crabronidae)', *Arthropod Structure & Development* 36: 1-9 (2007)

Jühling, J. *Die Tiere in der deutschen Volksmedizin alter und neuer Zeit*. Polytechnische Buchhandlung (R. Schulze). 다음 사이트에서도 찾아볼 수 있다. https://dlcs.io/pdf/wellcome/pdf-item/b24856162/0#_ga=2.18265337.119250862.157968 4184-1935579294.1579684184 (1900)

Kaltenpoth, M. et al. 'Symbiotic bacteria protect wasp larvae from fungal infestation', *Current Biology* 15: 475-479 (2005)

Kroiss, J. et al. 'Symbiotic Streptomycetes provide antibiotic combination prophylaxis for wasp offspring', *Nature Chemical Biology* 6:261-263 (2010)

Meyer-Rochow, V.B. 'Therapeutic arthropods and other, largely terrestrial, folk-medicinally important invertebrates: A comparative survey and review', *Journal of Ethnobiology and Ethnomedicine* 13: 9-9 (2017)

O'Neill, J. 'The review on antimicrobial resistance. tackling drug-resistant infections globally: Final report and recommendations.' 다음에서 이용 가능하다. http://amr-review.org/sites/default/files/160518_paper_with%20cover. pdf (2016)

Seabrooks, L. et al. 'Insects: An underrepresented resource for the discovery of biologically active natural products', *Acta Pharmaceutica Sinica* B 7: 409-426 (2017)

Strohm, E. et al. 'Leaving the cradle: How beewolves (*Philanthus triangulum* F.) obtain the necessary spatial information for emergence', *Zoology Jena* 98: 137-146 (1994/5)

새끼를 토하는 개구리

Corben, C.J. et al. 'Gastric brooding: Unique form of parental care in an Australian frog', *Science* 186: 946-947 (1974)

Fanning, J.C. et al. 'Converting a stomach to a uterus: The microscopic structure of the stomach of the gastric brooding frog *Rheobatrachus silus*', *Gastroenterology* 82: 62-70 (1982)

IPBES. *The Global Assessment Report on Biodiversity and Ecosystem Services*. Complete draft version (2019)

Liem, D.S. 'A new genus of frog of the family *Leptodactylidae* from south-east Queensland, Australia', *Memoirs of the Queensland Museum*, 16(3), 459-470 (1973)

Mark, N.H. et al. 'Biochemical studies on the relationships of the gastric-brooding frogs, genus *Rheobatrachus*', *Amphibia-Reptilia* 8: 1-11 (1987)

적색목록의 남부 위부화개구리: https://www.iucnredlist.org/species/19475/8896430

적색목록의 북부 위부화개구리: https://www.iucnredlist.org/species/19476/8897826

Reojas, C. 'The southern gastric-brooding frog', *The Embryo Project Encyclopedia*. https://embryo.asu.edu/pages/southerngastric-brooding-frog-0 (2019)

Scheele, B.C. et al. 'Amphibian fungal panzootic causes catastrophic and ongoing loss of biodiversity', *Science* 363:1459-1463 (2019)

Tyler, M.J. et al. 'Oral birth of the young of the gastric brooding frog *Rheobatrachus silus*', *Animal Behaviour* 29: 280-282 (1981)

위의 책. 'Inhibition of gastric acid secretion in the gastric brooding frog, *Rheobatrachus silus*', *Science* 220: 609-610 (1983)

작은 해파리와 불멸의 미스터리

Alves, C. et al. 'From marine origin to therapeutics: The antitumor potential of marine algae-derived compounds', *Frontiers in pharmacology* 9: 777 (2018)

Hansen, K.O. et al. 'Kinase chemodiversity from the Arctic: The breitfussins', *Journal of Medicinal Chemistry* 62: 10167-10181 (2019)

Kubota, S. 'Repeating rejuvenation in *Turritopsis*, an immortal hydrozoan (Cnidaria, Hydrozoa)', *Biogeography*: 101-103 (2011)

Martell, L. et al. 'Life cycle, morphology and medusa ontogenesis of *Turritopsis dohrnii* (Cnidaria: Hydrozoa)', *Italian Journal of Zoology* 83: 390-399 (2016)

Miglietta, M.P. et al. 'A silent invasion', *Biological Invasions* 11:825-834 (2009)

Piraino, S. et al. 'Reversing the life cycle: Medusae transforming into polyps and cell transdifferentiation in *Turritopsis nutricula* (Cnidaria, Hydrozoa)', *Biological Bulletin* 190: 302-312 (1996)

Tasdemir, D. 'Marine fungi in the spotlight: opportunities and challenges for marine fungal natural product discovery and biotechnology', *Fungal Biology and Biotechnology* 4: 5 (2017)

Wiegand, S. et al. 'Cultivation and functional characterization of 79 planctomycetes uncovers their unique biology', *Nature Microbiology* 5: 126-140 (2020)

Yoshinori, H. et al. 'De novo assembly of the transcriptome of *Turritopsis*, a jellyfish that repeatedly rejuvenates', *Zoological Science* 33: 366-371 (2016)

자연이 운영하는 약국

중간 판매자 역할을 하는 유럽 https://www.dw.com/en/ europe-a-silent-hub-of-illegalwildlife-trade/a-37183459

Heinrich, S. et al. 'Where did all the pangolins go? International CITES trade in pangolin species', *Global Ecology and Conservation* 8: 241-253 (2016)

Lam, T.T-Y. et al. 'Identifying SARS-CoV-2 related coronaviruses in Malayan pangolins', *Nature* (2020)

야생에서 포획된 파충류의 사망률이 너무 높아서 겪은 꽃이 시드는 비율과 비슷하다는 인용의 출처: https://www.jus.uio.no/ ikrs/tjenester/kunnskap/kriminalpolitikk/meninger/2012/ ulovlighandelmedtruededyrearter.html

Neergheen-Bhujun, V. et al. 'Biodiversity, drug discovery, and the future of global health: Introducing the biodiversity to biomedicine consortium, a call to action', *Journal of global health* 7: 020304-020304 (2017)

썬더볼트작전(Operation Thunderbolt), June 2019: https://cites.org/eng/news/wildlife-trafficking-organized-crime-hit-hard-by-joint-interpol-wcoglobal-enforcement-operation_10072019

천산갑이 중국 정부가 승인한 약재 목록에서 삭제되었다: https://www.nhm.ac.uk/discover/ news/2020/june/china-removes-pangolin-scale-from-list-of-officialmedicines.html

Pimm, S.L. et al. 'The future of biodiversity', *Science* 269: 347 (1995)

미국 내 호랑이 분포 실태 : https://www.theguardian.com/environment/shortcuts/2018/jun/20/more-tigers-live-in-us-back-yards-than-in- the-wild-is-this-a-catastrophe

5장 섬유 공장

털복숭이 씨앗에서 가장 인기 있는 천으로

노르웨이 지폐: https://www.norges-bank.no/tema/ Sedler-og-mynter/

영국 지폐: https://www.bankofengland.co.uk/banknotes/ currentbanknotes

Coppa, A. et al. 'Palaeontology: Early neolithic tradition of dentistry', *Nature* 440: 755-756 (2006)

FAO. *Measuring Sustainability in Cotton Farming Systems. Towards a Guidance Framework* (2015)

Mekonnen, M.M. et al. 'The green, blue and grey water footprint of crops and derived crop products', *Hydrology and Earth System Sciences* 15: 1577-1600 (2011)

Moulherat, C. et al. 'First evidence of cotton at neolithic Mehrgarh, Pakistan: Analysis of mineralized fibres from a copper bead', *Journal of Archaeological Science* 29: 1393-1401 (2002)

Fact Sheet on Pesticide Use in Cotton Production. The Expert Panel on Social, Environmental and Economic Performance of Cotton Production (SEEP) (2012)

Splitstoser, J.C. et al. 'Early pre-Hispanic use of indigo blue in Peru', *Science Advances* 2: e1501623 (2016)

재배되는 목화의 4분의 3이 유전자 조작되었다: https://royalsociety.org/topics-policy/projects/gm-plants/ what-gmcrops-are-currently-being-grown-and-where/

즐거운 나의 집

28채가 남은 통널교회: https://www.stavkirke.info/

올레순에서 일어난 화재: https://www.byggogbevar.no/pusse-opp/byggeskikk/jugendbyen-%C3%A5lesund

콘크리트와 이산화탄소: https://www.chathamhouse.org/sites/default/files/publications/2018-06-13- making-concrete-change-cement-lehne-preston-final.pdf

Fretheim, S.E. 'Mesolithic dwellings: An empirical approach to past trends and present interpretations in Norway', Doctoral thesis at NTNU; 2017:282 (2017)

2010년 일본의 새로운 법: https://www.loc.gov/law/foreign-news/article/japan-law-to-promote-more-use-of-natural-wood-materials-for-public-buildings/

콘스텐키 박물관: https://www.rbth.com/history/329215-homosapiens-stone-age-russia and https://www.nationalgeographic.com/news/2014/11/141106-european-dna-fossil- kostenki-science/

Que, Z.-L. et al. 'Traditional wooden buildings in China', *Wood in Civil Engineering*. InTech (2017)

Seguin-Orlando, A. et al. 'Genomic structure in Europeans dating back at least 36,200 years', *Science* 346: 1113 (2014)

곰팡이 등불 —79년의 미스터리

Desjardin, D.E. et al. 'Fungi bioluminescence revisited', Photochemical & *Photobiological Sciences* 7: 170-182 (2008)

Purtov, K.V. et al. 'Why does the bioluminescent fungus *Armillaria mellea* have luminous mycelium but non-luminous fruiting body?' *Doklady Biochemistry and biophysics* 474:217-219 (2017)

Ramsbottom, J. *Mushrooms and Toadstools. A Study of the Activities of Fungi.* Bloomsbury Books, 1953 (종군기자의 인용구 출처)

Sivinski, J. 'Arthropods attracted to luminous fungi', *Psyche* 88 (1981)

꾀꼬리버섯의 영리한 사촌

Elven, H. et al. *Kunnskapsstatus for artsmangfoldet i Norge* 2015. Utredning for Artsdatabanken 1/2016 (2016)

Guest, T. et al. 'Anticancer laccases: A review', *Journal of Clinical & Experimental Oncology* 05 (2016)

Hakala, T.K. et al. 'Evaluation of novel wood-rotting polypores and corticioid fungi for the decay and bio-pulping of Norway spruce (*Picea abies*) wood', *Enzyme and Microbial Technology* 34: 255-263 (2004)

오바 리볼로사 특허 출원: https://patents.google.com/patent/WO2003080812A1/en

Rashid, S. et al. 2011. 'A study of anti-cancer effects of *Funalia trogii* in vitro and in vivo.' *Food and Chemical Toxicology* 49: 1477-1483 (2011)

Rashid, S. et al. 'Potential of a *Funalia trogii* laccase enzyme as an anticancer agent', *Annals of Microbiology* 65 (2014)

캠프파이어 명상

3분의 1이 장작이고 나머지 펠릿, 목재 칩, 그리고 액상 바이오 연료다.: https://nibio.no/tema/skog/bruk-av-tre/bioenergi

음식에 향을 내고 연어를 먹이는 침엽수

Ciriminna, R. et al. 'Vanillin: The case for greener production by sustainability megatrend', *Chemistry Open* 8: 660-667 (2019)

Crowther, T.W. et al. 'Mapping tree density at a global scale', *Nature* 525: 201-205 (2015)

Gallage, N.J. et al. 'Vanillin-bioconversion and bioengineering of the most popular plant flavor and its de novo biosynthesis in the vanilla orchid', *Molecular Plant* 8: 40-57 (2015)

바닐라난초의 킬로그램당 가격이 은보다 비싸다.: https://www.foodbusinessnews.net/articles/13570-vanilla-prices-slowly-drop-as-crop-quality-improves

Øverland, M. et al. 'Yeast derived from lignocellulosic biomass as a sustainable feed resource for use in aquaculture', *Journal of the Science of Food and Agriculture* 97: 733-742 (2017)

Sahlmann, C. et al. 'Yeast as a protein source during smoltification of Atlantic salmon (*Salmo salar* L.), enhances performance and modulates health', *Aquaculture* 513: 734396 (2019)

바닐라 씨는 순전히 시각적 효과를 위해 아이스크림에 추가된다.: https://www.cooksvanilla.com/vanilla-bean-seeds-a-troubling-new-trend/

너무 많아서, 빨라서, 더러워서 문제

Berland, A. et al. 'The role of trees in urban stormwater management', *Landscape and urban planning* 162: 167-177 (2017)

Frazer, L. 'Paving paradise: The peril of impervious surfaces', *Environmental health perspectives* 113: A456-A462 (2005)

지붕 위에서 풀을 뜯는 양 : https://commons. wikimedia.org/wiki/ Category:Hieronymus_Scholeus#/media/File:Scoleus.jpg

Magnussen, K. et al. '*Økosystemtjenester fra grønnstruktur i norske byer og tettsteder*', *Vista analyse* (2015)

나무에서 돈이 자란다면

Bastin, J.-F. et al. 'Understanding climate change from a global analysis of city analogues', *PLOS ONE* 14: e0217592 (2019)

Huang, Y.J. et al. 'The potential of vegetation in reducing summer cooling loads in residential buildings', *Journal of Climate and Applied Meteorology* 26: 1103-1116 (1987)

IPBES. *The Global Assessment Report on Biodiversity and Ecosystem Services*. Complete draft version (2019)

런던에서 가장 비싼 나무: https://www.dailymail.co.uk/news/ article-7733587/ The-1-6million-tree-churchs-magnificent- marvel-valuable-specimen-UK. html#:~:text=After%20the%20 system%20was%20launched,was%20valued%20 at%20 %C2%A3750%2C000.

Magnussen, K. et al. '*Økosystemtjenester fra grønnstruktur I norske byer og tettsteder*', *Vista analyse* (2015)

Nowak, D.J. et al. 'Air pollution removal by urban trees and shrubs in the United States', *Urban Forestry & Urban Greening* 4:115-123 (2006)

나무는 도시의 열을 식혀준다 : https://www.energylivenews.com/2019/09/30/ could-urban-trees-mean-we-can- leave-airconditioning-emissions-behind/ and https://www.epa. gov/heatislands/using-trees-and-vegetation-reduce-heat-islands

Treeconomics London. Valuing London's Urban Forest Results of the London i-Tree Eco Project (2015)

Venter, Z.S. et al. 'COVID-19 lockdowns cause global air pollution declines with implications for public health risk', medRxiv: 2020.04.10.20060673 (2020a)

Venter, Z.S. et al. 'Linking green infrastructure to urban heat and human
    health risk mitigation in Oslo, Norway', *Science of the Total Environment*
    709: 136193 (2020b)

Wang, H. et al. 'Efficient removal of ultrafine particles from diesel exhaust by
    selected tree species: Implications for roadside planting for improving the
    quality of urban air', *Environmental Science & Technology* 53: 6906-6916
    (2019)

표토가 모두 날아가버리기 전까지 계곡은 얼마나 푸르렀는가

인용구 "아름답도다, 산비탈이여."의 출처는 다음과 같다. *Njål's Saga*,
    Wordsworth Classic edition (1998), translated by Carl F. Bayerschmidt
    and Lee M. Hollander

루피너스는 외래종으로서 생태 위해성 높음 범주에 속한다.: 2018 https://
    artsdatabanken.no/Fab2018/N/1491

하늘을 흐르는 아마존강

Diniz, M.B. et al. 'Does Amazonian land use display market failure?
    An opportunity-cost approach to the analysis of Amazonian
    environmental services', *CEPAL Review* 126: 99-118 (2018)

Ellison, D. et al. 'On the forest cover-water yield debate: from demand –
    to supply – side thinking', *Global Change Biology* 18:806-820 (2012)

Lindholm, M. '*Reguleres vinden av en biotisk pumpe?*' *Naturen* 138: 144-150
    (2014)

Makarieva, A.M. et al. 'Biotic pump of atmospheric moisture as driver of
    the hydrological cycle on land', *Hydrology and EarthSystem Sciences* 11:
    1013-1033 (2007)

Makarieva, A.M. et al. 'The biotic pump: Condensation, atmospheric
    dynamics and climate', *International Journal of Water* 5: 365-385 (2010)

Makarieva, A.M. et al. 'Where do winds come from? A new theory on
    how water vapor condensation influences atmospheric pressure and
    dynamics', *Atmospheric Chemistry and Physics* 13:1039-1056 (2013)

Sheil, D. et al. 'How forests attract rain: An examination of a new
    hypothesis', *BioScience* 59: 341-347 (2009)

Sheil, D. et al. 'Forests, atmospheric water and an uncertain future: The
    new biology of the global water cycle', *Forest Ecosystems* 5 (2018)

Spracklen, D.V. et al. 'Observations of increased tropical rainfall preceded
    by air passage over forests', *Nature* 489: 282-285 (2012)

Sheil, D. et al. 'Erratum: Corrigendum: Observations of increased tropical rainfall preceded by air passage over forests', *Nature* 494: 390-390 (2013)

흰개미와 가뭄

미국에서 흰개미로 인한 손실 : https://www.fs.fed.us/research/ invasivespecies/ insects/termites.php

맹그로브 방파제

Arkema, K.K. et al. 'Linking social, ecological, and physical science to advance natural and nature-based protection for coastal communities', *Annals of the New York Academy of Science* 1399: 5-26 (2017)

Barbier, E.B. 'Valuing ecosystem services as productive inputs', E*conomic Policy* 22: 177-229 (2007)

Barbier, E.B. 'The value of estuarine and coastal ecosystem services', *Ecological Monographs* 81: 169-193 (2011)

Das, S. et al. 'Mangroves protected villages and reduced death toll during Indian super cyclone', *PNAS* 106: 7357-7360 (2009)

Das, S. et al. 'Mangroves can provide protection against wind damage storms', *Estuarine Coastal and Shelf Science* 134:98 (2013)

Kathiresan, K. et al. 'Coastal mangrove forests mitigated tsunami', *Estuarine, Coastal and Shelf Science* 65: 601-606 (2005)

Russi, D., et al. 'The economics of ecosystems and biodiversity for and wetlands', *TEEB Report* (2013)

Thomas, N., et al. 'Distribution and drivers of global mangrove change, 1996-2010', *PLOS ONE* 12: e0179302 (2017)

썩어가는 나무의 아름다움

Tarjei Vesaas' 'Trøytt tre'에서 발췌. (내가 개인적으로 제일 좋아하는 시의 하나. 출처는 다음과 같다.) *Lykka for ferdesmenn* (1949)

Jacobsen, R.M. et al. 'Near-natural forests harbor richer saproxylic beetle communities than those in intensively managed forests', *Forest Ecology and Management* 466: 118124 (2020)

Norden, J. et al. 'At which spatial and temporal scales can fungi indicate habitat connectivity?' *Ecological Indicators* 91: 138-148 (2018)

Pennanen, J. 'Forest age distribution under mixed-severity fire regimes –a simulation-based analysis for middle boreal Fennoscandia', S*ilva Fennica* 36: 213-231 (2002)

순록과 큰까마귀

Badia, R. 'Reindeer carcasses provide foraging habitat for several bird species of the alpine tundra', *Ornis Norvegica* 42: 36-40 (2019)

Carter, D.O. et al. 'Cadaver decomposition in terrestrial ecosystems', *Naturwissenschaften* 94: 12-24 (2006)

Frank, S.C. et al. 'Fear the reaper: Ungulate carcasses may generate an ephemeral landscape of fear for rodents', *Royal Society Open Science* 7: 191644 (2020)

Granum, H.M. 'Change in arthropod communities following a mass death incident of reindeer at Hardangervidda', Master thesis NMBU (2019)

Payne, J.A. 'A summer carrion study of the baby pig *Sus Scrofa Linnaeus*', *Ecology* 46: 592-602 (1965)

개인적으로 샘 스테이어트Sam Steyaert와 이야기한 내용임.

Steyaert, S.M.J.G. et al. 'Special delivery: Scavengers direct seed dispersal towards ungulate carcasses', *Biology Letters* 14:20180388 (2018)

에드거 앨런 포의 시 "갈까마귀"는 다음에서 읽을 수 있다.: https://poetryfoundation.org/poems/48860/the-raven

7장 생명이라는 태피스트리의 날실

Chisholm, S.W. et al. 'A novel free-living prochlorophyte abundant in the oceanic euphotic zone', *Nature* 334: 340-343 (1988)

Flombaum, P. et al. 'Present and future global distributions of the marine cyanobacteria *Prochlorococcus* and *Synechococcus*', *PNAS* 110: 9824-9829 (2013)

프로클로코쿠스를 연구한 과학자는 페니 치솜이다. 페니 치솜에 대한 자료의 출처는 다음과 같다.: https://www.sciencemag.org /news/2017/03/meet-obscure-microbe-influences- climate-ocean-ecosystems-and-perhaps-even-evolution

고래 사체와 하얀 황금

Cushman, G.T. *Guano and the Opening of the Pacific World. A Global Ecological History*, Cambridge University Press, 2013

Danovaro, R. et al. 'The deep-sea under global change', *Current Biology* 27: R461-R465 (2017)

Doughty, C.E. et al. 'Global nutrient transport in a world of giants', *PNAS* 113: 868-873 (2016)

Glover, A.G. et al. 'World-wide whale worms? A new species of Osedax from the shallow north Atlantic', *Proceedings of the Royal Soc. B*: 272:2587-2592 (2005)

Kjeld, M. 'Salt and water balance of modern baleen whales: Rate of urine production and food intake', *Canadian Journal of Zoology* 81: 606-616 (2003)

LaRue, M.A. et al. 'Emigration in emperor penguins: implications for interpretation of long-term studies', *Ecography* 38: 114-120 (2015)

Otero, X.L. et al. 'Seabird colonies as important global drivers in the nitrogen and phosphorus cycles', *Nature Communications* 9 (2018)

Roman, J. et al. 'Whales as marine ecosystem engineers', *Frontiers in Ecology and the Environment* 12: 377-385 (2014)

Rouse G.W. 'Osedax: Bone-eating marine worms with dwarf males', *Science* 305: 668-671 (2004)

구아노섬 법: https://uscode.house.gov/view.xhtml?path=/prelim@title48/chapter8&edition=prelim

세상에서 가장 아름다운 탄소 저장고

Achat, D.L. et al. 'Forest soil carbon is threatened by intensive biomass harvesting', *Scientific Reports* 5: 15991 (2015)

Bartlett, J. et al. *Carbon storage in Norwegian ecosystems*, NINA Report1774, Norwegian Institute for Nature Research (2020)

IPCC. *Climate Change 2014: Synthesis Report. Contribution of Working Groups I,II and III to the Fifth Assessment Report of the Intergovernmental Panel on Climate Change*, IPCC, Geneva, Switzerland (2014)

Kroeker, K.J. et al. 'Meta-analysis reveals negative yet variable effects of ocean acidification on marine organism', *Ecology Letters* 13: 1419-1434 (2010)

Luyssaert, S. et al. 'Old-growth forests as global carbon sinks', *Nature* 455: 213-215 (2008)

건강한 자연이 질병을 다스린다

American Veterinary Medical Association. 'One Health: A New Professional Imperative', One Health Initiative Task Force: Final Report (2008)

Blockstein, D.E. et al. 'Fauna in decline: Extinct pigeon's tale', *Science* 345: 1129 (2014)

Jørgensen, H.J. et al. 'COVID-19: Én verden, én helseø. Tidsskrift for Den norske legeforening 140. doi:10.4045/tidsskr.20.0212 (2020)

Keesing, F. et al. 'Hosts as ecological traps for the vector of Lyme disease',
  Proceedings of the Royal Society B: Biological Sciences 276: 3911-3919 (2009)

라임병 : https://www.wiscontext.org/what-does-passenger-pigeon-have-do-lyme-disease

미시간의 둥지 : https://sora.unm.edu/sites/default/files/journals/nab/v039n05/
  p00845-p00851.pdf

Ostfeld, R.S. et al. 'Effects of acorn production and mouse abundance on
  abundance and *Borrelia burgdorferi* infection prevalence of nymphal *Ixodes
  scapularis* ticks', *Vector-Borne* and *Zoonotic Diseases* 1: 55-63 (2001)

Ostfeld, R.S. et al. 'Are predators good for your health? Evaluating evidence
  for top-down regulation of zoonotic disease reservoirs', F*rontiers in Ecology
  and the Environment* 2: 13-20 (2004)

Ostfeld, R.S. et al. 'Tick-borne disease risk in a forest food web'. *Ecology* 99:
  1562-1573 (2018)

과거 나그네 비둘기의 수 : https://www.si.edu/spotlight/passengerpigeon

Rohr, J.R. et al. 'Emerging human infectious diseases and the links to global
  food production', *Nature Sustainability* 2: 445-456 (2019)

Settele, J. et al. 'COVID-19 stimulus measures must save lives, protect
  livelihoods, and safeguard nature to reduce the risk of future pandemics',
  IPBES Expert Guest Article (2020)

Tanner, E. et al. 'Wolves contribute to disease control in a multihost system',
  Scientific Reports 9 (2019)

Taylor, L.H. et al. 'Risk factors for human disease emergence', *Philosophical
  Transactions of the Royal Society London B: Biological Sciences* 356: 983-989
  (2001)

World Health Organization and Convention on Biological Diversity, *Connecting
  Global Priorities: Biodiversity and Human Health. A State of Knowledge Review.*
  364 p. WHO, Geneva (2015)

배가 많이 고픈 애벌레

Bohan, D.A. et al. 'National-scale regulation of the weed seedbank by carabid
  predators', *Journal of Applied Ecology* 48: 888-898 (2011)

Hass, A.L. et al. 'Landscape configurational heterogeneity by small-
  scale agriculture, not crop diversity, maintains pollinators and plant
  reproduction in Western Europe', *Proceedings of the Royal Society B:
  Biological Sciences* 285: 20172242 (2018)

Lechenet, M. et al. 'Reducing pesticide use while preserving crop productivity
  and profitability on arable farms', *Nature Plants* 3: 17008 (2017)

Roslin, T. et al. 'Higher predation risk for insect prey at low latitudes and elevations', *Science* 356: 742-744 (2017)

Tscharntke, T. et al. 'Multifunctional shade-tree management in tropical agroforestry landscapes - a review', *Journal of Applied Ecology* 48: 619-629 (2011)

Tschumin, M. et al. 'High effectiveness of tailored flower strips in reducing pests and crop plant damage', *Proceedings of the Royal Society B: Biological Sciences* 282: 20151369 (2015)

United Nations. *Report of the Special Rapporteur on the Right to Food (A/HRC/34/48). UN Human Rights Council.* https:// documents-dds-ny. un.org/doc/UNDOC/GEN/G17/017/85/PDF/ G1701785.pdf?OpenElement= (2017)

Wetherbee, Birkemoe, Sverdrup-Thygeson, in prep. 'Veteran trees as a source of natural enemies'.

8장 자연의 기록보관소

레이 브래드버리 "도서관이 없다면 우리에게 남은 것은 무엇인가?" 인용문 출처는 다음과 같다. https://www.goodreads.com/ quotes/145695-without-libraries-what-have-we-we-haveno-past- and

꽃가루가 하는 말

Bryant, V.M. et al. 'Forensic palynology: A new way to catch crooks', Bryant, V.M. and Wrenn, J.W. (eds.), *New Development in Palynomorph Sampling, Extraction, and Analysis; American Association of Stratigraphic Palynologists Foundation, Contributions Series* Number 33, 145-155 (1998)

Holloway, R. et al. 'New directions in palynology in ethnobiology', *Journal of Ethnobiology* 6: 46-65 (1986)

Milne, L. et al. 'Forensic palynology', I.H.M. Coyle (ed.), *Forensic Botany: Principles and Applications to Criminal Casework* (pp. 217-252). Boca Raton, USA: CRC Press, 2005

Sandom, C.J. et al. 'High herbivore density associated with vegetation diversity in interglacial ecosystems', *PNAS* 111:4162- 4167 (2014)

Smith, D. et al. 'Can we characterise "openness" in the Holocene palaeoenvironmental record? Modern analogue studies of insect faunas and pollen spectra from Dunham Massey deer park and Epping Forest,

England', *The Holocene* 20: 215-229 (2010)

Steele, A. et al. 'Reconstructing Earth's past climates: The hidden secrets of pollen', *Science Activities: Classroom Projects and Curriculum Ideas* 50: 62-71 (2013)

Stephen, A. 'Pollen-A microscopic wonder of plant kingdom', *International Journal of Advanced Research in Biological Sciences*, 1: 45-62 (2014)

시는 1863년에 출간된 윌리엄 블레이크의 '순수의 전조' 시작 부분이다.

Whitehouse, N.J. et al. 'How fragmented was the British Holocene wildwood? Perspectives on the "Vera" grazing debate from the fossil beetle record', *Quaternary Science Reviews* 29:539-553 (2010)

살아 있던 시절의 고리

Bill, J. et al. 'The plundering of the ship graves from Oseberg and Gokstad: an example of power politics?' *Antiquity* 86: 808-824 (2012)

Buntgen, U. et al. '2500 years of European climate variability and human susceptibility', *Science* 331: 578-582 (2011)

Grissino-Mayer, H.D. et al. 'Tree-ring dating of the Karr-Koussevitzky double bass: A case study' in *Dendromusicology* 61: 77-86 (2005)

Rolstad, J. et al. 'Fire history in a western Fennoscandian boreal forest as influenced by human land use and climate', *Ecological Monographs* 87: 219-245 (2017)

인용한 시는 한스 뵈를리의 시이다. 'F*ra en tømmerhoggers dagbok*', published in *the collection Dag og drøm. Dikt i utvalg.* H. Aschehoug & Co., 1979

새똥이 하는 말

Birdlife International. *Chaetura pelagica*, The IUCN Red List of Threatened Species 2018: e.T22686709A131792415. https://dx.doi.org/10.2305/IUCN. UK.2018-2.RLTS.T22686709A131792415.en (2018)

English, P.A. et al. 'Stable isotopes from museum specimens may provide evidence of long-term change in the trophic ecology of a migratory aerial insectivore', *Frontiers in Ecology and Evolution* 6:1-13 (2018)

Nocera, J.J. et al. 'Historical pesticide applications coincided with an altered diet of aerially foraging insectivorous chimney swifts', *Proceedings of the Royal Society B: Biological Sciences* 279: 3114-3120 (2012)

신성한 연꽃의 자동 세척 시스템

Barthlott, W. et al. 'Purity of the sacred lotus, or escape from contamination in biological surfaces', *Planta* 202: 1-8 (1997)

Shen-Miller, J. et al. 'Exceptional seed longevity and robust growth: Ancient sacred lotus from China', *American Journal of Botany* 82: 1367-1380 (1995)

Shirtcliffe, N.J. et al. 'Learning from superhydrophobic plants: The use of hydrophilic areas on superhydrophobic surfaces for droplet control'. Part of the *Langmuir 25th Year: Wetting and Superhydrophobicity* special issue 25: 14121-14128 (2009)

마츠와 바쇼의 하이쿠 출처 The translation *Narrow Road to the Interior: And Other Writings*, translated by Sam Hamill, Shambhala Publications, 2006

Zygote Quarterly (digital magazine about bioinspiration) 3, 2012: https://zqjournal.org/editions/zq03.html

새의 부리를 닮은 고속 열차

신칸센 고속열차: https://www.greenbiz.com/blog/2012/10/19/how- one-engineers-birdwatching-made-japans-bullet-train-better https://asknature.org/resource/the-world-is-poorly-designed-but-copying-nature-helps/ https://www.aftenposten.no/verden/i/xP5l8j/ naa-skal-de-testkjoerelyntog-med-toppfart-paa-400-kmt

Rao, C. et al. 'Owl-inspired leading-edge serrations play a crucial role in aerodynamic force production and sound suppression', *Bioinspiration & Biomimetics* 12: 046008 (2017)

Wagner, H., et al. 'Features of owl wings that promote silent flight', *Interface Focus* 7: 20160078 (2017)

바래지 않는 색

Fayemi, P.-E. et al. 'Bio-inspired design characterisation and its links with problem-solving tools', *Design* 2014 Dubrovnik - Croatia (2014)

L'Oréal: http://canadianbeauty.com/luci-from-lancome/ 그리고 https://www.temptalia.com/lancome-spring-2008-luci-luminous- colorless-color-intelligence-collection/

Shu, L.H. et al. 'Biologically inspired design', *CIRP Annals* 60: 673-693 (2011)

Sun, J. et al. 'Structural coloration in nature', *RSC Adv.* 3: 14862- 14889 (2013)

Vukusic, P. 'An introduction to bio-inspired design. Nature's inspiration may help scientists find solutions to technological, biomedical or industrial challenges', *Contact Lens Spectrum* (2010)

Zhang, S. et al. 'Nanofabrication and coloration study of artificial Morpho butterfly wings with aligned lamellae layers', *Scientific Reports* 5: 16637 (2015)

특별한 밤눈을 가진 나방

Bixler, G.D. et al. 'Biofouling: Lessons from nature', *Philosophical Transactions of the Royal Society A: Mathematical, Physical and Engineering Sciences* 370: 2381-2417 (2012)

본문에서 언급된 생물에서 착안한 제품들: https://www.geomatec.com/products-and-solutions/optical-control/ anti-reflection-and-anti-glare/gmoth/

https://www.m-chemical.co.jp/en/products/departments/mcc/hpfilms- pl/product/1201267_7568.html

https://www.sharklet.com/

https://web-japan.org/trends/11_tech-life/tec201901.html

Hirose, E. et al. 'Does a nano-scale nipple array (moth-eye structure) suppress the settlement of ascidian larvae?', *Journal of the Marine Biological Association of the United Kingdom*, 99:1393-1397 (2019)

Navarro-Baena, I. et al. 'Single-imprint moth-eye anti-reflective and self-cleaning film with enhanced resistance', *Nanoscale* 10:15496-15504 (2018)

Sun, J. et al. 'Biomimetic moth-eye nanofabrication: Enhanced antireflection with superior self-cleaning characteristic', *Scientific Reports* 8: 1-10 (2018)

Tan, G. et al. 'Broadband antireflection film with moth-eye-like structure for flexible display applications', *Optica* 4: 678 (2017)

점균류 같은 하등동물이 똑똑하다면

Adamatzky, A. et al. 'Are motorways rational from slime mould's point of view?', *International Journal of Parallel, Emergent and Distributed Systems*, 28: 230-248 (2013)

Navlakha, S. et al. 'Algorithms in nature: The convergence of systems biology and computational thinking', *Molecular Systems Biology*, 7: 546 (2011)

Poissonnier, L.-A. et al. 'Experimental investigation of ant traffic under crowded conditions', *eLife* 8 (2019)

Slime mould mating types: https://warwick.ac.uk/fac/sci/lifesci/ outreach/slimemold/facts/

Sørensen, K. 'Metaheuristics-the metaphor exposed', *International Transactions in Operational Research*, 22: 3-18 (2015)

Tero, A. et al. 'Rules for biologically inspired adaptive network design', *Science* 327: 439-442 (2010)

꿀벌 알고리즘: https://www.goldengooseaward.org/awardees/honey-bee-algorithm

은둔꽃무지와 사냥개

Middle, I. 'Between a dog and a green space: Applying ecosystem services theory to explore the human benefits of off-the-leash dog parks', *Landscape Research*: 1-14 (2019)

Mosconi, F. et al. 'Training of a dog for the monitoring of *Osmoderma eremita*', *Nature Conservation-Bulgaria*: 237-264 (2017)

개들의 다른 유용한 면:
https://www.greenmatters.com/news/2018/02/19/2m3wBf/borderforest-forest
https://www.iowapublicradio.org/post/specially-trained-dogs-help-find-rare-iowa-turtles
https://www.bbcearth.com/blog/?article=meet-the-dogs-savingendangered-species

Sverdrup-Thygeson, A. et al. *Faglig grunnlag for handlingsplan for eremitt*, NINA Rapport 632. 25 pages (2010)

Rudyard Kipling의 시 'The Cat that Walked by Himself'의 시 출처는 다음과 같다: *Just So Stories*, Macmillan Publishers, 1902

지옥불 속으로 뛰어든 박쥐

Christen, A.G. et al. 'Dr. Lytle Adams' incendiary "bat bomb" of World War II', *Journal of the History of Dentistry*, 52: 109-115 (2004)

Tarjei Vesaas의 시 '*Regn i Hiroshima*'(Rain in Hiroshima)의 시 출처는 다음과 같다: from Leiken og Lynet (1947); English translation from *Through Naked Branches: Selected Poems of Tarjei Vesaas*, translated by Roger Greenwald, Black Widow Press, 2018

비둘기가 조종하는 미사일: https://web.archive.org/web/20080516215806/http://historywired.si.edu/object.cfm?ID=353

디킨 훈장 The Dickin Medal: https://www.pdsa.org.uk/what-we-do/animal-awards-programme/pdsa-dickin-medal

---

10장 자연이라는 성당—위대한 사고의 원천

볼루스파의 발췌문 출처는 다음과 같다. Penguin Classics edition of *The Prose Edda* translated by Jesse Byock, 2005

Ekman, Kerstin. *My Life in the Forest and the Forest in my Life - Nature and Identity, Herrene i skogen*, Heinesen Forlag. 2015

호모 인도루스―자연과 건강

Bratman, G.N. et al. 'Nature and mental health: An ecosystem service perspective', *Science Advances* 5: eaax0903 (2019)

Chawla, L. 'Childhood experiences associated with care for the natural world: A theoretical framework for empirical results', *Children, Youth and Environments*, 17: 144-170 (2007)

영국의 사례: https://www.dailymail.co.uk/news/article-462091 /How-children-lost-right-roam-generations.html

Haahtela, T. et al. 'The biodiversity hypothesis and allergic disease: World allergy organization position statement', *World Allergy Organization Journal*, 6: 3 (2013)

Mayer, F.S. et al. 'The connectedness to nature scale: A measure individuals' feeling in community with nature', *Journal of Environmental Psychology*, 24: 503-515 (2004)

노르웨이인들의 정신 건강 문제: https://www.helsenett.no/142- fakta/fakta.html

Nilsen, A.H. 'Available outdoor space and competing needs in public kindergartens in Oslo', *FORMakademisk* 7 (2014)

Ohtsuka, Y. et al. 'Shinrin-yoku (forest-air bathing and walking) effectively decreases blood glucose levels in diabetic patients', *International Journal of Biometeorology*, 41: 125-127 (1998)

Sandifer, P.A. et al. 'Exploring connections among nature, biodiversity, ecosystem services, and human health and wellbeing: Opportunities to enhance health and biodiversity conservation', *Ecosystem Services*, 12: 1-15 (2015)

Sender, R. et al. 'Revised estimates for the number of human and bacteria cells in the body', *PLOS Biology*, 14:e1002533 (2016)

Brink, P. et al. *The Health and Social Benefits of Nature and Biodiversity Protection. A report for the European Commission*, Institute for European Environmental Policy, London/Brussels (2016)

Van Den Berg, A.E. 'From green space to green prescriptions: Challenges and opportunities for research and practice', *Frontiers in Psychology* 8 (2017)

Von Hertzen, L. et al. 'Natural immunity', *EMBO reports* 12:1089-1093 (2011)

Wells, N. et al. 'Nature and the life course: Pathways from childhood nature experiences to adult environmentalism', *Children, Youth and Environments* 16 (2006)

World Health Organization and Convention on Biological Diversity. 2015. *Connecting Global Priorities: Biodiversity and Human Health. A State of Knowledge Review*. 364 p. WHO, Geneva

식물처럼 똑똑하게

Appel, H.M. et al. 'Plants respond to leaf vibrations caused by insect herbivore chewing', *Oecologia* 175: 1257-1266 (2014)

Balding, M. et al. 'Plant blindness and the implications for plant conservation', *Conservation Biology* 30: 1192-1199 (2016)

Biegler, R. 'Insufficient evidence for habituation in Mimosa pudica. Response to Gagliano et al', (2014). *Oecologia* 186:-35 (2018)

Gagliano, M. et al. 'Experience teaches plants to learn faster and forget slower in environments where it matters', *Oecologia* 175:63-72 (2014)

Gagliano, M. et al. 'Learning by Association in Plants', *Scientific Reports* 6:38427 (2016)

Gagliano, M. et al. 'Plants learn and remember: let's get used to it', *Oecologia* 186:29-31 (2018)

Helms, A.M. et al. 'Exposure of *Solidago altissima* plants to volatile emissions of an insect antagonist (*Eurosta solidaginis*) deters subsequent herbivory', *PNAS* 110: 199-204 (2013)

Knapp, S. 'Are humans really blind to plants?', *Plants, People, Planet* 1: 164-168 (2019)

Mescher, M.C. et al. 'Plant biology: Pass the ammunition', *Nature* 510: 221-222 (2014)

Pierik, R. et al. 'Molecular mechanisms of plant competition: Neighbor detection and response strategies', *Functional Ecology* 27: 841-853 (2013)

Runyon, J.B. et al. 'Volatile chemical cues guide host location and host selection by parasitic plants', *Science* 313: 1964 (2006)

Veits, M. et al. 'Flowers respond to pollinator sound within minutes by increasing nectar sugar concentration', *Ecology Letters* 22: 1483-1492 (2019)

미묘한 상호작용

Brusca, R. et al. 'Tongue replacement in a marine fish (*Lutjanus guttatus*) by a parasitic isopod (Crustacea: Isopoda)', *Copeia* 1983: 813 (1983)

Fay, M.F. 'Orchid conservation: How can we meet the challenges in the twenty-first century?', *Botanical Studies* 59 (2018)

NOU 2004: 28. Act relating to the management of natural, landscape and
  biological diversity (Nature Diversity Act). Ministry of Climate and
  Environment (2004)

잃어버린 야생과 새로운 자연—앞으로 나아갈 길

Perring, M.P. et al. 'The extent of novel ecosystems: Long in time and broad in
  space', In Hobbs, R. J. et al. (eds), *Novel Ecosystems*, pp. 66-80 (2013)
The Aldo Leopold quotation is from *Round River: From the Journals of Aldo
  Leopold*, Northwood Press, 1953
The Henry Thoreau quote is from *Walden or Life in the Woods*, originally
  published in 1854
Vizentin-Bugoni, J. et al. 'Structure, spatial dynamics, and stability of novel
  seed dispersal mutualistic networks in Hawaii', *Science* 364: 78-82 (2019)
Watson, J.E.M. et al. 'Catastrophic declines in wilderness areas undermine
  global environment targets', *Current Biology* 26: 2929-2934 (2016)
Ibid. 'Protect the last of the wild', *Nature* 563:27-30 (2018)

찾아보기